D0241175

Survivre
à la peine
d'amour

Correction : Anne-Marie Théorêt
Infographie : Johanne Lemay

**Catalogage avant publication de Bibliothèque et
Archives nationales du Québec et Bibliothèque et
Archives Canada**

Anderson, Susan, C.S.W.
    Survivre à la peine d'amour : de l'abandon à la
    guérison
    Traduction de: The journey from abandonment
    to healing.

1. Rejet (Psychologie). 2. Séparation (Psychologie).
I. Titre.

BF575.R35A5214 2008   155.9'3   C2008-940040-2

Pour en savoir davantage sur nos publications,
visitez notre site: **www.edhomme.com**
Autres sites à visiter: www.edjour.com
www.edtypo.com • www.edvlb.com
www.edhexagone.com • www.edutilis.com

02-08

© 2000, Susan Anderson, C.S.W.

© 2008, Les Éditions de l'Homme,
division du Groupe Sogides inc.,
filiale du Groupe Livre Quebecor Media inc.
(Montréal, Québec)

Tous droits réservés

L'ouvrage original a été publié par Berkley Books,
succursale de Penguin Putnam Inc., sous le titre
The Journey from Abandonment to Healing

Dépôt légal: 2008
Bibliothèque et Archives nationales du Québec

ISBN 978-2-7619-2419-1

DISTRIBUTEURS EXCLUSIFS :

• Pour le Canada et les États-Unis :
MESSAGERIES ADP*
2315, rue de la Province
Longueuil, Québec J4G 1G4
Tél. : 450 640-1237
Télécopieur : 450 674-6237
* filiale du Groupe Sogides inc.,
  filiale du Groupe Livre Quebecor Media inc.

• Pour la France et les autres pays :
INTERFORUM editis
Immeuble Paryseine, 3, Allée de la Seine
94854 Ivry CEDEX
Tél. : 33 (0) 4 49 59 11 56/91
Télécopieur: 33 (0) 1 49 59 11 33
Service commandes France Métropolitaine
Tél.: 33 (0) 2 38 32 71 00
Télécopieur: 33 (0) 2 38 32 71 28
Internet: www.interforum.fr
Service commandes Export – DOM-TOM
Télécopieur: 33 (0) 2 38 32 78 86
Internet: www.interforum.fr
Courriel: cdes-export@interforum.fr

• Pour la Suisse :
INTERFORUM editis SUISSE
Case postale 69 – CH 1701 Fribourg – Suisse
Tél. : 41 (0) 26 460 80 60
Télécopieur: 41 (0) 26 460 80 68
Internet: www.interforumsuisse.ch
Courriel: office@interforumsuisse.ch
Distributeur: OLF S.A.
ZI. 3, Corminboeuf
Case postale 1061 – CH 1701 Fribourg – Suisse
Commandes: Tél.: 41 (0) 26 467 53 33
             Télécopieur: 41 (0) 26 467 54 66
             Internet: www.olf.ch
             Courriel: information@olf.ch

• Pour la Belgique et le Luxembourg :
INTERFORUM editis BENELUX S.A.
Boulevard de l'Europe 117,
B-1301 Wavre – Belgique
Tél.: 32 (0) 10 42 03 20
Télécopieur: 32 (0) 10 41 20 24
Internet: www.interforum.be
Courriel: info@interforum.be

Gouvernement du Québec – Programme de crédit
d'impôt pour l'édition de livres – Gestion SODEC –
www.sodec.gouv.qc.ca

L'Éditeur bénéficie du soutien de la Société de développement des entreprises culturelles du Québec
pour son programme d'édition.

Le Conseil des Arts du Canada
The Canada Council for the Arts

Nous remercions le Conseil des Arts du Canada de
l'aide accordée à notre programme de publication.

Nous reconnaissons l'aide financière du gouvernement du Canada par l'entremise du Programme
d'aide au développement de l'industrie de l'édition
(PADIÉ) pour nos activités d'édition.

Susan Anderson

Survivre
à la peine
d'amour
de l'abandon à la guérison

Traduit de l'américain par Marie Perron

LES ÉDITIONS DE
L'HOMME
Une compagnie de Quebecor Media

Akeru

Un jour que je feuilletais un dictionnaire de la langue japonaise, j'ai trouvé un mot dont les significations nombreuses m'ont émerveillée: TOUTES étaient liées de près ou de loin à la notion d'abandon. Il s'agit d'*akeru*, dont le sens est «percer, ouvrir, finir, trouer, commencer, expirer, développer, retourner, vider, devenir clair». Lorsqu'une personne s'en va, *akeru* désigne le vide ainsi créé, l'ouverture qui permet le recommencement. J'ai été abasourdie de constater la force de ce mot qui laissait entendre que le *début* et la *fin* sont une seule et même réalité inhérente au cycle perpétuel de renouveau et de guérison. La découverte de ce concept m'a enthousiasmée. Je l'ai immédiatement intégré à mes travaux sur la guérison des suites de l'abandon, et j'ai été ravie que les gens réagissent spontanément à sa sagesse.

Mon intention n'est pas de capitaliser sur la philosophie orientale ou d'inventer un nouvel art martial. Je suis heureuse de pouvoir tirer parti de la fluidité et des nombreux sens d'un mot unique en l'extrayant tout simplement du contexte d'une culture millénaire éclairée.

Que sont l'abandon
et le sentiment d'abandon?

« Qu'est-ce que l'abandon? Qu'est-ce que le sentiment d'abandon?» me demande-t-on. «Est-ce le fait de rechercher sa mère? Est-ce d'avoir été laissé sur le seuil d'une maison quand on était petit?»

Ma réponse: chaque jour, des gens ont l'impression d'avoir été mis au rebut ou abandonnés sur le pas d'une porte par la vie. Le sentiment d'abandon, c'est celui de la perte de l'amour lui-même, de la perte catastrophique d'un rapport. Il est souvent associé à une rupture, à une trahison, à un esseulement – vécus simultanément ou successivement sur une période de quelques mois, voir pendant plusieurs années après, telle une réaction à retardement.

Le sentiment d'abandon ne se manifeste pas chez tous de la même façon: c'est une expérience individuelle et extrêmement personnelle. Il s'agit parfois d'un deuil persistant résultant d'anciens renoncements, parfois de peur. Ce peut aussi être une barrière invisible qui nous empêche de créer de nouveaux liens ou de réaliser pleinement notre potentiel, ou encore une forme d'autosabotage. Le sentiment d'abandon devient une habitude bien ancrée.

Ce livre veut apporter un soutien concret aux personnes qui ont cherché en vain un apaisement à la souffrance de l'abandon ou un rétablissement plus rapide. Il vous guidera au long des cinq étapes universelles de l'abandon telles que je les ai observées au cours de mes années de pratique. Tout au long de ce parcours, vous découvrirez sans doute avec étonnement que la souffrance ressentie au départ de l'être cher n'est pas une fin, mais bien le commencement d'une phase de croissance personnelle.

L'expérience de l'abandon est un processus psychobiologique. Je vous ferai part de découvertes récentes dans le domaine de la recherche scientifique sur le cerveau, grâce auxquelles il est possible de mieux comprendre les processus chimiques et biologiques qui sous-tendent notre réaction émotionnelle au rejet.

Les personnes en proie à l'angoisse de la perte d'un amour ont souvent l'impression que leur vie a été transformée pour toujours, qu'elle ne sera plus jamais la même et qu'elles ne pourront plus aimer. J'ai écrit ce livre pour vous rassurer : si dévasté que vous soyez aujourd'hui, votre désespoir et votre accablement sont *temporaires*, *en plus* d'être une facette normale du deuil d'une relation. En réalité, c'est en affrontant résolument votre sentiment d'échec total que vous pourrez commencer à reconstruire votre vie.

Vous dont la vie a été fracassée, vous vous interrogez sans doute sur le conjoint ou la conjointe qui vous a déjà remplacé par de nouvelles expériences et de nouvelles relations. Vous avez été confronté à une remise en question et c'est pour cette raison que vous voici capable d'entreprendre ce parcours. En progressant dans votre lecture, vous verrez que votre souffrance est bien réelle, qu'elle fait partie de la vie et qu'elle est nécessaire.

Quiconque ressent une douleur aussi vive traverse une crise émotionnelle authentique. De nombreuses personnes ont l'impression d'avoir reçu tant de coups de couteau en plein cœur qu'elles ignorent laquelle de leurs blessures panser en premier. Sachez que le fait de ressentir des émotions aussi écrasantes ne signifie nullement que vous êtes faible, dépendant ou indigne d'amour. En dépit des bouleversements intenses qui vous affectent, vous êtes toujours aussi compétent et responsable que naguère. Votre rupture ne vous a pas diminué, quelles que soient les émotions outrancières qui l'accompagnent. En fait, votre profonde sensibilité témoigne de votre force et de votre ténacité. Cédez entièrement à l'emprise de vos émotions et vous pourrez vous en libérer : il n'y a pas d'autre solution.

Certes, c'est là un moment bénéfique de questionnement personnel, mais cette introspection peut aussi conduire au doute de soi et à une autocritique cinglante. Lorsque l'être aimé nous rejette, nous retournons souvent contre nous-mêmes la colère qu'il nous inspire et nous nous croyons responsables de son départ. Le sentiment d'abandon agit alors comme des sables mouvants : nous nous enlisons dans le désespoir et dans la certitude de notre nullité. Sachez que, si douloureuses ou démoralisantes qu'aient été ces circonstances, vous n'êtes ni une victime ni indigne d'amour. Que quelqu'un ait choisi de ne pas partager votre vie en dit autant, voire plus, sur lui ou elle que sur vous et sur votre aptitude à gérer votre relation. Oui, vous êtes abattu pour le moment, mais vous n'avez pas été vaincu.

Si vous regardez vos problèmes en face et que vous savez prendre du recul, vous éviterez de tourner votre colère contre vous-même. En apprenant à résister à l'attraction gravitationnelle qui cherche à vous priver de votre estime de vous-même, vous renforcerez votre courage et votre résistance émotionnelle. Au lieu d'éprouver un sentiment de défaite, vous émergerez de cette épreuve plus sage, plus autonome et davantage capable d'aimer.

De nombreuses personnes ne se remettent jamais de la perte d'un amour si on ne leur vient pas en aide. Leurs peurs et leurs doutes ne trouvent pas de solution. Pour que le rétablissement soit authentique, il faut affronter des émotions désagréables, les comprendre et, par-dessus tout, apprendre à les gérer.

Il y a des émotions dont personne ne veut parler parce que la peur, le désespoir et le doute de soi qu'elles inspirent sont trop profonds et qu'ils font naître la honte et le déshonneur. C'est un sentiment pire que l'humiliation d'avoir été rejeté ; c'est un ahurissement, provoqué par des émotions bouleversantes qui induisent la panique et qui vous font croire que vous êtes faible, dépendant, indigne d'amour, voire répugnant.

Jusqu'à ce qu'ils les surmontent, les gens sont portés à souffrir en silence, voire à nier l'existence de ces émotions exagérées. Au bout du compte, leurs émotions refoulées, profondément enfouies, se transforment petit à petit en deuil inconsolable. Bon nombre d'individus consultent pour tenter d'en guérir mais semblent incapables de surmonter une impression de vide intérieur indéfinissable, si souvent mal diagnostiquée, et que l'on confond avec la dépression. (Notons qu'un deuil persistant est parfois associé à un déséquilibre chimique qui, dans certains cas, peut être corrigé par des médicaments.)

L'abandon et le sentiment d'abandon sont des problèmes complexes et la blessure du rejet est souvent profondément enfouie. Il importe de comprendre que vos émotions, si intenses soient-elles, ne sont pas le reflet d'un manque de volonté ou d'une faiblesse de caractère. Elles font partie intégrante d'un processus de renouveau et de transformation.

Le parcours que je décrirai dans ces pages ne concerne pas uniquement votre renoncement actuel. Il plonge au plus profond de votre blessure cumulée – celle qui renferme toutes les déceptions et les immenses chagrins qui s'agitent sous la surface de votre vie, peut-être même depuis l'enfance.

Le sentiment d'abandon non résolu est peut-être le problème qui sous-tend tous les malaises et tous les ennuis qui vous empêchent d'avancer : l'insécurité qui mine vos relations affectives, la dépression et l'anxiété, les comportements obsessionnels ou compulsifs, le manque d'énergie et d'estime de soi. Pourtant, il n'est pas rare que les personnes abandonnées ne sachent pas identifier le mal qui les accable. Peut-être ont-elles grandi auprès d'un parent alcoolique ou se sont-elles senties rejetées par leurs amis à un moment charnière du développement de leur confiance en soi ? Si éloignées soient-elles de la source de leur détresse, elles s'efforcent toute leur vie de négocier leur peur et de combattre leur insécurité.

Parce qu'elles ont oublié les causes de leurs blessures, de nombreuses personnes cherchent des solutions miracles et des satisfactions superficielles, par exemple dans la nourriture, l'alcool, les emplettes et le contact humain. D'autres deviennent accros des livres, systèmes ou conférences sur la croissance personnelle. Mais toute cette automédication et toutes ces paroles réconfortantes n'effacent pas leur mal. Pour y parvenir, elles doivent parcourir un chemin qui remontera à la source de leur affliction – la douleur même du rejet.

Mon expérience et mes années de travail auprès des gens m'ont permis de comprendre à quel point il est important de sortir de son isolement pour communier avec les autres quand on se familiarise avec les étapes du deuil qui s'est emparé de notre vie. Où que vous soyez dans les cinq étapes décrites dans le présent ouvrage, sachez que vous n'y êtes pas seul. Le fait de découvrir que la souffrance peut avoir un effet débilitant sur les plus forts, les plus futés et les plus autonomes d'entre nous est une révélation. La souffrance se moque de l'âge, de l'origine culturelle, du rang social. Au bout du compte, la souffrance est universelle.

Conçu pour être pour vous un compagnon et un guide, ce livre aborde vos émotions les plus troublantes, atteste de votre expérience par le biais de la recherche scientifique, et vous procure les outils dont vous aurez besoin dans votre parcours vers de nouvelles perspectives et un nouvel amour.

QUE SONT L'ABANDON ET LE SENTIMENT D'ABANDON ?

Une émotion

Un sentiment d'isolement au sein même d'une relation

Une désolation intensément ressentie quand une relation prend fin

Une solitude que l'on n'a pas choisie

Une expérience qui remonte à l'enfance

Un bébé abandonné sur le seuil d'une porte

Un divorce

Une femme mariée depuis vingt ans que son mari quitte pour une autre

Un homme que sa fiancée rejette pour s'unir à un homme «plus prospère»

Une mère qui quitte ses enfants

Un père qui quitte ses enfants

Un ami qui se sent délaissé par un ami

Un enfant dont l'animal de compagnie meurt

Une petite fille qui pleure la mort de sa mère

Un petit garçon qui attend que sa mère vienne le chercher à la garderie

Un enfant qui se sent remplacé par le nouveau bébé de la famille

Un enfant qu'agitent des parents affectivement inaccessibles

Un garçon qui, prenant conscience de son homosexualité, appréhende la réaction de ses parents et de ses amis

Une jeune fille à qui on a brisé le cœur

Un jeune garçon qui n'ose pas approcher la jeune fille dont il est amoureux

Une femme qui se sent vide, désertée par ses enfants devenus adultes

Un enfant frappé d'une maladie grave qui, de son lit ou de son fauteuil roulant, regarde jouer ses amis

Une femme qui a perdu son emploi et, du coup, son identité professionnelle, sa sécurité financière, son prestige

Un homme mis au rancart par son employeur comme un objet obsolète

Une femme à l'article de la mort qui craint l'abandon de ses proches encore plus que la souffrance ou la mort

L'abandon et le sentiment d'abandon, c'est tout cela et plus encore. La blessure du rejet nous atteint au cœur même de notre expérience de la vie.

CHAPITRE UN

Les cinq étapes de l'abandon

La fin d'une relation est pénible pour les deux personnes concernées, mais la souffrance est particulièrement dévastatrice pour celle que l'on quitte.

Je ne m'y attendais pas du tout, dit Marie. Un soir, Laurent n'est pas rentré de son travail. J'étais sans nouvelles de lui depuis à peine une heure que, déjà, je me faisais toutes sortes d'idées noires: il avait eu un accident de voiture, une crise cardiaque... Imaginez l'horreur de ces visions quand, six heures plus tard, il n'était toujours pas revenu à la maison. Il ne m'était même pas venu à l'esprit qu'il puisse être avec une autre femme. Pourquoi l'aurait-il fait? Nous étions depuis toujours des compagnons et des amants, les meilleurs amis du monde, et nous formions depuis vingt ans un couple heureux.

J'ai enfin entendu ses pas sur le gravier de l'entrée et j'ai couru lui ouvrir la porte.

– Que s'est-il passé? ai-je demandé.

J'avais le cœur serré.

Il y a eu un moment de silence. Puis, il m'a dit tout net: «Je ne suis pas heureux.»

– Heureux?

Il a répondu vaguement que les choses avaient changé entre nous.

– Changé? ai-je fait.

– Cesse de m'interrompre, a-t-il dit. C'est un de nos problèmes. Tu passes ton temps à m'interrompre.

J'ai eu soudain le visage tout bouillant de fièvre. Ce n'était pas mon Laurent qui parlait ainsi.

Ensuite, il a prononcé les mots qui m'ont chaviré l'estomac en me laissant bouche bée :

– Je m'en vais.

J'en ai eu le souffle coupé. J'étais incapable de penser rationnellement. La seule explication logique qui me venait à l'esprit était qu'il avait dû recevoir un coup à la tête, sinon pourquoi parlerait-il ainsi ? Pendant une petite seconde, j'ai très sérieusement songé à appeler une ambulance.

Quand j'ai enfin pu parler, ma voix était grave et caverneuse, comme si elle ne m'appartenait plus.

– Tu plaisantes, n'est-ce pas ?

C'est tout ce que j'ai pu dire de ma nouvelle voix tremblante.

– Je m'en vais ce week-end.

On aurait dit qu'il m'avait enfoncé un couteau en plein cœur ; j'ai dû m'appuyer au comptoir de la cuisine pour retrouver mon souffle.

– Est-ce qu'il y a quelqu'un d'autre ? ai-je dit d'une voix à peine audible.

Il s'est mis en colère et il a nié catégoriquement. Mais un mois après son départ j'ai appris qu'il y avait en effet quelqu'un d'autre – une collègue enseignante de son école. Cela a eu pour effet d'amoindrir ma stupéfaction, mais pas mon insoutenable souffrance.

Les premières semaines, je suis restée seule et j'ai essayé d'absorber l'immensité du choc. J'avais aimé cet homme de tout mon cœur et de toute mon âme. Il avait toujours été si tendre, d'une rayonnante bonté. L'aimer avait été pour ainsi dire une expérience mystique. J'avais un profond respect pour sa vision de la vie. C'était un père affectueux et attentionné, sage et sensible.

Le soir, j'essayais d'oublier mon tourment et de dormir. Mais c'était impossible. De voir à mes côtés une place vide dans le lit me torturait. Dieu que j'aurais aimé enlacer mon beau, mon sensuel Laurent ! J'étreignais mon oreiller en y enfouissant la tête pour pleurer, parfois même pour hurler, tellement ma douleur était cuisante. J'aurais été parfaitement justifiée de haïr Laurent pour le mal qu'il m'infligeait, mais je ne parvenais qu'à le regretter et à m'en vouloir à mort d'avoir laissé cette situation se produire.

Une multitude de circonstances et de relations personnelles peuvent donner lieu à la souffrance ravageuse du rejet. De nombreux facteurs influencent notre réaction à la perte subie: la nature et la durée de la relation, l'intensité des sentiments, le contexte de la rupture et nos deuils passés. Quand une personne qu'on aime nous quitte, cet abandon rouvre d'anciennes blessures, réveille les doutes et les insécurités qui font partie de notre bagage émotionnel depuis l'enfance.

Nous avons presque tous ressenti un jour ou l'autre les mêmes émotions que Marie. Quelqu'un a décidé de ne plus vivre avec nous, de ne pas «nous garder». On est tout à coup isolé, seul, un exilé affectif. La solitude n'est pas mauvaise quand on la choisit soi-même, mais quand une autre personne nous l'impose, c'est une tout autre histoire. On se retrouve bouleversé, confus, furieux, on a l'impression qu'un défaut caché nous a valu d'être injustement condamné à la réclusion perpétuelle. La personne qui nous a quitté nous manque cruellement, comme c'est le cas pour Marie.

La peur d'être abandonné est primordiale, primitive, universelle – inhérente à la vie humaine. Le bébé hurle de terreur dans son lit parce qu'il croit que sa mère, qui est sortie de la chambre, ne reviendra jamais. Éprouver un sentiment d'abandon, c'est avoir peur d'être seul à tout jamais, sans qu'il y ait personne pour nous protéger, pour répondre à nos besoins les plus élémentaires. La survie du bébé dépend de la solidité du lien qui le rattache à son principal pourvoyeur. Toute fragilisation ou perturbation de ce lien réveille la terreur primitive enchâssée dès la naissance dans le cerveau, terreur qui nous accompagne jusqu'à l'âge adulte. Les enfants qui vivent la rupture d'un lien d'attachement n'ont pas de moyens de défense comme en ont les adultes, si bien qu'au lieu de les guérir ils traînent leurs blessures avec eux jusqu'à l'âge adulte.

L'expérience affective est plus douloureuse lorsqu'elle ravive un épisode passé de notre vie, et cela est particulièrement vrai lorsqu'il s'agit d'un rejet ou d'un deuil. La relation qui a pris fin aujourd'hui concrétise peut-être vos pires cauchemars d'enfant. Le deuil de l'amour perdu rouvre une blessure primitive.

La personne qui choisit de vous quitter réveille cette terreur primitive qui, à son tour, déclenche en vous une colère intense. Vous êtes furieux d'être acculé à une peur et à un désespoir aussi grands. Vous vous en voulez de ne pouvoir contrer la situation, d'être incapable de *garder* l'amour de quelqu'un. Vous vous sentez totalement et irrémédiablement vaincu par cette perte d'amour.

Parfois, votre chagrin n'est pas relié à une rupture récente mais s'enracine dans l'insécurité résiduelle et la peur nées d'anciens deuils affectifs qui compliquent aujourd'hui vos relations personnelles.

Il se peut que vous viviez toujours en couple tout en sachant que votre moitié ne vous aime plus. En dépit de sa présence physique, devoir renoncer à son amour vous afflige. La douleur est lancinante et s'accompagne d'un sentiment d'échec. « Pourquoi ne suis-je pas capable de remédier à la situation ? Ne suis-je pas digne d'amour ? Pourquoi ne puis-je pas me faire aimer de lui ? »

Dans d'autres cas, comme dans celui de Marie, votre conjoint vous quitte pour quelqu'un d'autre. Des sentiments de trahison et de jalousie compliquent alors votre chagrin.

Parfois, il n'y a personne d'autre : votre compagnon ne souhaite plus partager votre vie, il a besoin d'espace, un point c'est tout. Votre deuil s'alourdit de culpabilité et d'anxiété et sa résolution se fait attendre.

Il se peut que votre relation se soit tout simplement effondrée, peut-être parce que vous n'étiez pas prêt ou apte à la gérer correctement. Ou encore, elle était pénible au point que la seule idée d'une séparation vous soulageait et que votre sentiment d'inaptitude en avait été différé. Dans ces cas-là, en plus de souffrir, vous êtes parfois profondément déçu de vous-même. Vous avez peut-être des remords et vous appréhendez l'avenir.

Si le rejet est soudain et inattendu, vous êtes en proie au choc et à l'incrédulité. Vous devez avant tout affronter la souffrance désespérée et la panique intolérable qui s'emparent de vous avant même de pouvoir vivre votre deuil.

Le deuil d'un amour ressemble à la détresse qui nous envahit lors de la mort d'un être cher. Mais c'est un deuil dont les caractéristiques particulières dépendent des circonstances qui l'ont provoqué ainsi que des sentiments de rejet et d'inaptitude qui l'accompagnent souvent.

L'abandon est extrêmement douloureux parce que c'est un poignard qui nous transperce jusqu'à l'âme. On ne perd pas que l'être aimé, on perd la confiance en soi qui nous est si indispensable. On se persuade qu'on est indigne d'amour et un conjoint inepte. Ces sentiments peuvent s'enraciner au plus profond de nous et nous infliger une blessure invisible qui nous pousse à nous retourner contre nous-mêmes.

La perte d'un être cher est parfois ressentie si fortement et s'accompagne d'une dévalorisation personnelle si intense que la personne abandonnée se croit victime d'une lente hémorragie interne ou prisonnière d'un invisible système de drainage[1] qui la purge insidieusement de tout son aplomb. Paradoxalement, dès qu'elle s'efforce, par des actions louables, de restaurer sa confiance en soi, sa blessure profonde persiste à la lui retirer.

Il faut absolument comprendre que cette perte de la force du soi est inhérente au cycle de l'abandon pour être en mesure de la surmonter. J'ai du mal à admettre que ce type particulier de deuil n'ait pour ainsi dire jamais été reconnu pour ce qu'il est. J'ignore pourquoi il n'a pas été l'objet de nombreuses études et pourquoi, jusqu'à présent, il n'existe pratiquement aucun moyen de le traiter. Les professionnels de la santé mentale s'accordent en général pour voir dans le sentiment d'abandon un symptôme de dépression ou d'anxiété. Mais le chagrin provoqué par le rejet est en soi un syndrome. Ce qui confère sa spécificité au douloureux sentiment d'abandon est la manière dont la peur et la colère deviennent les armes mêmes que la personne abandonnée utilise contre elle-même.

La tendance à l'autopunition et à l'autoaccusation se manifeste à mi-chemin du deuil. Mais la blessure auto-infligée au soi (ce que j'appelle *l'intériorisation du rejet*) fait partie du tissu même du sentiment d'abandon, à chacune de ses étapes. C'est un processus persistant, continuel.

Qu'est-ce qu'un réchappé de l'abandon?

Les réchappés de l'abandon sont ceux qui ont vécu l'angoisse du renoncement à l'amour et qui ont eu le courage de croire encore à la vie et à leur capacité d'aimer et d'être aimés. Certains sont des gens célèbres qui nous ont raconté leur enfance, tandis que d'autres n'ont jamais fait de révélations publiques. D'autres sont des thérapeutes – la plupart des thérapeutes ont parfois fait eux-mêmes l'expérience du rejet. Mais la plupart des réchappés de l'abandon sont des gens ordinaires. Presque tous les humains que nous sommes sont à des degrés divers des réchappés de l'abandon; l'insécurité, le manque et la peur qui accompagnent le renoncement à un amour sont des phénomènes universels.

Les réchappés de l'abandon sont des êtres sensibles et aimants, initiés à l'amour. Mais l'adhésion à ce groupe vénérable n'est pas restreinte à ceux qui connaissent des relations affectives heureuses. Ceux qui s'efforcent encore de guérir les anciennes blessures qui les empêchent de trouver l'amour ne sont pas rares.

Chez tous les réchappés de l'abandon – qu'ils aient trouvé l'amour ou qu'ils le cherchent encore –, les séquelles des pertes passées et présentes sont perceptibles dans les fragments non vécus de leur vie, dans leur potentiel inaccompli et dans leurs rêves irréalisés dont la transformation, par la guérison du sentiment d'abandon, se fait cruellement attendre.

Comment guérit-on du sentiment d'abandon ?

On peut se relever du sentiment d'abandon grâce à un programme de cinq exercices, l'*akeru*, que je décris dans cet ouvrage. L'individu prend en main la guérison des blessures que des rejets passés et présents lui ont infligées. Au cours de ce programme, il s'informe, il trouve les problèmes non réglés de son passé et il s'adonne à un certain nombre d'exercices pratiques qui ont pour but d'embellir son existence.

Le parcours de guérison décrit ici fait appel à un nouveau langage et à une approche compatible avec divers programmes de rétablissement en douze étapes. Cette approche a été conçue spécifiquement pour traiter les problèmes non réglés d'abandon qui sont la cause fondamentale de nos dépendances, de nos compulsions et de notre détresse. Elle exige de l'individu la prise en charge de l'amélioration de son existence.

Si vous attendez depuis longtemps le remède miracle ou les mots magiques qui vous libéreront enfin, méfiez-vous. Vous ne les trouverez dans aucun ouvrage ni dans aucun programme de rétablissement, car ils sont à l'intérieur de vous. C'est cette énergie non exploitée que vous apprendrez à rediriger. Guérir du sentiment d'abandon est facile, voire agréable. Mais vous ne devrez pas vous contenter de lire le présent ouvrage. Vous devrez aussi mettre chaque jour en pratique les sages conseils qui y sont rassemblés.

Qu'est-ce qu'un abandonneur ?

Il y a toutes sortes d'abandonneurs ; ceux-ci varient en taille, en corpulence, en couleur de peau, en âge, en genre, en tempérament. Il est souvent difficile de deviner qui est ou n'est pas une personne responsable sur le plan affectif, qui est digne de confiance, qui est un abandonneur.

Pour compliquer les choses encore davantage, l'abandonneur de cette personne-ci peut fort bien être le compagnon de vie de cette personne-là. Les circonstances propres à chaque relation affective sont si complexes et si diverses qu'il ne serait ni sage ni juste de formuler des jugements moraux, des accusations ou des généralisations.

Disons tout d'abord que dans de nombreux cas l'abandonneur ne s'applique pas délibérément à faire du mal. Souvent, c'est un être humain comme les autres qui, comme les autres, lutte pour trouver des solutions satisfaisantes aux pénibles difficultés de sa vie. Mais l'abandonneur en série existe aussi : celui-là éprouve du plaisir à soumettre la personne qu'il aime à une torture émotionnelle. Pour lui, détruire est une manifestation de pouvoir.

Il peut arriver néanmoins que ceux que *ne motive pas* un tel besoin éprouvent un sentiment accru de leur propre importance quand la personne qu'ils abandonnent semble si désespérément s'accrocher à eux. Le plus souvent, compte tenu du mal qu'ils ont fait, ils n'affichent pas un air triomphant mais une attitude d'humilité, par exemple en disant se sentir *coupables*. Mais ils se laissent aussi aisément distraire de ce sentiment de culpabilité dès qu'ils se lancent à corps perdu dans une nouvelle vie.

Certains abandonneurs parviennent à contourner leurs pincements de remords en demeurant aveugles au tourment qu'ils provoquent, en refusant d'admettre l'affliction dont ils sont la cause. Ils préservent ainsi leur image de soi positive et continuent de se croire convenables et affectueux. Pour la personne abandonnée qui en est réduite à ramasser les pots cassés, ce déni ressemble parfois à de la froideur et à de la cruauté.

D'autres abandonneurs sont par ailleurs incapables de nier la souffrance qu'ils causent, si bien que l'échec de leur couple les précipite dans le chagrin et la culpabilité en même temps que la personne qu'ils rejettent.

La guérison du sentiment d'abandon est l'affaire de toutes les personnes qui luttent pour la survie de leur couple.

Vous verrez bientôt à quel point le travail d'analyse aux différentes étapes de l'abandon est important. Si difficile qu'il semble, ce processus vous aidera à éviter les conséquences néfastes d'une souffrance réprimée et niée. Refouler ses émotions ne les résout pas. Tant que vous ne les regarderez pas en face, elles continueront leur invisible travail de sape, vous condamnant à des relations affectives autodestructrices qui se solderont encore et toujours par un rejet.

La méthode de rétablissement que j'en suis venue à désigner sous le nom d'*akeru* a été conçue pour mettre fin à ce traumatisme et consiste en un programme de cinq exercices que je décris ici. La guérison du sentiment d'abandon aide à puiser une maturation dans les émotions intenses ressenties et à transformer ainsi l'une des expériences les plus douloureuses de la vie en une occasion d'ouverture et de croissance personnelle.

Je propose ci-après une vue d'ensemble de ces cinq étapes en guise de point de départ. J'ose espérer que le fait de les rassembler *en un parcours unique* vous aidera à mieux comprendre votre situation actuelle, votre vie passée, et ce qui vous attend.

La dévastation

C'est la première étape et la plus ravageuse : on est sous le choc, la souffrance est intolérable, la panique nous étreint, notre vie ne vaut plus rien et n'a plus aucun sens. On lutte pour ne pas se défaire en mille morceaux, mais, en dépit de tous ces efforts, le rejet dont on est victime a pulvérisé notre assurance et notre aplomb. La rupture de notre principal lien affectif nous persuade (pour un temps) qu'on ne survivra pas à la perte de cet amour. À cette étape-ci, il est normal de nourrir des idées de suicide. Celles-ci sont dues à un désespoir envahissant mais *strictement temporaire*. De vieux sentiments d'impuissance et de dépendance s'infiltrent dans la crise émotive actuelle. L'*akeru* est une technique de gestion de la douleur qui aide à surmonter rapidement les moments les plus difficiles, à y puiser des forces et à entreprendre ainsi une renaissance.

Le sevrage

L'effet de sevrage qui accompagne le renoncement à un amour est identique à celui que provoque la suppression d'une drogue : agitation intense, puissant état de manque envers l'absent. L'espoir du retour de l'être aimé se double d'une douleur constante et pulsatile. Les êtres humains ont hérité génétiquement d'un profond *besoin d'attachement* auquel les ruptures ne mettent pas fin. En fait, le bris d'une relation affective tendrait à intensifier ce besoin de fusion. La déchirure émotionnelle déclenche une réaction psychobiologique pouvant se manifester par un manque de sommeil, une perte de poids, de l'anxiété, ainsi qu'une grande fatigue physique et psychologique. L'*akeru* nous apprend à tirer parti de l'instinct d'attachement qui est à l'origine de cette intolérable souffrance. On peut alors y puiser l'énergie nécessaire à l'établissement d'un rapport nouveau et important avec soi.

L'intériorisation

Au cours de cette troisième étape, point névralgique du parcours de l'abandon, les blessures affectives sont susceptibles de s'infecter et de causer des dommages permanents à l'estime de soi. On refoule la colère ressentie envers sa moitié pour mieux s'autoflageller. On idéalise souvent l'abandonneur à notre détriment. On prend à cœur la moindre critique que ce dernier formule implicitement ou explicitement. On accumule les regrets, les doutes nous tourmentent : ce qu'on aurait *dû* faire, ce qu'on aurait *pu* faire pour prévenir la catastrophe. Si fort qu'on lutte pour se défendre, l'estime de soi est dévastée. L'*akeru* nous procure les outils grâce auxquels on accède à la source d'énergie intérieure qui facilite la création d'une tout autre image de soi. Cet exercice a pour but de susciter une remise en question, de nous aider à prendre des décisions et à nourrir de nouvelles ambitions.

La rage

L'étape de la rage n'est pas la première manifestation de colère de ce processus, mais, au cours des trois étapes précédentes, la rage était un défoulement : on s'agitait inutilement ou on frappait l'oreiller à grands coups de poing. C'est seulement au cours de cette étape-ci, la *quatrième*, que l'estime de soi si malmenée, si tyrannisée par nos propres assauts, est enfin prête à se redresser et à se défendre, à surmonter le défi que lui lance le monde extérieur. Seule cette rage est productive, car elle favorise l'accomplissement de soi. Son agressivité assainit notre vie.

La rage procure l'énergie nécessaire au façonnement d'une nouvelle estime de soi et elle nous permet de survivre. Certains individus ont du mal à extérioriser leur colère. Ils ont besoin qu'on les aide à éviter de transformer intérieurement cette rage en *dépression agitante*. Quand on ne peut se fâcher contre le conjoint perdu parce qu'on appréhende un retrait d'amour encore plus grand, on reporte cette colère sur l'entourage. Les attentes deviennent irréalistes : on veut que nos proches déversent sur nous l'amour et le dévouement qui nous manquent si cruellement et quand ils n'y parviennent pas, on explose. Les rêves de vengeance et de contre-attaque sont courants à cette étape-ci, mais il y a de bien meilleures solutions. La sagesse populaire veut que le succès soit la plus belle des revanches. L'*akeru* puise dans l'énergie de la colère pour nous aider à transformer le sentiment d'abandon qui nous étreint en triomphal accomplissement de soi.

Le relèvement

La rage, en extériorisant l'énergie, nous aide à nous hisser à nouveau dans la vie. L'esprit s'allège peu à peu et l'on connaît des moments de paix et de libération. On se sent plus fort et plus sage grâce aux leçons apprises. La plénitude de la vie commence à nous distraire de la souffrance. On renonce à la colère. L'*akeru* permet d'accroître notre aptitude au renouveau et à l'amour.

Ces cinq étapes figurent en quelque sorte un *tourbillon* qui rappelle la nature cyclonique, continue et mouvante du deuil. À l'instar de tout processus vital, ces cinq étapes obéissent à un mouvement circulaire et non pas linéaire. Elles forment un cycle unique et ininterrompu de chevauchements et de récurrences pouvant durer une heure, une journée, un mois, voire plusieurs années. On parcourt sa spirale encore et encore jusqu'à ce que la tornade faiblisse et qu'on en émerge métamorphosé et grandi.

N'en doutez pas : après l'abandon, la vie vous attend – une vie entière, immense et riche – mais vous n'y parviendrez pas sans effort. Une main tendue vous aidera à surmonter la souffrance, à en tirer des enseignements, à renforcer le lien qui vous rattache à vous-même. Quand vous aurez intégré les principes de ce programme à votre vie de tous les jours, vous serez plus éveillé et plus vivant que jamais.

CHAPITRE DEUX

Première étape : la dévastation

Qu'est-ce que la dévastation ?

La dévastation : une déchirure dans le tissu dense de l'attachement humain.

Un sentiment de destruction, une souffrance intolérable.

Un important processus neurobiologique.

Une reprise du traumatisme de la naissance. Une renaissance.

La dispersion des nuages de l'orage, l'apparition d'un ciel serein.

Une épiphanie, l'éveil du centre émotionnel.

La dévastation : un creux profond et transformateur – le même où, depuis toujours, l'espèce humaine trouve sa rédemption.

Nous nous surpréparons depuis toujours à une dévastation – à un événement qui nous arrachera à ce qui nous est le plus cher – en essayant de prévenir les circonstances qui échappent à notre contrôle. Nous consacrons presque toute notre énergie vitale à nous protéger d'un événement dévastateur. Quand celui-ci a lieu, nous en sommes estomaqués. Une fois remis du choc initial, nous pouvons refaire notre vie et ne pas nous contenter de puiser une automédication dans une sécurité illusoire.

La dévastation engage nos défenses instinctives, maintenant devenues nuisibles puisqu'elles nous empêchent de progresser. L'armure qui nous protégeait naguère est restrictive et gênante. Une fois la fracture guérie, il faut enlever le plâtre, à défaut de quoi il nous entravera.

On ressent la dévastation au moment d'une rupture, mais on peut aussi subir le contre-choc d'une expérience passée, vivre l'éruption soudaine de sentiments anciens et enfouis. Les personnes qui ont participé à un programme des Douze Étapes pour se libérer d'une dépendance subissent parfois de tels contrecoups. Elles constatent, le plus souvent au cours de la deuxième année du programme, que leur comportement dépendant était un moyen de défense instinctif. C'est le temps qu'il faut pour abattre nos défenses et pour que puisse avoir lieu une réhabilitation véritable.

La dévastation n'est pas un phénomène nouveau, mais nous pouvons l'affronter plus facilement si nous la traitons de manière isolée.

Pour créer un milieu propice au rétablissement, il importe de respecter le pouvoir de la dévastation et d'en canaliser rigoureusement les forces.

La première étape de l'abandon : la dévastation

LA DÉVASTATION DE ROBERTE

Roberte est une personne sensible, intelligente et polyvalente. Elle possède un merveilleux sens de l'ironie qu'elle exploite toujours au bon moment et avec subtilité. Elle a aussi un côté sérieux et adore débattre de questions politiques. Elle a une chevelure blonde abondante et de grands yeux vert pâle. Ces qualités l'ont aidée à conquérir Serge, qui dirigeait un orchestre métropolitain.

Le pire handicap de Roberte, ainsi que l'affirmaient ses amis, était son choix d'hommes, et Serge ne faisait pas exception à la règle. Il disait avoir un tempérament d'artiste, ce qui, selon lui, justifiait son attitude autoritaire et son besoin de dominer. Il était parfois très exigeant, voire extrêmement critique et égocentrique. Roberte devait faire appel à tout son tact pour maintenir l'équilibre de leurs rôles dans la relation.

Curieusement, elle avait beau admettre qu'elle se tromperait sans doute en épousant Serge, ce fut elle qui parla mariage un soir au dîner.

– Qu'en dis-tu ? fit-elle, la tête penchée sur son assiette.

Serge ne répondit pas tout de suite.

– Je ne suis pas prêt pour ça, dit-il enfin. Roberte, tu sais bien que je veux seulement m'amuser, passer de bons moments.

Il s'excusa en marmonnant d'être aussi superficiel, mais Roberte avait reçu un coup au cœur. « Pourquoi diable ai-je parlé de cela ? »

Les semaines suivantes, Roberte tenta de ramener Serge à la relation passionnée et intense qui avait été la leur, mais il se laissait de plus en plus absorber par sa carrière. Bientôt, ils ne se voyaient plus qu'une fois la semaine, et Serge devait se faire prier pour consentir à des relations sexuelles. Roberte sentait qu'elle était en train de le perdre. Ses amis jugeaient cet éloignement bénéfique, mais elle n'acceptait pas de lâcher prise. L'idée de vivre sans Serge lui était intolérable et elle détestait la solitude. «Je suis trop vieille pour subir une telle épreuve», songea-t-elle. Elle avait trente-cinq ans.

Et ce qui devait arriver arriva : elle surprit Serge en compagnie d'une autre femme.

Roberte s'approcha du couple et assena à Serge un coup de sac à main en pleine poitrine. Ils échangèrent quelques mots, et Serge mit fin à leur conversation en disant :

– Roberte, je voulais te le dire, mais je ne savais pas comment.

Roberte se présenta en thérapie, pleura et renifla dans une montagne de mouchoirs de papier.

– Jamais je n'aurais cru vivre une expérience aussi douloureuse, dit-elle, en se tenant la tête à deux mains. J'ai l'impression que ma vie est finie.

La dévastation n'est pas le propre de l'abandon. C'est la première étape d'une variété de deuils associés à une perte importante. Mais la dévastation de l'abandon est particulière. La mort n'est pas en cause : une personne a décidé, de son propre chef, *de ne plus partager votre vie.* En fait, si le rejet, la fuite ou la trahison ont eu un rôle à jouer, votre sentiment de sécurité n'est pas seul atteint : votre confiance en vous et votre aplomb ont, eux aussi, été détruits.

J'ai l'impression d'avoir raté ma vie, dit Charles, dont les yeux sont enflés et rougis parce qu'il a trop pleuré. (Il a perdu près de cinq kilos en deux semaines et dit ne pas dormir depuis plusieurs nuits.) Si je finis par dormir, la réalité de la rupture m'assomme à mon réveil. Mon cœur bat à tout rompre et je ne pense qu'à en finir, je ne pense qu'à me tuer. Seuls mes enfants m'empêchent d'agir.

Ma femme veut que je sois parti à la fin du mois. Comment puis-je quitter ma famille ? Elle est toute ma vie. Je lui ai tout sacrifié. Qu'ai-je fait pour mériter cela ? Pourquoi n'ai-je rien vu venir ? C'est insupportable. Cela me paralyse ; je ne sais pas ce que je dois faire, je ne sais même plus ce que je ressens. Je suis affaissé.

Roberte et Charles vivent différents aspects de cette première étape : la destruction des rêves et des espoirs, l'affaissement, l'insomnie, l'introspection, les idées de suicide, le choc. L'important est de ne pas perdre de vue que cette violente impression de destruction est temporaire. En fait, de toutes les étapes de l'abandon, celle de la dévastation est la plus brève.

La dévastation est une étape essentielle du parcours de la guérison, car elle vous oblige à admettre que votre relation est terminée. Elle s'accompagne d'une douleur cuisante parce qu'elle témoigne d'une déchirure dans le tissu dense d'un lien affectif. On dirait qu'avant de pouvoir renaître vous devez vous casser en deux.

Pendant la phase de la dévastation, la plupart des gens revivent des expériences passées. D'anciens renoncements ou des deuils mal assumés viennent rouvrir la blessure. Si vous avez déjà traversé une rupture similaire, son souvenir remonte à la surface et vous force à affronter non seulement votre perte actuelle, mais toutes celles que vous avez déjà subies. La dévastation précipite votre être tout entier dans une sorte de distorsion temporelle et affective, une turbulence où se confondent passé, présent et avenir.

La dévastation vous fait prendre conscience de certaines émotions qui, hors du contexte du deuil, présentent parfois les caractères d'une pathologie. Dans un de ses premiers textes, *Deuil et mélancolie*, Freud établit une comparaison entre le deuil et la dépression. Les émotions vives de la dévastation peuvent même déstabiliser le clinicien qui n'est pas très familiarisé avec l'intensité du sentiment d'abandon.

Albert raconte que sa relation avec son thérapeute s'est terminée peu après son expérience de la dévastation.

L'amour de sa vie venait de le quitter. Quelque temps après, dans le cabinet de son thérapeute, il laissa libre cours à son angoisse à gros sanglots. Il dit avoir l'impression qu'une boule de goudron nichée depuis longtemps en lui s'était finalement dissoute et avait fondu. Son thérapeute, troublé par l'intensité de cette image, voulut le diriger vers un collègue pouvant lui prescrire des médicaments.

Albert avait un emploi stable où il était très respecté, il s'adonnait à des activités artistiques et jouissait de solides amitiés. Il ne présentait aucun autre symptôme de trouble mental [1].

Curieusement, l'aptitude d'Albert à supporter des émotions aussi vives est justement ce qui témoigne de sa santé psychique. Un réchappé de l'abandon s'est porté comme suit à la défense d'Albert : « *Seuls les forts tolèrent la dévastation ; les faibles doivent faire appel à toutes leurs défenses.* »

Au début, on se laisse souvent emporter par un tourbillon où toutes les étapes de l'abandon se confondent. On passe du choc et du ravage de la *dévastation* au *sevrage*, soit au besoin désespéré d'une dose d'amour qu'on est incapable d'obtenir, puis à la honte et à l'auto-accusation de l'*intériorisation,* ensuite à la colère brûlante de la *rage* et, enfin, à l'espoir et à l'éclairement du *relèvement*. Puis, tout reprend, tout recommence, encore et encore, une étape suivant l'autre à un rythme infernal.

J'ai moi-même traversé chacune de ces étapes à différents moments de ma vie : dans l'enfance, à l'adolescence et à l'âge adulte. Tout récemment, mon compagnon de toujours m'a quittée quand je croyais que nous avions depuis vingt ans une vie de couple réussie et remplie d'amour. Il est parti soudainement, sans prévenir.

N'était-ce pas ironique que j'aie consacré plus de vingt ans de pratique clinique au traitement des réchappés de l'abandon ? Tout à coup, mes longues années d'expérience, de recherche et d'étude étaient soumises au test ultime : j'étais rejetée à mon tour.

J'avais choisi de mettre toute ma confiance en une seule personne qui, vingt ans plus tard, quand je m'étais habituée à un profond sentiment de sécurité, m'a dit tout de go : « Il est temps que je m'en aille. » Je n'arrivais pas à admettre que cet homme que j'avais serré si souvent dans mes bras puisse décider aujourd'hui de m'abandonner après une aussi longue vie commune. Mais je savais que, dans mon cas, ce n'était ni un hasard ni une coïncidence : je savais que tout était relié à d'anciens deuils remontant même jusqu'à l'enfance et qu'il me faudrait entrer en moi-même pour y trouver le dernier germe, le germe résistant qui était resté latent pendant presque vingt ans avant de planter ses racines douloureuses dans ma vie. Il fallait que j'entre en moi-même, que je trouve ce germe, que je l'analyse et que je l'arrache une bonne fois pour toutes.

Ce fut un travail pénible, mais il m'a permis d'accéder à un tout autre niveau de conscience et de trouver une meilleure méthode thérapeutique non seulement pour moi-même, mais aussi pour toutes les personnes qui m'appellent au secours. Dans le même esprit qui préside à mes interventions auprès de mes clients, j'ai affronté mon deuil ouvertement et en toute honnêteté.

L'akeru

Une vérité théorique a surgi de mon expérience personnelle et de mon expérience professionnelle : en dépit de la souffrance qu'il provoque et de son intensité, l'abandon peut être le catalyseur d'une très grande croissance personnelle. Permettez que je fasse appel au terme japonais *akeru* pour clarifier cette notion.

Akeru est un mot aux nombreuses acceptions, notamment « percer, finir, ouvrir ». Il décrit en quelque sorte les occasions favorables que dissimule l'abandon. La dévastation traduit le passage douloureux d'une union intime avec une autre personne à un état soudain et involontaire de *désunion*. Voilà que vous devez affronter des forces considérables et que vous luttez pour conserver votre équilibre. Le fait qu'un seul et unique mot, *akeru*, désigne à la fois les notions de *fin* et de *commencement* montre bien qu'une utilisation positive de l'énergie qu'engendre la dévastation est possible.

La dévastation est en fait une explosion de la désunion. Elle nous atteint en plein cœur, mais le centre émotionnel survit. Elle a lieu, mais vous savez que vous êtes vivant puisque vous avez les nerfs à vif. Vous n'êtes qu'un amas de sensations animé par l'instinct de survie. Loin de vous pousser à noyer, nier ou ignorer ce malaise, l'*akeru* vous demande d'accompagner votre souffrance aiguë, d'en profiter, de l'exploiter à votre avantage.

Le secret consiste à *entrer dans le moment le plus souvent possible et à l'habiter*. Ainsi, vous puisez à cette énergie au lieu de lutter contre elle, vous vivez jusqu'à la moelle ce pénible moment de désunion pure et simple. L'être désuni que vous êtes ressent alors la vie intensément, dans l'instant présent. Pour habiter le moment, vous devez éveiller vos sens et concentrer votre attention sur les objets, les sons, les odeurs et les autres impressions qui proviennent de votre environnement immédiat. Pour ce faire, vous devez mettre délibérément votre vue, votre toucher et votre ouïe au service de l'instant présent. Certains parlent *d'état conscient* pour décrire leur perception du moment, d'autres font référence au *zen*. Dans le parcours de guérison de l'abandon, il s'agit d'un refuge naturel contre la souffrance émotionnelle.

La dévastation : un parcours personnel

Ma propre rupture m'a appris à ne jamais sous-estimer la violence de ce que vit une autre personne, mais d'écouter ce qu'elle dit avec attention afin d'en tirer un enseignement. L'expérience de la dévastation est très individuelle, unique à chacun. Son intensité n'a rien à voir avec la durée d'une relation affective. Chacun de nous la parcourt et s'en libère par ses propres moyens.

– Mais pourquoi est-ce si douloureux ? demande-t-on parfois. D'où vient une telle violence ?

Nous allons traverser ensemble l'étape de la dévastation et explorer quelques-unes des réponses à ces questions. Je vous expliquerai comment la perte de l'être aimé active le système d'alarme automatique du corps et ce que cela signifie sur le plan du stress. Je me pencherai sur les émotions caractéristiques de cette phase, notamment les idées suicidaires, le sentiment de symbiose, la honte, et le besoin d'autoconsolation. Je vous aiderai à trouver les problèmes en suspens que vous traînez dans vos bagages depuis vos anciens deuils, problèmes qui amplifient peut-être vos émotions présentes, et je décrirai certains des renoncements de votre enfance qui vous accablent encore à l'âge adulte. Je vous transmettrai des informations pertinentes puisées à la recherche scientifique sur le cerveau qui vous feront comprendre pourquoi le souvenir d'anciens deuils est ravivé lors de la crise que vous traversez, et comment les hormones du stress influencent vos souvenirs d'enfance. Je décrirai quelques aspects d'un syndrome qui touche bon nombre de réchappés de l'abandon – *le syndrome de stress post-traumatique de l'abandon* – et j'examinerai le choc, la désorientation et l'engourdissement vital qui le caractérisent. En fin de parcours, un guide étape par étape vous aidera à intégrer dans votre vie l'exercice d'*akeru* de l'instant présent.

La dévastation correspond à un moment de désunion pure et simple qui, bien que douloureux, vous offre une occasion inestimable de remise en question personnelle. Aucune autre expérience ne saurait mieux vous préparer à accepter d'être une personne distincte de toutes les autres. Voilà pourquoi la dévastation représente pour beaucoup de gens un moment de très grande inspiration, une découverte qui les fait accéder à un tout autre niveau de conscience.

L'anatomie de la dévastation

LA BLESSURE À LA POITRINE

Au cours de cette étape critique, la première, les gens disent souvent avoir subi une blessure en pleine poitrine. La dévastation correspond au moment où ils sentent un couteau s'enfoncer en eux pour leur arracher le cœur. Le corps tout entier proteste aussitôt.

Il s'ensuit alors une douleur aiguë ou lancinante, une sensation d'étouffement, ou un accès d'anxiété. Au début, on manque d'air, on doit reprendre son souffle. Le cœur bat la chamade chaque fois que nous frappe la réalité de ce qui nous arrive. Parfois, on s'éveille la nuit, en panique, avec des sueurs froides, et on se lève le matin le cœur serré.

L'ÉTAT D'ALERTE

Toutes vos réactions physiques vous sont dictées par le système nerveux sympathique[2] qui réagit à la blessure très réelle que vous venez de subir. Votre corps se prépare à combattre, à fuir ou à figer pour vous protéger du danger imminent qu'il perçoit. Un flux soudain d'hormones de stress envahit votre corps. Votre système d'autodéfense est en état d'alerte et vous restez sur le qui-vive, toujours prêt à passer à l'action. Il se produit une décharge d'adrénaline qui renforce votre niveau de réactivité mentale et suralimente votre appareil sensoriel pour que vous puissiez vous défendre contre ce qui vous menace.

Il n'y a pas lieu de s'étonner si l'abandon est souvent ressenti comme un coup de couteau en plein cœur. Sur le plan physiologique, le corps réagit exactement comme si on vous avait enfoncé un poignard dans la poitrine.

La blessure à la poitrine
L'état d'alerte
L'instinct de survie
L'ambivalence
Le sentiment de symbiose
Les idées de suicide et l'obsession de la mort
Les symptômes somatiques
La honte
Le choc

L'anatomie de la dévastation

L'INSTINCT DE SURVIE

La dévastation vous force à entrer en contact avec votre énergie vitale inconsciente. Elle met à nu votre centre émotionnel et réveille vos besoins les plus fondamentaux et les plus importants. L'abandon, comme l'accouchement, est une séparation forcée; soudainement, vous êtes beaucoup plus seul que vous ne l'avez jamais été.

Cette expérience est parfois si intense qu'elle ravive des souvenirs émotifs remontant jusqu'à la naissance[3], des souvenirs dont quelques parcelles se sont gravées dans les couches les plus profondes du cerveau. Le cerveau du nourrisson n'étant pas encore parfaitement configuré, il ne peut stocker les images explicites des événements vécus par le bébé au moment de sa mise au monde. Mais la mémoire émotive est déjà agissante et retient des traces du début de la vie[4] sous forme d'émotions et de sensations. Celles-ci peuvent être réactivées par un événement de la vie adulte qui présente une similitude émotionnelle avec la naissance.

La naissance de la plupart des gens s'est accompagnée d'une chute subite de la température ambiante, de lumière éblouissante, de bruit et sans doute d'une tape sur les fesses pour forcer la respiration. L'être aimé qui vous quitte coupe un autre genre de cordon ombilical. Comme à la naissance, vous voilà soudain séparé de tout ce qui vous procurait réconfort, chaleur et nourriture.

Le nouveau-né se calme[5] dès qu'on l'emmaillote dans une couverture tiède qui lui rappelle la chaleur du ventre maternel. Mais vous ? Vous aussi avez été brutalement arraché à votre source de chaleur. Avez-vous moins besoin que le bébé de ce réconfort et de cette chaleur humaine qui vous font subitement défaut ?

Même les adultes sont portés à réclamer à grands cris ce qu'ils ont perdu, comme si leur vie en dépendait. Bien entendu, le désespoir de l'adulte est un sentiment, non pas une réalité. Votre vie ne dépend pas de votre moitié en allée. Ce n'est qu'une impression.

La dévastation vous a imposé un cruel état de désunion. Qui est là pour vous accueillir cette fois ? Qui peut combler pour vous les besoins essentiels qui ont été activés ?

Vous seul.

Cette fois, il n'y a ni infirmière ni parent pour prendre soin de vous. Il n'y a que vous. Vous ressemblez à un escargot qui a perdu sa coquille protectrice, à un nourrisson qui a froid et faim.

Pour entreprendre votre guérison, vous devez vous dominer une seconde à la fois, admettre que vous voilà désuni, en état de séparation, que vous êtes maintenant un adulte compétent et responsable de votre propre bien-être. Personne d'autre n'est tenu de combler vos besoins affectifs ; vous seul pouvez le faire. Être affectivement autonome signifie accepter l'intensité des émotions que vous vivez, faire le point de votre situation présente et vous dire que, oui, vous survivrez.

L'AMBIVALENCE[6]

Le désespoir est fréquent à l'étape de la dévastation, et il est normal que l'on soit assailli par des pensées contradictoires : rien ne sera *plus jamais* pareil ; je serai *toujours* seul ; je ne pourrai *jamais* réparer le mal qui a été fait ; je serai *toujours* écorché vif. Cette attitude du toujours-jamais est inhérente à un processus mental alarmiste qui vous replonge provisoirement dans les schémas de pensée dichotomiques et concrets de votre enfance. La dévastation vous a précipité dans un gauchissement temporel. Comme un bébé à ses premiers jours, vous ignorez que vous survivrez à cette crise, que vous retournerez à votre vie professionnelle et que vous connaîtrez de nouvelles amours. Pour le moment, vous êtes temporairement prisonnier d'une double mise à nu. Votre perspective d'enfant se superpose à celle, plus mûre, de l'adulte que vous êtes, si bien que vous observez votre situation présente du point de vue d'un enfant : elle vous paraît immuable, permanente.

Vous reportez sans doute aussi cette ambivalence sur la personne qui vous a quitté, sur cette personne qui vous apparaît parfaite une minute et cruelle la minute d'après. Vous la jugez tantôt irremplaçable, et tantôt vous vous dites – ou vous tentez de vous en persuader – que *vous n'avez de toute façon pas besoin d'elle*. D'une part, votre conjoint était, selon vous, parfaitement justifié de vous quitter ; en fait, vous n'avez jamais éprouvé un respect plus grand pour lui ou une plus vive admiration pour sa force de caractère que depuis qu'il vous a rejeté. D'autre part, vous songez qu'en vous abandonnant il a prouvé qu'il n'est qu'un lâche dépourvu de morale et parfaitement déloyal.

Votre image de vous-même est elle aussi l'objet de cette ambivalence. Vous vous persuadez que vous ne valez rien puisque vous n'avez pas su garder auprès de vous l'être que vous aimiez plus que tout. L'instant d'après, vous voilà vertueusement indigné qu'on ait eu l'audace de rejeter quelqu'un de votre qualité. Ce n'est pas facile, à ce stade-ci, d'avoir une opinion équilibrée de soi, de la personne qui nous quitte et du parcours de guérison.

Le fait d'habiter le moment interrompt sur-le-champ vos pensées contradictoires. Un processus mental alarmiste n'a pas sa place dans l'instant présent. Seuls y sont bienvenus l'*ici* et le *maintenant*, ces espaces sacrés que vous pouvez façonner à même la vie généreuse et prodigue qui vous entoure.

LE SENTIMENT DE SYMBIOSE[7]

Nous avons vu qu'au moment de la dévastation nous sommes submergés par des émotions intimement ressenties en début de vie, quand nous étions des bébés impuissants et dépendants. Le réveil de ces émotions nous met en contact avec les aspects les plus anciens et les plus enfouis de nous-mêmes. En fait, l'éclatement de notre couple a réactivé notre mémoire émotive, poussant ainsi à la surface nos émotions les plus élémentaires.

Le sentiment de symbiose est un sentiment que le bébé éprouve avant sa naissance et dans sa première enfance, lors de la relation fusionnelle entre sa mère et lui. Le bébé ne peut être séparé de la personne qui s'en occupe. Il ne peut pas survivre si on ne l'y aide pas. Cette dépendance que réveille la phase de la dévastation confronte les réchappés de l'abandon à un déchirant paradoxe affectif : *plus vous vacillez sous le choc de votre perte, plus vous vous sentez tenu de reconquérir votre conjoint.*

Jamais avant qu'elle ne me quitte je ne m'étais senti aussi attaché à ma femme, dit Charles. J'ai eu l'impression de ne pas pouvoir vivre sans elle !

Votre famille et vos amis se demandent sans doute pourquoi une personne qui vous a tant maltraité vous manque à ce point. C'est qu'ils ne comprennent pas que son départ a déclenché des sentiments de symbiose ancrés au plus profond de votre mémoire émotive. Les émotions auxquelles vous voilà confronté sont nées de processus psychobiologiques indépendants de votre pensée consciente et qui échappent absolument à votre contrôle[8].

Par exemple, il n'est pas rare que la personne abandonnée s'attende exagérément à ce que ses amis, sa famille et les professionnels qu'elle consulte comblent tous ses besoins affectifs. Certaines personnes s'efforcent d'inspirer de la sympathie par des moyens qui ne leur ressemblent pas. Elles sont sous l'emprise d'un manque intérieur que leur conjoint absent ne peut plus satisfaire.

Si autonome que vous ayez été dans votre couple, la solitude qui vous est imposée à l'étape de la dévastation pourrait vous être intolérable. Les temps libres, surtout les fins de semaine, les anniversaires et les fêtes importantes sont particulièrement difficiles à gérer. Il est donc très important en ces occasions de rechercher la compagnie de gens capables d'instaurer un climat de camaraderie[9]. Le besoin irrésistible de la présence des autres s'estompe lorsque vous commencez à vous rétablir.

Les problèmes de symbiose chroniques

Le paradoxe symbiotique nous aide à comprendre pourquoi de nombreuses personnes sont incapables de mettre fin à leur relation avec un conjoint qui les abandonne de façon répétée, soit physiquement, soit sur le plan affectif.

Je ne parviens pas à larguer Benoît, dit Patricia. Je sais qu'il n'est pas pour moi, le contraire d'un prince charmant, un crapaud pustuleux, une béquille sur laquelle je m'appuie pour éviter une séparation et une solitude insupportables. Je sais tout cela, et pourtant je ne peux pas le quitter. Plus il est cruel avec moi, plus je m'accroche à lui.

Pour tous ceux qui affrontent la même situation que Patricia, le sentiment de symbiose est réactivé à répétition, soit chaque fois qu'ils voient se rompre un lien important, même si c'est toujours avec la même personne. Vos plus grandes dépendances, celles qui vous rendent impuissant sur le plan affectif, déversent sans arrêt dans votre esprit conscient des urgences primaires. Vous êtes – provisoirement – certain d'être incapable de survivre seul. Chaque déchirure de votre couple déclenche une nouvelle phase de vive insécurité[10]. Le nourrisson en vous s'époumone pour que – paradoxalement – la personne qui le trahit, le déserte et l'*abandonne* le prenne dans ses bras et l'aime.

Judith Harris, auteur de *Pourquoi nos enfants deviennent ce qu'ils sont*, affirme que les enfants violentés recherchent souvent un réconfort auprès de la personne même qui a abusé d'eux. C'est aussi le cas chez d'autres espèces. Selon Harris, quand un chercheur spécialisé dans le phénomène de l'empreinte chez les canards écrasa par inadvertance la patte d'un caneton dont il était l'objet de l'empreinte, ce caneton le suivit d'encore plus près qu'auparavant.

La dévastation ranime nos désirs de symbiose, mais nous offre aussi une belle occasion, en tant qu'adultes, de les éteindre. Quand tout vous est arraché, c'est votre soi profond, nu et totalement vulnérable, qui crie de douleur. Vous devez emporter avec vous dans l'instant présent ce sentiment d'impuissance afin d'insuffler la vie à votre esprit enfin en éveil.

LES IDÉES DE SUICIDE ET L'OBSESSION DE LA MORT

La dévastation de Michel :

*Quand son amant avait menacé de le quitter six mois plus tôt,
Michel avait tout fait pour le retenir. Il avait eu l'impression de lutter
pour sa vie. Il avait fait tous les compromis imaginables dans le but
de prévenir l'échec de sa relation, il avait même suivi en vain une
thérapie de couple et dévoilé son âme. Mais le jour terrible est arrivé.
Son amant l'a quitté et Michel a voulu mourir.*

*Malgré la souffrance et l'anxiété qui l'avaient étreint jusqu'à
l'éclatement de son couple, Michel n'avait pas voulu lâcher prise.
En fait, confronté à sa perte imminente, il s'était agrippé plus que
jamais. Maintenant seul, il n'avait plus envie de vivre.*

*Un ami l'ayant incité à s'inscrire à des ateliers de guérison de
l'abandon, Michel s'est présenté au rendez-vous préliminaire en tenue négligée et avec une barbe de plusieurs jours. D'une voix mono-
corde, il a dit avoir pris un congé de maladie «pour ramper au fond
de son trou et se saouler le plus possible».*

*Mais Michel est tout de même parvenu à participer à la première
séance et à y parler longuement de ses idées suicidaires. Son monologue a été interrompu par les autres personnes présentes :*

*– Est-ce que tu veux vraiment mourir ? firent-elles, ou si tu veux
seulement cesser de souffrir ?*

*– Je veux cesser de souffrir, répondit-il, abattu. Je ne suis heureux
que si je dors, poursuivit-il, et je ne m'endors que si je suis ivre mort.*

– Il est possible de gérer cette souffrance, dirent les autres.

Il écarta leurs propos d'un revers.

*– C'est trop profond, Je suis rendu trop loin. Ma souffrance excep-
tée, je suis déjà mort. On ne peut pas sauver un homme déjà mort.*

Il est courant de décrire l'abandon comme une forme de mort.
Les personnes abandonnées disent souvent qu'elles ont l'impression
d'être mortes, qu'elles ont envie de mourir, ou qu'elles sont mortes
intérieurement. En lisant l'histoire de Michel ci-dessus et le chapitre
suivant, vous verrez à quel point il est important de ne pas donner
suite à ces sentiments. Si intenses soient-ils, ils ne sont que provi-
soires et ils s'estomperont au fur et à mesure des étapes suivantes.
Le désespoir que vous ressentez lors de la dévastation n'est qu'une
impression ; il ne correspond pas à la réalité.

Chez un grand nombre de personnes, l'abandon est ressenti comme une blessure physique, voir *mortelle*. Elles emploient souvent des expressions qui renvoient à des atteintes graves, à la destruction d'organes vitaux : *cœur brisé, coups de couteau à la poitrine, coup de poignard en plein cœur*.

Quand Laurent m'a quittée, la maison est devenue un tombeau, une chambre des tortures, un gouffre de solitude. J'évitais de rentrer chez moi.

Sur l'autoroute, j'avais envie de foncer sur les murs de béton. Quand je rendais visite à des amis, dès que j'apercevais un couteau, surtout un couteau de boucher ou un couperet, j'imaginais que je me le plantais dans le ventre.

Le soir, je furetais dans le cabinet à boisson pour me saouler : je ne parvenais pas à m'endormir autrement. Je ne m'inquiétais pas le moins du monde de devenir alcoolique. Je ne pensais qu'à m'engourdir, à plonger dans un coma, à me faire lobotomiser, à mourir – n'importe quoi, pourvu que la douleur cesse.

Le matin, j'avais du mal à me préparer pour aller travailler et, en route, je devais déployer des efforts surhumains pour ne pas me lancer dans un précipice.

Donner mes cours était une torture. Je devais aussi inventer chaque jour de nouvelles excuses pour justifier mon nez rougi et enflé. J'avais l'air de plus en plus hagarde. Les gens me demandaient sans cesse ce qui n'allait pas. Évidemment, ces questions venaient surtout d'autres professeurs que je ne connaissais pas assez pour me confier à eux.

Seul bon côté de ma dégénérescence physique : je perdais du poids, ce que je n'étais jamais parvenue à faire parce que, pour dire le vrai, j'adore manger. Mais j'en étais au point où la coutellerie m'intéressait beaucoup plus que les plats. Mes amis, qui me voyaient picorer, me demandaient si j'étais malade et pourquoi j'étais si amaigrie. Je les remerciais sincèrement du compliment et je leur répondais que je suivais une diète spéciale (la diète Je-veux-mourir).

Quand j'ai su que Laurent m'avait quittée pour une autre femme, ç'aurait été plus facile s'il m'avait plongé un couteau en plein cœur. Ç'aurait fait moins mal, ç'aurait été plus rapide, et ça m'aurait évité de me laisser mourir de faim.

Nous avons déjà vu qu'à l'étape de la dévastation on a souvent l'impression que l'affliction durera toujours. Tant que persiste cette impression, il n'est guère facile d'admettre que la dévastation s'intègre à un processus aboutissant au renouveau. Tout comme Michel et Marie, on croit que notre vie s'est disloquée. La notion de mort est une échappatoire ; c'est la seule fin imaginable à la souffrance. Nos propos sont remplis d'allusions à la mort :

J'aimerais mieux mourir.
Je ne passerai pas à travers.
Je ne dors plus. Je ne mange plus.
Ma vie est finie.
Je crois que je vais mourir.
Mourir serait une libération.

De nombreux réchappés de l'abandon aiment imaginer l'effet que leur mort aurait sur le conjoint abandonneur. « Ç'aurait valu la peine que je meure, dit Marie, juste pour que Laurent se rende compte qu'il m'aimait vraiment. »

Les idées de suicide ont dans certains cas leur raison d'être, même si on n'y donne pas suite, puisqu'elles peuvent soutenir le sens du soi. Le fait de savoir qu'on peut mettre fin à sa souffrance à n'importe quel moment nous aide à dominer une situation dont nous avons temporairement perdu le contrôle. Mais réfléchissez un instant : si fort que vous vouliez cesser de souffrir, ce désir fait partie de la phase initiale de la guérison. Il s'apaisera bientôt, et vous pourrez aimer à nouveau si vous le souhaitez. N'hésitez pas à solliciter toute l'aide dont vous avez besoin auprès des personnes qui vous sont chères et, si nécessaire, auprès de professionnels de la santé mentale. Au bout du compte, vous émergerez grandi de votre expérience.

LES SYMPTÔMES SOMATIQUES

Même si vous ne savez pas percevoir les changements biophysiologiques qui ont lieu sous la surface de votre esprit conscient, la lecture des quelques pages qui suivent vous permettra d'en reconnaître certains indices.

Le cerveau émotionnel voit dans la perte du conjoint une menace à la survie. La rupture déclenche d'importants processus biologiques[11]. À mesure que vous vous enfoncez dans votre état de crise, certains de ces effets se manifestent. Il y a augmentation du rythme cardiaque et de la pression artérielle, avec pour conséquence un plus grand afflux de sang et de nutriments aux régions du corps qui doivent assurer votre autodéfense. La digestion est interrompue; le débit sanguin est dévié de l'estomac vers les principaux groupes musculaires dans le but de vous préparer à fuir ou, si nécessaire, à lutter avec votre assaillant. Dans les moments de grand stress, de profondes structures neuronales signalent un resserrement des cordes vocales, ce qui a pour effet de produire la voix haut perchée si fréquente chez les personnes qui vivent un état anxieux intense. Selon Daniel Goleman, ce sont ces mêmes mécanismes qui poussent un chien à grogner ou un chat à faire le dos rond.

D'autres circuits synaptiques entrent en jeu dans les moments critiques pour dessiner sur votre visage les traits de la peur ou de la colère, pour figer le mouvement de certains muscles ou pour ralentir votre respiration afin que vous puissiez détecter des sons qui autrement vous seraient inaudibles. En raison d'autres processus encore, votre respiration accroît l'apport d'oxygène au cerveau afin de maintenir celui-ci en état d'alerte et vous permettre de concentrer toute votre attention sur la situation d'urgence à laquelle vous êtes confronté. Votre vessie et votre intestin se vident, libérant ainsi le corps de tout son poids inutile pour que vous puissiez vous déplacer rapidement. Vos pupilles se dilatent pour qu'une lumière plus vive aiguise votre vision. Les cellules cochléaires de l'oreille requièrent moins de stimulation pour que vous entendiez se casser une brindille sur un arbre situé à des dizaines de mètres. Votre cerveau est inhabituellement vigilant, même la nuit, car votre système biochimique se dépense afin d'assurer une surveillance que l'organisme juge indispensable à sa survie.

Le cortex homogénétique sonde sans arrêt votre mémoire et en extrait des expériences similaires passées qu'il trie, compare et analyse systématiquement afin de les appliquer à l'intense campagne de résolution de problèmes qu'a entreprise votre organisme. Cette activité se traduit pour vous par des pensées obsédantes. Votre système immunitaire réagit en produisant moins d'anticorps, en retardant la tuméfaction et la douleur provoquées par certaines blessures de guerre pour vous aider à concentrer toute votre attention sur le danger immédiat[12]. Il se pourrait que vous ressentiez seulement après plusieurs semaines les effets de cet affaiblissement immunitaire, vraisemblablement à l'occasion d'un moment de répit dans votre état de crise. C'est là que vous êtes le plus susceptible d'attraper un rhume ou une grippe.

Concrètement, ces symptômes se manifestent par un rappel constant et torturant du renoncement qui vous est imposé, un état d'hypervigilance, une réaction de sursaut exagérée, des malaises gastro-intestinaux et le souvenir des traumatismes et des insécurités passées. Ajoutons à cela des troubles du sommeil, l'impossibilité de vous détendre et un manque d'appétit. Par ailleurs, vous pouvez au contraire réagir en consommant des quantités considérables de nourriture : l'organisme s'efforce ainsi d'emmagasiner des réserves d'énergie pour survivre à une crise prolongée.

Le danger qui vous guette et auquel votre organisme vous prépare n'est pas une meute de loups affamés ou un tremblement de terre, mais la dissolution de votre plus important lien affectif. Certes, votre sécurité physique n'est absolument pas menacée, mais cela ne vous empêche pas de livrer un formidable combat intérieur[13].

Plusieurs de ces sensations désagréables et troublantes répondent à une drogue bien connue, légale et d'accès facile : l'alcool. L'alcool étant un neurodépresseur, il apaise les tensions et la nervosité[14]. Mêmes les personnes dont la consommation est habituellement très modérée tendent, dans ces circonstances, à abuser de l'alcool pour s'endormir ou se détendre. Puisque cette substance est hautement accoutumante, il importe de se rappeler que même à faible dose elle peut nuire aux facultés et entraîner un risque de blessure grave[15].

En guise d'analgésique de substitution, essayez plutôt d'entrer dans le refuge que vous ouvre le moment présent, ainsi que je vous l'indique à la fin de ce chapitre. Le fait d'habiter le moment peut vous aider à vous recentrer et à trouver une certaine paix, puis vous guider vers le calme intérieur dont vous aurez besoin pour traverser, l'une après l'autre, les périodes les plus difficiles.

LA HONTE[16]

La honte : voilà un problème auquel font face de très nombreuses personnes tout au long de la première étape du cycle de l'abandon. J'examinerai de plus près la honte du rejet dans le chapitre quatre, où il sera question d'*intériorisation*. Au début du deuil d'un conjoint absent, on a honte de ressentir des émotions exacerbées sur lesquelles on ne semble avoir aucune prise.

Je suis incapable d'affronter le monde extérieur, dit Michel. On n'a qu'à me regarder pour comprendre dans quel état je suis et pour savoir que je ne peux pas prendre ma vie en main.

Hommes et femmes ont été conditionnés à avoir honte de leurs émotions quand celles-ci sont trop négatives. Nombreux sont ceux qui détestent perdre le contrôle, se sentir impuissants ou dépendants de quelque façon que ce soit. Il est aisé d'ignorer l'importante leçon de sagesse que nous livrent nos émotions, mais si l'on parvient à comprendre en quoi elles consistent, cette connaissance améliorera la qualité de nos relations futures. Les émotions nous aident à devenir plus accessibles aux autres sur le plan affectif.

Mais au lieu d'accueillir leurs émotions et de bien les soigner, beaucoup de gens se reprochent leur dépendance et leur désespoir. La violence de ce qu'ils ressentent les pousse à remettre en question leur courage et leur indépendance.

J'ai l'impression d'être un gamin, dit Richard, banquier de son métier, que sa femme a quitté il y a peu. J'ai pleuré quand elle m'a annoncé qu'elle partait, comme un bébé pleure en appelant sa mère. Soudain, elle était devenue le centre de ma vie. J'étais obsédé, je voulais être tout le temps à ses côtés, parler avec elle à chaque minute de la journée. J'avais atrocement besoin d'elle et j'avais peur.

Je suis un homme adulte, pourtant je ne supportais pas d'être seul dans mon nouvel appartement ; il m'apparaissait trop stérile, trop vide. Ma souffrance même me faisait peur ; je craignais de ne pas pouvoir la surmonter. J'avais honte d'être aussi dépendant. Je ne pouvais pas m'empêcher d'agir comme un enfant gâté désespéré qui pique une colère noire.

J'en suis venu à me demander si mon identité d'adulte ne serait pas un alibi. Je me suis dit que j'avais sûrement été depuis toujours un homme très faible et très dépendant. J'en ai même conclu que mon immaturité était sûrement la cause du départ de ma femme.

Richard l'ignorait, mais son besoin de symbiose était non seulement temporaire et tout à fait normal compte tenu des circonstances, il avait même sa raison d'être à cette étape du deuil. Tant qu'il n'a pas su accepter sa dépendance et sa peur, il s'en est voulu et il a perdu toute confiance en lui-même. « J'étais affaissé, vaincu, dit-il, comme si, de nous deux, *c'était elle* la plus forte. » Il s'en voulait énormément de souffrir à ce point[17].

Plusieurs bonnes raisons devraient prévenir cette honte et vous aider à *accepter* d'éprouver un manque aussi grand de la personne qui vous a quitté. En premier lieu, ainsi que nous le démontre le cas de Richard, la honte ne fait que compliquer le deuil. Elle est une arme de plus que vous tournez contre vous-même. Ensuite, lorsque vous tentez de nier ce manque, de le rejeter ou de l'étouffer, vous vous refusez la possibilité de mieux comprendre ce que vous ressentez. Troisièmement, en refoulant vos émotions, vous les perpétuez dans vos relations présentes ou futures. Bref, plus votre bagage affectif est lourd, plus il prolonge le deuil. Les émotions refoulées ou ignorées déclenchent la peur, l'anxiété et l'insécurité dès que vous voulez accueillir un nouvel amour dans votre vie.

Il vaut mieux accepter la dure réalité de la situation : l'abandon est un traumatisme si violent qu'il met l'organisme en état d'alerte, ravive d'anciens souvenirs émotifs et crée temporairement un contexte où votre besoin d'union atteint un degré d'intensité intolérable. Pour éviter le piège de la honte, vous devez accepter que le départ de l'être aimé vous ait plongé dans un violent état de crise. Cette admission vous fait faire un pas important vers votre autonomie affective[18].

LE CHOC

Tous ne peuvent pas tolérer l'intensité de la dévastation. Certaines personnes disent ne rien ressentir du tout. « Je ne sais plus où j'en suis. Je suis si désorienté », dit Charles. Roberte, quant à elle, dit : « Je sais que j'ai été jetée en enfer, mais je ne sens rien. Tout est mort autour de moi[19]. »

Béatrice décrit ainsi ce qu'elle a vécu :

Je suis allée retrouver mon fiancé à Paris en avion, et à mon arrivée là-bas, il m'a annoncé qu'il avait changé d'idée. Il rompait nos fiançailles. J'étais écorchée vive. Paris, la ville que j'avais toujours rêvé de visiter, continuait de s'agiter autour de moi, mais j'étais trop abasourdie pour la voir ou pour m'y investir. J'étais en état de choc tandis que ma vie entière s'écroulait à mes pieds. Rien n'avait plus d'importance. Je ne savais même plus très bien qui j'étais.

Au moment du choc initial, les gens ont souvent l'impression d'être détachés d'eux-mêmes et de ce qui se passe autour d'eux. Cette première phase est si profondément intérieure qu'elle les enferme dans une bulle et les isole du monde extérieur qui leur apparaît alors gauchi et lointain.

Le choc est l'un des nombreux symptômes du stress post-traumatique, une composante importante de la dévastation. Nous nous pencherons sur certains de ses autres symptômes dans la prochaine section.

Le syndrome de stress post-traumatique de l'abandon

Les réactions à l'abandon partagent avec le syndrome de stress post-traumatique (SSPT)[20] suffisamment d'attributs pour constituer un sous-type de cette catégorie diagnostique.

Comme pour d'autres formes de stress post-traumatique, *le syndrome de stress post-traumatique de l'abandon* varie de léger à sévère. Dans cette affection psychobiologique, des traumatismes de séparation antérieurs entravent la vie du moment. Vous avez de façon récurrente des épisodes de retours en arrière qui vous précipitent dans l'anxiété en réaction à des déclencheurs possiblement inconscients, et qui se soldent souvent par un sentiment écrasant de perte de contrôle.

LA DÉVASTATION DE JEAN

Jean se présente à sa première séance. C'est un grand et bel homme, imposant, d'un fort gabarit. Il a récemment fait la connaissance d'une femme très attirante. Ils ont eu un seul et unique rendez-vous. La soirée a été parfaite pour Jean ; il a éprouvé ce soir-là un sentiment de plénitude, et il a voulu établir avec son amie une relation plus profonde. Jean était persuadé que ses sentiments étaient réciproques, mais la dame en question ne l'a pas rappelé.

– Nous sommes sortis ensemble une fois ! dit-il. Est-ce possible que je sois aussi désemparé après un seul rendez-vous ?

Jean s'attendait à revoir son amie à l'occasion d'un congrès professionnel devant avoir lieu cette semaine-là, et il craignait d'être trop agité pour dominer la situation.

– Elle va me trouver complètement débile. Je ne pourrai pas lui cacher ce que je ressens. Qu'est-ce qui peut bien me pousser à réagir comme ça ? Je pense à elle à chaque minute de la journée. Sans parler du fait que j'ai totalement perdu l'appétit.

« On ne peut pourtant pas dire que je suis en manque de femme ! Je n'ai même pas voulu fréquenter qui que ce soit pendant longtemps. Et voilà que j'agis comme si ma vie dépendait d'elle ! »

Il haussa les épaules. Par son regard, il m'appelait au secours.

– Est-il possible que vous n'ayez pas encore terminé le deuil d'une relation précédente ? avançai-je.

Il fut du coup mis en face d'une souffrance réprimée depuis longtemps. Il inspira profondément et voulut dire quelque chose, puis il bégaya un peu, mais parut incapable de trouver sa voix ou de contrôler l'expression de son visage.

Je lui tendis une boîte de mouchoirs et cela l'aida un brin. Il se mit à parler et à pleurer abondamment. L'événement pénible qu'il relatait s'était produit il y a dix ans. Sa fiancée avait rompu leurs fiançailles une semaine avant leur mariage. Tandis qu'il décrivait cette expérience dévastatrice, il s'étonnait d'en ressentir encore aussi fortement la douleur.

– Je pensais avoir complètement surmonté cela, dit-il. Il y avait des années que je n'y pensais plus. Après notre rupture, j'ai connu d'autres femmes, mais je ne me suis senti bien avec aucune. Je n'étais pas assez sûr de moi, j'étais toujours sur mes gardes. Après un an de stagnation, j'ai décidé de rester seul quelque temps.

Il a donc déserté le circuit et s'est appliqué à devenir un «célibataire endurci», comme il dit. Le seul effet secondaire de son isolement volontaire a été la solitude. Mais il s'était habitué à sa sourde douleur pulsatile et il la jugeait préférable aux péripéties des rencontres de passage. Il s'est dit qu'aucune femme ne l'intéressait et qu'il était parfaitement bien tout seul.

– Alors voilà : je rencontre une femme qui me plaît et je m'aperçois que je suis une véritable loque. Comment se peut-il qu'une aussi vieille histoire ait encore un tel effet sur moi après tant d'années ?

Sans être très grave, le cas de Jean présente l'un des symptômes du syndrome de stress post-traumatique de l'abandon: une anxiété passée et importune[21]. Son récit met en lumière un événement passé de sa vie adulte qui déclenche encore et toujours de la peur et de l'anxiété et qui nuit à sa vie présente.

À mesure qu'il expose son cas, Jean est confronté à des deuils d'enfance.

Quand Jean était âgé de six ans, son père eut un cancer qu'il combattit pendant longtemps et qui obligea sa mère à travailler à plein temps. Le père connut enfin une rémission complète, mais en raison de sa maladie l'entreprise familiale dut fermer ses portes. La famille connut des difficultés financières qui l'obligèrent à déménager à plusieurs reprises. Pendant ce temps, Jean vécut de nombreuses déceptions et dut se séparer de beaucoup de ses amis. Ces expériences le rendirent très vulnérable à la séparation et, parvenu à l'âge adulte, il développa une stratégie d'évitement afin de se distancer émotionnellement de ses besoins et de ses sentiments les plus fondamentaux. Il préféra fuir les relations affectives et toutes les insécurités qu'elles engendrent.

De nombreux autres schémas de comportement sont associés à un état de stress post-traumatique. La peur et l'anxiété qui entravent votre vie actuelle s'expriment de nombreuses façons.

LES INDICES ET LES SYMPTÔMES DU SYNDROME DE STRESS POST-TRAUMATIQUE DE L'ABANDON

Je propose ci-après une liste[22] des symptômes de stress post-traumatique de l'abandon, bien que ceux-ci ne fassent pas partie des critères diagnostiques officiels :

- Une peur intense du rejet (une insécurité écrasante) qui tend à déstabiliser les relations affectives importantes à l'âge adulte ;
- Une tendance à rechercher les gens et les expériences qui conduisent à un autre rejet et à un autre traumatisme ;
- Le rappel récurrent de renoncements antérieurs ;
- Le souvenir prédominant de séparations traumatisantes ou d'autres événements-chocs ;
- Inversement, l'incapacité à se souvenir totalement ou partiellement de traumatismes précédents ;
- Une impression de détachement émotif par rapport aux états de crise passés ;
- Inversement, une incapacité à s'abstraire des sentiments douloureux associés à des rejets ou à des deuils antérieurs, ce qui entraîne des conflits affectifs répétés avec les parents ou la fratrie ;
- Des épisodes de comportements autodestructeurs ;
- Des difficultés à tolérer les péripéties normales d'une relation adulte ;
- Des difficultés à solutionner les différents types de conflits et de déceptions au sein d'une relation ;
- Une extrême vulnérabilité au rejet ;

- Une tendance à se fermer à la tendresse ou au désir sexuel sans toutefois être en mesure d'expliquer pourquoi;
- Une incapacité à identifier ses sentiments;
- Des difficultés à accueillir les marques d'affection et les autres réconforts physiques qu'offre un conjoint consentant;
- Un mouvement de bascule entre la peur d'être envahi et la peur d'être anéanti;
- Une tendance à fuir toute relation intime;
- Inversement, une tendance à se jeter tête première dans une relation et à s'y agripper immédiatement;
- L'incapacité à lâcher prise parce qu'on est soudé affectivement à l'être aimé même lorsque ce dernier ne parvient pas à combler tous nos désirs;
- Un besoin exagéré de contrôler les autres ou de se dominer soi-même; un perfectionnisme exacerbé et le besoin que tout soit fait selon nos critères;
- Inversement, une tendance à semer le chaos en renvoyant tout au lendemain et en fuyant toute responsabilité;
- Une tendance incontrôlable à se laisser aller à son impulsivité[23] même en étant parfaitement conscient des répercussions désastreuses qu'elle risque d'entraîner;
- Une tendance à l'irritabilité et aux accès de colère subits[24].

Certes, les personnes ayant vécu des pertes traumatisantes dans leur enfance ne sont pas toutes appelées à développer une personnalité post-traumatique. De nombreux facteurs psychobiologiques entrent en ligne de compte pour déterminer si des traumatismes affectifs antérieurs risquent de conduire au portrait clinique réel d'un état de stress post-traumatique[25].

Plusieurs personnes aux prises avec les traumatismes d'un abandon sont incapables de trouver un événement d'extrême rejet dans leur enfance. Ces personnes sont au contraire issues de familles relativement stables et n'ont pas subi de mauvais traitements. Par ailleurs, des personnes ayant surmonté, enfants, des deuils extrêmes semblent être devenues des adultes relativement équilibrés, capables de tolérer des rejets ou des pertes sans présenter de symptômes de stress post-traumatique. Cette différence est sans doute due à des facteurs génétiques ou à d'autres facteurs physiologiques et psychologiques prédisposants. Des chercheurs ont émis l'hypothèse selon laquelle certains individus produisent naturellement de plus grandes concentrations de noradrénaline (norépinéphrine), un médiateur chimique qui agit sur les réactions d'autodéfense de l'organisme. Leur seuil de tolérance au stress serait donc moins élevé et ils seraient plus susceptibles de manifester des signes d'anxiété face à des situations de stress qui réveillent les peurs et les expériences malheureuses de leur enfance. Ces individus seraient par conséquent plus prédisposés à développer une personnalité post-traumatique.

Que vous soyez ou non susceptible de recevoir un diagnostic de syndrome de stress post-traumatique de l'abandon, vous vivez sans doute dans une certaine mesure le rappel de vos deuils antérieurs. Si tel est le cas, la répétition de ces expériences aura pour effet de magnifier votre perte actuelle.

Le traumatisme d'aujourd'hui

À l'étape de la dévastation, mes clients réagissent presque tous au mot *traumatisme* et l'adoptent fréquemment, qu'ils jugent ou non présenter les symptômes d'un stress post-traumatique. En vérité, la fin d'une relation affective importante est en soi un traumatisme – non pas un post-traumatisme. Il s'agit d'un traumatisme *initial* tout à fait authentique.

Que votre affliction soit due à une rupture récente ou qu'elle soit le résultat de blessures accumulées, que vous pleuriez la perte d'un emploi, d'un ami ou d'un compagnon de vie, vous vivez une expérience traumatisante.

Quitter la maison a été l'expérience la plus traumatisante de toute ma vie, dit Charles.
Serge m'a fait vivre des moments extrêmement traumatisants.
Perdre Laurent m'a traumatisée pour toujours! dit Marie.
Je n'ai pas l'impression d'être une personne normale, dit Richard; tout ce que je ressens, c'est un traumatisme.

Certains d'entre vous vont souffrir de symptômes post-traumatiques à la suite du choc qu'ils sont en train de vivre, et d'autres non: cela dépend des circonstances qui ont présidé à l'abandon, des antécédents personnels de chacun et de sa conformation neurophysiologique. Bien évidemment, le présent livre a pour but de tous vous aider à tempérer les effets du traumatisme subi.

LES INDICES ET LES SYMPTÔMES DE VOTRE STRESS TRAUMATIQUE ACTUEL

Les symptômes suivants sont couramment ressentis par les réchappés de l'abandon[26].

Le choc et la désorientation[27]

Les personnes qui ont perdu un être cher sont souvent en état de choc, elles disent ne pas croire à ce qui leur arrive, être abasourdies et incapables d'admettre que leur vie se défait en mille morceaux.

De très nombreuses recherches suggèrent qu'au tout premier stade du deuil le système opioïde endogène libère dans le cerveau une plus grande quantité de substances morphinomimétiques (notamment l'endorphine). La libération de ces opiacés, qui ont un effet analgésique, expliquerait l'état de choc et la sensation de torpeur ressentis par l'abandonné, de même que ses symptômes de sevrage subséquents.

Ainsi que nous l'a dit Béatrice, elle est devenue insensible à tout ce qui l'entourait quand son fiancé lui a dit ne plus vouloir l'épouser.

Tout me paraissait étrange, dit-elle. J'avais l'impression que toute ma vie n'avait été qu'un rêve et que je venais de m'éveiller dans un lit inconnu. Tout à coup, mon avenir s'était volatilisé. La veille, je choisissais la teinte parfaite de rouge à lèvres et je me disais que je ne devais pas oublier d'acheter des rouleaux de pellicule pour mon appareil photo. Le lendemain, rien n'avait plus aucune importance. Je ne pensais qu'à surmonter ma souffrance.

Si la tour Eiffel s'était écroulée devant moi, je ne m'en serais même pas aperçue. Je ne savais plus distinguer le haut du bas. J'étais même incapable de m'acheter un paquet de cigarettes. Et c'est seulement quand j'ai fini par mettre la main sur une cigarette que je me suis souvenue que j'avais cessé de fumer cinq ans auparavant.

La dépersonnalisation[28]

Un autre indice de traumatisme est la dépersonnalisation, le sentiment de détachement de soi et de ses émotions.

J'avais l'impression de ne plus être moi, dit Charles. Je ne me retrouvais plus. On aurait dit que je m'étais déserté. Ce n'était pas une sensation facile à décrire ou à expliquer, alors je faisais semblant de vivre. Mais je ressemblais à une coquille vide, abandonnée sur la grève, ou à une rivière dont le lit est à sec.

L'irréalité
Quand une relation cesse abruptement, tout semble irréel.

Quand Laurent a rompu, tout mon sens de la réalité en a été chaviré, dit Marie. Mes amis ne comprenaient pas pourquoi je ne m'intéressais plus à rien. Ils habitaient tout à coup un univers parallèle où l'ordre n'était qu'une illusion, un univers qui n'était plus le mien. J'étais une étrangère dans ma propre vie.

L'anxiété de séparation[29]
Un fond d'angoisse – d'aucuns parlent de *sensation d'affaissement* – est aussi couramment ressenti. Cette angoisse flottante émane de votre état permanent de crise émotive et de la réactivation d'expériences douloureuses antérieures. Nous avons déjà dit que l'éveil du système nerveux sympathique est à la base de ce malaise. Il conduit à un état d'hypervigilance qui se manifeste par une anxiété et une agitation chroniques et un sentiment permanent de vulnérabilité.

J'étais constamment en proie à un sentiment d'effroi morbide, dit Richard, comme à la veille d'une catastrophe. Mais qu'est-ce qui aurait pu arriver d'autre puisque le pire s'était déjà produit? J'étais très mal dans ma peau, voilà tout.

La distorsion de la réalité[30]
De nombreuses personnes ont des déformations perceptives qui leur font apercevoir l'être aimé dans la rue, dans une foule, dans un autobus ou dans un train qui passe. Mais quand elles parviennent à s'en approcher, elles constatent leur erreur.

Lorsque le cerveau continue de *chercher la personne qu'on a perdue*, les yeux scrutent l'horizon en quête de signaux visuels. Selon Candace Pert, les signaux que l'on capte doivent traverser cinq jonctions synaptiques – de l'œil à l'arrière du cerveau (le cortex occipital), puis de retour à l'avant du cerveau (le cortex frontal). À chacune de ces jonctions synaptiques, l'image perçue acquiert plus de détails.

Je voyais Laurent dans toutes les Volvo bleues qui passaient, dit Marie, peu importe l'année ou le modèle. J'étais certaine que c'était lui, jusqu'au moment où la voiture était suffisamment proche pour que je voie quelqu'un d'autre au volant.

Ces illusions surgissent parfois de nulle part. Roberte dit avoir vu les yeux de Serge posés sur elle un soir, juste avant de s'endormir. Elle a eu très peur. Michel a cru entendre son amant prononcer son nom, bien qu'il ait été seul dans la pièce. À l'étape de la dévastation, ces erreurs de perception sont fréquentes et habituellement temporaires, mais elles confirment l'état de crise dans lequel vous avez été plongé. Si vous entendez des voix ou si vous avez des hallucinations visuelles, vous devez solliciter une aide et un soutien professionnels. Rien ne vous oblige à surmonter seul cette crise quand le secours est à portée de la main.

L'autoviolence[31]

La tendance à l'autoviolence et aux comportements autodestructeurs est un autre effet du traumatisme. La terrible haine de soi qui vous ronge peut vous pousser à risquer votre vie. Les gens tournent contre eux-mêmes leur rage d'avoir été abandonnés. Ils portent la responsabilité de leur perte et veulent punir ou détruire le coupable – nul autre qu'eux-mêmes, selon eux. Ils ont des relations sexuelles non protégées, ils sont imprudents au volant, ils abusent des médicaments, voire se livrent à de l'automutilation. Dans les formes légère à sévère d'automutilation, la personne se tire les cheveux, gratte les croûtes de ses plaies et va même jusqu'à s'infliger d'importants sévices corporels.

Je suis diabétique, dit Sylvie ; j'ai cessé de prendre mon insuline. Tout m'était égal.

Au lieu de trafiquer votre vie, cherchez le soutien et l'aide professionnelle dont vous avez besoin pendant cette phase critique.

L'abus d'alcool ou d'autres drogues[32]

Nous avons déjà parlé des malaises qu'engendre le système d'alarme de l'organisme. Leur niveau plus ou moins élevé de stress traumatique pousse certains individus à rechercher désespérément un soulagement à leur mal dans les somnifères, les drogues illicites ou une surconsommation d'alcool. De nombreuses personnes qui consommaient rarement auparavant affirment s'être souvent enivrées à la suite d'un rejet. Malgré l'intensité de votre souffrance, compter sur les drogues et l'alcool pour surmonter une crise émotive peut vous causer de nombreux problèmes dont le plus grave serait l'apparition d'une dépendance.

Dans les programmes de réadaptation des alcooliques et toxicomanes, les individus qui disent avoir commencé à abuser des drogues ou de l'alcool pour surmonter un abandon ne sont pas rares. Ils ont trouvé un remède à leur mal dans l'alcool, l'héroïne et d'autres substances psychoactives. Heureusement, ayant pris conscience de leur problème, ils n'ont pas hésité à demander de l'aide, renversant ainsi complètement leur situation.

Les accès de rage[33]

Les accès de colère subite et incontrôlée sont typiques de la dévastation. Nous avons déjà vu comment l'abandon provoque une décharge d'adrénaline et de noradrénaline (norépinéphrine) dont la libération, en déclenchant la réaction de combat ou de fuite de l'organisme, vous fournit l'énergie dont vous avez besoin pour vous échapper ou pour vous défendre. Les gens normalement les plus placides peuvent perdre le contrôle dans ces circonstances et entrer dans un état de rage. Cette tendance aux accès de colère est particulièrement prononcée quand on trouve un refuge dans l'alcool. L'alcool et les autres drogues suspendent les inhibitions qui freinent l'expression de la colère.

Cette rage incontrôlée est souvent dirigée vers la personne qui nous a quitté, mais il arrive aussi, hélas, qu'elle vise nos amis intimes et d'autres victimes innocentes.

L'abandon n'est pas souvent vu comme un traumatisme réel

Durant la dévastation, les réchappés de l'abandon éprouvent plusieurs des symptômes qui affectent les victimes d'autres traumatismes, par exemple les victimes de viol ou d'agression physique. L'ennui est que, souvent, leur traumatisme d'abandon n'est pas reconnu. Pourtant, le choc, la torpeur, la désorientation, les accès de colère et la propension au risque, tout cela est symptomatique d'un traumatisme grave[34].

On note la présence de ces symptômes chez des enfants ayant vécu des expériences d'abandon. Contrairement aux adultes, les enfants ne disposent d'aucun moyen pour tempérer ce choc. Les blessures et les rejets laissent souvent des empreintes profondes dans leur cerveau en développement et affectent à jamais leurs réponses émotives.

La rétroaction des dévastations antérieures

J'ai quatre ans, je suis soudée à mes parents et je suis fille unique. Mes parents m'ont conduite à l'hôpital. Je ne suis pas préparée à cela ni à ce qui va arriver ensuite. Ils me laissent seule et je ne comprends pas pourquoi.

Lors d'une intervention chirurgicale sous anesthésie, un médecin m'ouvre la gorge. Quand je m'éveille, j'ai horriblement mal. J'ignore qu'on m'a enlevé les amygdales et je ne sais pas pourquoi ma gorge me fait tant souffrir. Je ne sais pas où sont mes parents.

Je me dis pourtant qu'il doit y avoir erreur. Je suis dans une salle commune, avec beaucoup d'autres enfants. Il y a des rangées et des rangées de lits à barreaux où sont étendus des enfants sur qui se penchent infirmières et parents. Chaque jour, toute la journée, des parents les visitent. Mais moi, personne ne vient me voir. Je suis toute seule.

Plusieurs jours plus tard, mes parents arrivent enfin. Je suis couchée en position fœtale. On doit détendre mes bras et mes jambes par des massages pour que je bouge et qu'on puisse me ramener à la maison.

Je n'ai aucun souvenir de ce séjour à l'hôpital. C'est ma mère qui m'en a relaté les détails.

LES SCÉNARIOS DE DÉVASTATIONS CHEZ L'ENFANT

Mon cas n'est pas inhabituel. Dans l'enfance, de nombreuses expériences provoquent de violents sentiments d'abandon. La mort d'un animal de compagnie, le départ de grand-maman après un long séjour, l'arrivée d'un nouveau bébé qui accapare maman. L'enfant apprend la mort de la mère d'un autre enfant et appréhende aussitôt que le même malheur ne s'abatte sur lui. Ses parents tardent à venir le chercher à l'école, ou encore il est témoin d'une violente querelle entre son père et sa mère. Personne ne veut jouer avec lui à la récréation, l'institutrice s'en prend à lui, son père le réprimande.

Ce sont là des expériences ordinaires de l'enfance qui peuvent néanmoins éveiller une anxiété et un désespoir profonds. Pour les enfants, toute perte, toute blessure, tout émoi est ressenti comme un abandon. Ils sont d'abord et avant tout attachés aux personnes qui prennent soin d'eux, mais ils s'attachent aussi à d'autres gens, à des lieux, à des aptitudes, à des idéaux et à des rêves. La moindre atteinte à ces liens d'attachement les terrorise – ils se sentent impuissants, incapables de retenir ce qu'ils aiment le plus –, augmente leur peur d'être abandonnés. Cette peur peut perdurer indéfiniment, indépendamment du souvenir que l'on a des circonstances qui l'ont causée.

Ma mère avait constaté que, pendant mon cours primaire, il m'était toujours extrêmement difficile de patienter jusqu'à ce qu'on vienne me cueillir à l'école ou d'attendre un événement important. Même à l'adolescence, les circonstances les plus ordinaires m'agitaient, par exemple l'attente de mon petit ami ou la perspective d'un rejet. Cette réaction avait été particulièrement remarquable un soir où j'attendais que mon copain vienne me chercher pour m'amener au bal des finissants. Je m'inquiétais, je paniquais, certaine qu'il n'arriverait *jamais*, que je ne saurais *jamais* pourquoi il n'était pas venu, que je serais désormais *toujours* seule. Ma mère avait alors jugé bon de me raconter ce fameux séjour à l'hôpital.

– Susan, il y a quelque chose que je dois te dire, dit-elle enfin. Cela s'est passé quand tu avais quatre ans et qu'on a dû te faire opérer pour les amygdales. Ton père et moi avions mal compris ce que le médecin de l'hôpital nous avait dit. Nous pensions que nous n'avions pas le droit de te rendre visite. Si bien que nous sommes partis pour tout le week-end et nous ne sommes allés à l'hôpital qu'au moment de te ramener à la maison.

Je lui ai relaté mon seul souvenir de cette expérience. *Je suis dans ma couchette et je revois mon père et ma mère qui posent sur moi leur regard aimant et me donnent des cuillerées de crème glacée. C'est froid et cela soulage ma gorge endolorie.*

– Oui, continua ma mère. C'est exact. Quand nous avons constaté ce que nous t'avions fait en te laissant toute seule, nous en avons eu beaucoup de remords. Nous t'avons cajolée pendant des heures pour que tu parviennes à te détendre, à te tourner vers nous et à réagir. Nous t'avons donné de la crème glacée jusqu'à ce que tu te sois assez calmée pour que nous puissions te ramener à la maison.

Depuis, j'ai essayé toutes les techniques possibles et imaginables – hypnothérapie, gestalt, psychodrame – pour que cet épisode émerge à ma mémoire et que je puisse dissiper l'anxiété qui lui était toujours reliée. Mais en dépit de tous mes efforts, malgré mes nombreuses années de formation et de pratique en psychothérapie, rien n'y a fait.

Inutile de dire que j'ai appris à éviter les gens qui me font attendre. Il m'arrive néanmoins parfois de devoir le faire et, dans certaines circonstances, même si je tente de me raisonner et de rester calme et détendue, la même vieille angoisse m'étreint à nouveau.

Je ne suis pas la seule réchappée d'un abandon dans l'enfance qui présente les symptômes post-traumatiques d'anciennes expériences affectives[35]. Je ne suis pas non plus la seule qui ne se souvienne pas des événements qui en sont la cause. De nombreux réchappés de l'abandon ont encore des peurs, des anxiétés, des insécurités et des schémas de comportements mésadaptés dûs à des expériences dont ils n'ont pas de souvenir conscient. Ils se demandent pourquoi ils se sont enlisés dans leur passé affectif, pourquoi les deuils et les abandons qui les ont marqués ont encore une telle incidence sur leur vie.

Plusieurs de mes clients supposent qu'ils ont contenu les expériences vécues dans leur enfance, qu'ils les ont refoulées dans l'inconscient où, raisonnent-ils, elles continuent à leur insu de faire des ravages. Ils emploient des mots tels que *contenir, refouler, inconscient* pour laisser entendre qu'ils ont peut-être créé de toutes pièces ces souvenirs enfouis. Ce faisant, ils ne se prennent pas pour des scientifiques ou des psychothéoriciens ; ils cherchent seulement à répondre aux interrogations suivantes :

Comment est-il possible que mon enfance ait de telles répercussions sur ma vie si je suis incapable de m'en souvenir ?
Où vont les souvenirs ?
Si je parviens à ramener mon passé à la surface, serai-je capable de me libérer de mon insécurité, de mon anxiété, de ma peur ?

La recherche scientifique sur le cerveau jette un éclairage nouveau sur ces énigmes post-traumatiques. Grâce aux travaux novateurs de Joseph LeDoux, nous en savons beaucoup plus sur le rôle de l'*amygdale*, un noyau en forme d'amande logé dans les structures profondes du cerveau émotionnel (mammalien).

Un mini-cours sur le cerveau émotionnel

L'amygdale[36] joue un rôle central dans nos réactions émotives. Elle est un peu le système d'alarme de l'organisme qui surveille le moindre danger physique ou psychologique, mais elle est surtout aux aguets de tout rappel d'une expérience passée dominée par la peur. Quand l'amygdale détecte un problème, elle proclame un état d'urgence émotive.

L'amygdale porte l'empreinte du souvenir de toutes vos peurs et des réactions aux dangers que vous avez affrontés dans le passé, collectivement (ne te jette pas au bas d'un précipice) ou individuellement (méfie-toi de l'oncle Charles). On croit qu'elle garde aussi des traces de notre vie prénatale et de notre naissance.

Tout le temps que vous grandissez, l'amygdale continue d'emmagasiner des souvenirs émotifs. Une fois qu'elle a été conditionnée à une réaction (par exemple, l'anxiété ressentie quand l'être aimé veut se séparer), cet apprentissage devient pour tout dire indélébile[37]. En d'autres termes, la mémoire émotionnelle n'efface jamais complètement l'ardoise.

Nous avons déjà vu comment le système nerveux autonome voit une menace à la survie dans tout danger qui pèse sur un lien affectif important. Le cœur qui s'emballe, la vague nausée, l'afflux d'adrénaline : ces indices vous disent que l'organisme a été mis en état d'alerte.

Les enfants ont les mêmes réactions de combat ou de fuite quand ils sentent qu'un danger menace leurs liens les plus importants. Selon la gravité de la peur ressentie, l'événement s'imprime dans la mémoire émotionnelle (implicite) de l'amygdale. Ces souvenirs émotifs sont ensuite réactivés quand l'enfant devenu adulte perçoit l'imminence d'une perte similaire.

L'apprentissage affectif a des points communs avec le conditionnement pavlovien. Dans les expériences de Pavlov avec des chiens, un son de cloche et le repas qui, habituellement, suivait aussitôt celui-ci formaient une association de deux stimuli : les chiens étaient ainsi conditionnés à saliver chaque fois qu'ils entendaient sonner la cloche. Pour illustrer la manière dont se développent nos réactions psychologiques, examinons de plus près le traumatisme du combat. Pendant la bataille, l'amygdale est entièrement sollicitée. Elle intègre à sa mémoire non seulement la souffrance et la peur, mais aussi les images, les odeurs et les sons de la lutte, qui forment ainsi les associations de stimuli extrêmement puissantes du traumatisme du combat. Même plusieurs années plus tard, des images, des sons ou des odeurs similaires peuvent activer les circuits amygdaliens : il suffit parfois d'un coup de tonnerre pour qu'un ancien combattant vive le rappel intégral d'un incident passé.

Dans le même ordre d'idée, les sensations associées à la séparation d'avec un être cher peuvent déclencher de nouvelles émotions.

Des sensations rappelant le traumatisme d'origine activent les circuits amygdaliens qui vous font revivre toutes les peurs et les besoins reliés à ce renoncement antérieur[38].

L'information que transmet un danger potentiel atteint l'amygdale directement par les organes sensoriels (y compris les yeux et les oreilles) sans devoir passer par le cortex cérébral. En d'autres termes, on peut réagir à une image *avant même* d'être conscient de cette image. Les informations qui suivent cette voie sous-corticale voyagent plus rapidement que celles qui passent par le cortex, siège de la raison.

Cette réaction automatique est fortement adaptative en ce qui a trait à la survie. Si, dans une situation d'urgence qui met votre vie en danger, vous deviez vous arrêter pour choisir la meilleure ligne de conduite, vous risqueriez de perdre des instants précieux. L'amygdale active la réaction de combat, de fuite ou d'immobilité avant que le cerveau rationnel ait le temps d'intervenir. Elle réagit également aux idées ou aux pensées qui prennent forme dans le cortex homogénétique (néocortex). Une pensée alarmiste peut déclencher une panique immédiate. Avant d'avoir eu le temps de réfléchir et de raisonner, l'organisme s'est lancé dans le mode autodéfense.

Une réaction rapide et automatique est indispensable pour éviter d'être tué par un arbre qui tombe ou par un grizzli qui attaque, mais elle est nuisible si le danger qui nous guette est le début d'une relation. Le réflexe de combattre, de fuir ou de figer peut être un sérieux obstacle à l'harmonie d'un deuxième rendez-vous. De nombreuses personnes figent, s'agitent ou ont des sueurs froides dès que leur vie affective a des ratés. Qui diable a invité votre système nerveux autonome au cinéma ? La nature. Cette forme d'évolution a assuré la survie de l'espèce humaine.

Si les deuils de l'enfance ou de l'adolescence peuvent conditionner la réaction de peur, il s'ensuit que l'amygdale correspond à la partie du cerveau qui est reliée à la peur de l'abandon, une peur universelle[39].

L'activation de réactions conditionnées nous aide à comprendre le lourd sentiment de manque que nous éprouvons durant la phase de dévastation. Les désirs de symbiose de la première enfance, anciens et révolus, reviennent submerger le cerveau adulte qui se trouve alors aux prises avec un désespoir et un sentiment d'impuissance profonds. Il lui sera impossible, croit-il, de survivre au départ de l'être aimé. En réalité, s'il réfléchit à sa mémoire implicite, il comprendra que son amygdale, d'une compétence exceptionnelle, agit à la manière d'un parent sur-protecteur qui ne veut pas le voir souffrir.

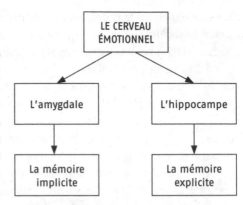

Le cerveau émotionnel
(composé de l'amygdale et de l'hippocampe)

Mais une question demeure : comment est-il possible d'éprouver des émotions primaires reliées à d'anciens traumatismes alors qu'on est incapable de se rappeler les événements qui les ont causés ? Pourquoi tant de réchappés de l'abandon ont-ils d'aussi grands trous de mémoire ?

La réponse à ces questions réside dans l'*hippocampe*, une autre structure du cerveau émotionnel. L'hippocampe, qui rappelle par sa forme le petit poisson du même nom, emmagasine non pas les émotions, mais bien les *faits* entourant une situation à lourde charge émotive, notamment l'endroit où elle a eu lieu, les individus concernés, et l'événement lui-même[40].

L'aspect le plus important de ce phénomène est que, compte tenu de l'intensité ou de la durée de la situation émotive vécue, il est possible que la libération des hormones de stress *compromette* la fonction mnésique de l'hippocampe. Vous avez été témoin d'un événement, sans doute même y avez-vous *participé*, mais il se peut que vous ne puissiez pas en rappeler le souvenir plus tard pour la simple raison que celui-ci n'a pas été stocké. La mémoire implicite est bien présente, mais aucune mémoire explicite ne l'accompagne.

D'autres réactions biochimiques au stress ont parfois un effet opposé sur la mémoire hippocampique. On a découvert que, dans certains cas, la libération d'adrénaline *renforce* la mémoire hippocampique. Cela expliquerait les souvenirs éclair typiques de certains traumatismes où le rappel d'un événement particulièrement troublant est extrêmement détaillé. Dans le prochain chapitre, qui traite du sevrage, nous allons examiner de plus près l'influence des hormones de stress sur la mémoire ainsi que d'autres fonctions psychobiologiques.

Entre-temps, il ne faut surtout pas penser que notre organisme a été programmé pour nous rendre malheureux. La neurobiologie ne dicte pas nos destinées. Il n'y a pas deux individus ni deux cerveaux identiques. Nos systèmes psychobiologiques ne sont pas permanents, mais en constante mutation. Le cerveau, comme la personnalité, est unique et multidimensionnel. L'amygdale et l'hippocampe ne constituent pas de petits royaumes distincts[41]. Ils interagissent avec le cerveau pensant d'une façon particulière, propre à une situation donnée et à chacun de nous.

Je formule ici le vœu qu'à la lumière de ces renseignements sur les aspects neurobiologiques du malheur qui vous frappe vous serez mieux en mesure d'accepter vos réactions émotives et vous cesserez de vous en vouloir si vous n'êtes pas toujours capable de dominer vos émotions. Concentrez plutôt vos énergies sur ce qui n'échappe pas à votre contrôle, sur ce que vous pouvez changer. En dernier ressort, vous pourrez façonner votre propre destinée.

Le profil de la personne dévastée : les précurseurs possibles du SSPT de l'abandon

Il se peut qu'une phase du processus de l'abandon soit plus difficile pour vous qu'une autre. Les réchappés de l'abandon qui semblent éprouver le plus de difficultés à *l'étape de la dévastation* sont ceux qui ont vécu à répétition dans leur enfance des deuils écrasants, des déceptions personnelles et de grands bouleversements[42], notamment :

- le décès d'un parent ;
- l'abandon physique d'un parent ;
- le divorce difficile des parents ou un litige portant sur la garde des enfants ;
- une insuffisance affective prolongée avec les parents-gardiens ;
- des sévices physiques ou des abus sexuels ;
- un ou plusieurs séjours en famille d'accueil.

Plusieurs d'entre vous sont sans doute issus de familles relativement stables, mais vous y avez connu des carences affectives prolongées pour une ou plusieurs des raisons suivantes :

- des injustices dans la hiérarchie sociale de la fratrie ;
- une structure familiale chaotique et conflictuelle ;
- des messages émotifs qui vous ont laissé dans une double impasse où, quoi que vous fassiez, vous étiez perdant ;

- le rejet ou l'exclusion de votre groupe d'amis;
- une blessure ou une maladie d'enfance nécessitant des soins prolongés;
- des déceptions amoureuses traumatisantes à l'adolescence;
- d'importantes déceptions (par exemple, se dévouer à un but sans récolter les fruits de son travail acharné).

Des débris, des fragments de tels traumatismes sont ramenés à la surface lorsque vous vivez plus tard des renoncements et des émois similaires.

Pour de nombreux réchappés de l'abandon, cela se traduit par des bouleversements épisodiques et une inquiétude chronique vis-à-vis d'eux-mêmes et de leurs affections. Quand de nouvelles expériences ravivent en eux des souvenirs particulièrement troublants, leur système d'alarme se déclenche et libère de l'adrénaline et d'autres hormones de stress[43]. Beaucoup ont alors les nerfs à vif et se sentent soudain très mal dans leur peau.

Lorsque des personnes facilement anxieuses ou qui ont été traumatisées dans leur enfance affrontent une nouvelle crise, le rappel de leurs dévastations antérieures peut être proprement écrasant. Si elles ne comprennent pas la cause de leur angoisse extrême ou ignorent comment la gérer, leur désespoir est parfois tel qu'elles cherchent un remède dans les drogues et l'alcool. Si vous vous sentez dépassé par les événements, n'hésitez pas à appeler au secours. Il est possible de trouver de l'aide et un encadrement professionnel; dans certains cas, l'administration de médicaments est justifiée[44].

Si vous ne parvenez pas, par un effort de volonté, à vous libérer de l'angoisse, de la souffrance et de la peur, ce n'est pas un signe de faiblesse. Ces émotions torturantes sont dues à la nature psychobiologique de la crise que vous vivez.

La dévastation est un traumatisme, mais elle peut déboucher sur une meilleure acceptation de soi et une meilleure compréhension de la vie à la condition d'en accepter les enseignements.

Les bienfaits de la dévastation

L'abandon nous offre un présent secret: il nous aide à reconnaître les blessures dues à des traumatismes dont nous n'avons pas toujours conservé le souvenir. Nous pouvons enfin prendre en charge ces problèmes émotifs non résolus. La dévastation accomplit ce que visent de nombreux psychanalystes au cours de longues années d'analyse : elle nous fait remonter à la source de nos conflits inconscients.

Vous vivez une période critique pendant laquelle vous devez faire appel à vos propres ressources. Votre conjoint n'est plus là pour vous procurer le réconfort et la sécurité dont vous avez besoin. Mis à part le soutien de vos amis et de votre famille et l'aide professionnelle dont vous bénéficiez peut-être, vous êtes la plupart du temps livré à vous-même. Cette situation idéale vous force à puiser en vous le courage qui vous manque.

Vos parents ont sans doute tenté de vous aider quand vous étiez enfant, mais sans parvenir à apaiser suffisamment votre peur de l'abandon. Et voici qu'à l'âge adulte vous devez affronter seul ce défi. Vous devez d'abord et avant tout prendre contact avec vos peurs. Écoutez ce qu'elles vous apprennent sur vos besoins affectifs.

La dévastation est *un voyage au centre du soi* qui vous prépare à une guérison profonde et vous donne la chance de façonner votre vie du dedans au dehors. Elle vous met au défi de répondre à d'importantes questions qui vous aideront à trouver votre nouveau point de départ.

Acceptez-vous votre état de séparation ?
Pouvez-vous affronter votre univers en perpétuelle mutation ?
Pouvez-vous prendre la responsabilité de son organisation ?
Pouvez-vous admettre que votre dévastation comporte des avantages ?
Pouvez-vous admettre que vous pouvez vous tenir debout tout seul ?

Avouez-le : votre expérience vous a déjà apporté quelque chose. Les plâtres de votre ancienne vie sont cassés et vous avez jeté vos béquilles. Vous n'êtes plus en transe. On vous a brutalement chassé de votre apathie, on vous a déséquilibré, on vous a forcé à retrouver votre chemin. Voici ce que dit Charles :

La dévastation m'a réveillé. Elle m'a aidé à réorienter ma vie. Je sais que j'ai encore beaucoup de travail à faire, mais je sais enfin ce qui est important. Il a fallu que je perde ma femme pour perdre aussi mes sentiments illusoires de permanence, de fusion avec une autre personne, de contrôle. Pour la première fois de ma vie, j'ai compris à quel point je suis seul, à quel point nous sommes tous seuls.

Du fond de mon abîme, séparé de mes enfants, complètement perdu, j'ai pu lever les yeux et prendre conscience de l'effroyable douleur du deuil. Pas seulement de mon deuil. De tous les deuils. Je me suis mis à songer aux millions de personnes qui ont traversé le même enfer et aux millions de personnes qui le traverseront un jour. La souffrance humaine m'est devenue intime. Jamais mes émotions n'ont été aussi à vif, et j'ai su que cet éclairement m'avait transformé pour toujours. Si douloureux soit-il, jamais je ne me séparerai du cadeau que j'ai reçu. Il a fait de moi un homme beaucoup plus humain.

La dévastation vous a lancé un défi. Grâce à elle, vous pouvez atteindre la grande indépendance affective qui a tant tardé à se manifester. Être indépendant sur le plan affectif ne signifie pas accepter de devoir vivre seul. Cela veut dire mettre votre autonomie et votre sagesse affective au service d'un nouvel amour et d'une nouvelle union.

Guérir de la dévastation

LES EXERCICES D'*AKERU*

Le mot *akeru* a plusieurs acceptions – mettre fin à, percer, trouer, commencer, expirer, vider, faire place à, développer, entreprendre, retourner, ouvrir – qui, toutes, sont reliées au parcours de l'abandon. Ces significations multiples renvoient à des processus qui puisent leur origine dans la même énergie fondamentale.

Par «énergie», je n'entends pas un concept nouvel âge ou un phénomène scientifique quantifiable. Les mots «énergie», «force», «élan», «instinct» et «impulsion» décrivent tous le mouvement et l'intensité de notre traversée des différentes étapes du cycle du deuil. L'énergie qui préside à la dévastation est une force vitale, notre besoin inné de former des liens affectifs. Quand quelque chose vient entraver cette énergie, le deuil en résulte. La douleur du deuil est notre réaction psychobiologique à une séparation soudaine qui interrompt la relation affective dont nous avons tant besoin. Cet impératif besoin de fusion est toujours présent en nous. Il peut être une source de souffrance, mais, si on le réoriente, il peut nous placer sur la voie de la guérison.

L'*akeru* désigne le vide que creuse le départ de quelqu'un. Vous devez investir ce vide pour y créer une vie nouvelle. En dépit de son apparent romantisme, le principe de l'*akeru* ne fait pas abstraction de la souffrance. Il nous amène à la regarder en face sans qu'elle nous avale. Il a appris à mes clients à tirer parti de son énergie.

Grâce à l'*akeru*, je peux parler d'adversité et de motivation comme d'une seule et même réalité. L'adversité nous pousse à faire appel aux dons précieux que sont notre imagination et notre courage. Laissés à nous-mêmes, nous tendons à combattre la douleur. Mais l'esprit éclairé sait en tirer parti.

À la fin des chapitres deux à six, je propose une séquence d'exercices correspondant à chaque étape. J'ai recours à ces exercices dans ma pratique pour favoriser une réelle transformation.

L'*akeru* est maintenant l'instrument de guérison de l'abandon. Il aide mes clients à conceptualiser le fait qu'un rétablissement réel a lieu au moment où le chagrin est renversé. En réorientant l'énergie du processus de deuil, on peut améliorer notre vie et renforcer notre capacité d'aimer.

> *Le foyer de la plus grande blessure est celui de la plus grande guérison.* Akeru.

Commencer

Mettre fin à

Faire place à

Percer

Développer

Retourner

Trouer

Expirer

Entreprendre

Les acceptions du mot akeru

L'UNITÉ DES CONTRAIRES

L'*akeru* rassemble une fin et un commencement. Chaque indice ou chaque symptôme de la fin d'une relation affective peut être associé à celui d'un commencement. Pour la **dévastation**, la reconstruction; pour le **choc**, la clarté et la limpidité; pour la **désunion**, l'union; pour l'**anxiété de séparation**, la sérénité; pour l'**abus d'alcool ou d'autres drogues,** la sobriété; pour la **régression symbiotique**, l'autonomie; pour la **distorsion de la réalité**, l'acceptation de la réalité; pour l'**ambivalence**, l'aplomb et la raison; pour la **honte**, une humilité et une dignité authentiques; pour l'**autodévalorisation**, la confiance en soi; pour les **maux somatiques**, la revitalisation; pour les **idées de suicide**, le goût de vivre; pour l'**autoviolence**, les égards envers soi-même; pour l'**autodestruction**, l'autocréation; pour la **haine de soi**, l'acceptation de soi; pour l'**égocentrisme**, la capacité d'aimer.

Si nous sommes livrés à nous-mêmes, cette unité des contraires ne nous est pas toujours apparente, surtout lorsque nous sommes plongés au cœur d'une souffrance dévastatrice; mais que nous en soyons ou non conscients, la double énergie de cette phase de transition existe bel et bien. Le sentiment d'abandon et sa guérison sont deux aspects d'une même énergie qui attend d'être prise en compte: l'*akeru*.

Premier exercice : habiter le moment[45]

Voici le premier des cinq exercices d'*akeru* conçus pour vous permettre d'accéder à votre souffrance. Cet exercice, *habiter le moment*, est en quelque sorte la balise qui vous aide à aller au bout de la phase cruelle mais provisoire de la séparation.

Cet exercice favorise une gestion efficace de la souffrance, mais il présente aussi d'autres avantages. Il fait appel à l'énergie de la dévastation – l'état aigu de séparation – pour ouvrir la porte à une transformation. Il sert de fondement au reste de votre programme de guérison. Chaque fois que vous parvenez à *habiter le moment*, ne serait-ce que pour quelques minutes à peine, vous redécouvrez votre force personnelle et vous renforcez votre autonomie.

Habiter le moment est une solution de rechange à l'oubli dans l'alcool, les drogues ou les comportements autodestructeurs. Vous restez ainsi en contact avec vos émotions, vous les laissez vous submerger comme des vagues. L'orage finira bien par s'apaiser. Vous pouvez supporter les pires émotions parce que vous savez qu'elles sont normales et temporaires, qu'elles sont inhérentes à l'imprévisibilité de la vie et à son caractère transitoire. Quand vous vous adonnez régulièrement à cet exercice, vous apprenez à trouver un refuge dans la vie même qui vous entoure.

«Un jour à la fois»: cette sage maxime des Alcooliques anonymes est fondée sur l'expérience de centaines de milliers d'individus qui, après avoir touché le fond, ont trouvé dans ce mouvement une rédemption, un salut personnel. En remontant de l'abysse, ils ont découvert que la meilleure façon de célébrer la vie et de relever les défis qu'elle nous lance consiste à vivre *dans le moment présent, un jour à la fois.*

Les réchappés de l'abandon ont touché le fond de leurs émotions. Ils peuvent eux aussi trouver un réconfort dans le potentiel de guérison de l'instant présent, de l'ici et du maintenant. Il y a une condition : à l'étape de la dévastation, la peur et le chagrin sont parfois si intenses qu'ils vous écrasent et que vous ignorez comment vous vous rendrez au bout de chaque journée. Une journée entière, c'est une plage de temps trop longue à envisager d'un seul coup, c'est au-dessus de vos forces. Vous devez donc entrer dans le moment présent. Concentrez-vous sur l'information sensorielle que vous transmettent *à cet instant même* vos yeux, vos oreilles, votre nez et votre épiderme.

Il ne s'agit pas de réfléchir, mais bien de *vivre une expérience*. Quand vous vous laissez dominer par vos pensées, vous imaginez l'avenir et vous appréhendez l'inconnu, ou vous vous tournez vers le passé où vous attendent votre chagrin et votre perte. Tandis que, dans le moment présent, il n'y a de place ni pour le passé ni pour l'avenir.

QUELQUES CONSEILS POUR HABITER LE MOMENT

Au lieu d'envisager le fait d'habiter le moment comme un exercice distinct de vos activités de la journée, voyez-y plutôt une façon d'être en prise directe avec la vie dans son ensemble. La plupart du temps, habiter le moment signifie vous accorder à votre environnement en vous concentrant sur vos perceptions sensorielles et non pas sur vos soucis et votre chagrin. Habiter le moment n'est pas un exercice, c'est un état.

Dans les périodes d'angoisse profonde, de nombreuses personnes ont du mal à habiter le moment pendant plus de quelques secondes. La peur tend à orienter les pensées, à les promener entre passé et avenir, entre peine et effroi. Votre état anxieux entrave votre aptitude à habiter le moment. Ce haut niveau de stress représente un aspect distinctif de la dévastation. Quand vous éprouvez cette difficulté, la solution consiste à réintégrer le moment présent aussi souvent que nécessaire.

Lorsque le stress atteint son apogée, il est souvent difficile d'*isoler* l'instant présent. Écouter la radio pour vous distraire n'est pas toujours efficace : vous ne pouvez pas chasser vos idées noires. Dans ce cas, éteignez la radio et concentrez-vous sur les bruits de fond, les subtiles textures sonores qui demandent une écoute plus attentive. La concentration vous aide alors à sortir de votre tristesse.

Dans la même veine, le fait de regarder par la fenêtre ne constitue pas une expérience sensorielle suffisante pour apaiser votre chagrin.

Il est préférable de fermer les yeux et de vous concentrer sur les galaxies lumineuses qui scintillent sous vos paupières. Cette approche plus disciplinée vous aidera à détourner votre attention de ce qui vous fait souffrir et à la diriger sur la vie qui vous entoure.

Vos sens peuvent vous distraire en tout temps d'une autoréflexion douloureuse, mais, dans les moments de très grande affliction, cela demande un effort délibéré, un acte de volonté conscient. Chaque fois que l'instant présent vous échappe, efforcez-vous de le retrouver. Faites-en un mantra qui vous accompagnera toute la journée, un instant à la fois.

J'ai constaté, dit Charles, que je n'échappais à ma souffrance qu'en me fermant entièrement à tout ce qui m'entourait pour mieux me concentrer sur le sifflement d'un train dans le lointain ou sur le bruissement des feuilles derrière ma fenêtre. J'étais alors dans une oasis.

Quand j'étais au plus mal, dit Roberte, je montais dans ma voiture, j'ouvrais les fenêtres et je me concentrais sur la caresse du vent sur mon visage, le rugissement du moteur, le battement de mon cœur dans ma poitrine. J'étais en quelque sorte en sursis et je me sentais forte.

Ci-après, vous trouverez quelques instructions pour vous aider à habiter le moment. À chaque étape de cet exercice, laissez-vous guider par les images, les sons et les sensations en provenance de votre milieu immédiat au lieu d'obéir aveuglément à mes instructions. Celles-ci ont pour seul but de stimuler votre imagination. Votre objectif consiste à intégrer le moment présent à votre régime de vie quotidien.

UN PETIT GUIDE ÉTAPE PAR ÉTAPE POUR HABITER LE MOMENT

Préparez-vous à entrer dans le moment présent

Restez où vous êtes. Cessez ce que vous êtes en train de faire et prenez conscience de ce qui vous entoure. La lumière qui enveloppe la pièce est-elle naturelle ou artificielle? La pièce est-elle dépouillée ou encombrée d'objets divers?

Observez tout: les images, les sons, l'ambiance.

Écoutez les bruits de fond

Est-ce silencieux? Entendez-vous le bruit assourdissant d'un appareil de radio ou de télévision? Si possible, éteignez ces appareils. Vous devez effacer tous les bruits aptes à noyer de plus subtils bruits de fond. Tendre l'oreille pour capter un très faible fond sonore est une façon extrêmement efficace d'entrer dans le moment présent.

Fermez les yeux et concentrez-vous sur les sons que vous percevez.

Au début, votre attention est attirée par les bruits les plus intenses : par exemple une voix humaine, des pas dans une pièce voisine, le moteur d'un camion.

Efforcez-vous d'identifier chacun de ces sons.

Maintenant, écoutez plus attentivement encore. Entendez-vous le chant distant d'un oiseau? Des bruits de voiture dans une rue éloignée? Le ronron d'un appareil ménager dans la pièce à côté – le moteur du frigo ou celui d'un ventilateur? Efforcez-vous de retenir les sons les plus faibles aussi longtemps que vous le pouvez.

Vous avez fait appel à votre sens de l'ouïe pour vous distancer momentanément de vos pensées et entrer dans la paix et la tranquillité de l'instant présent. C'est aussi simple que cela.

Faites appel à votre sens du toucher pour inviter l'instant présent

Utilisez votre sens du toucher d'une façon délibérée et disciplinée. Fermez les yeux. Y a-t-il un mouvement d'air dans la pièce? Sentez-vous l'air frôler votre visage, votre cou, vos mains? Cette sensation exige souvent une très grande concentration.

Que ressentez-vous encore? Quelle sensation vous procure le contact de vos vêtements avec votre peau? Les sentez-vous peser sur vos épaules, frôler vos jambes? Sentez-vous le poids de la montre ou du bracelet à votre poignet? Celui de vos chaussures à vos pieds?

Pensez à tout ce qui entre en contact avec votre peau, en commençant par les pieds. Une brise caresse-t-elle votre peau nue? Sentez-vous le contact d'une paire de chaussettes chaudes? Sont-elles trop serrées? Êtes-vous conscient seulement du drap sur vos pieds nus?

Remontez ensuite petit à petit le long du corps : pensez à la peau de vos jambes, à celle de votre poitrine, à celle de vos bras.

Portez attention à vos mains. Leur peau est délicate et sensible au moindre déplacement d'air. Tendez les mains et touchez ce qui vous entoure. Quelle est la texture de la chaise où vous êtes assis? Celle des draps de votre lit?

Votre visage est également sensible aux courants d'air et à la température ambiante. Que ressentez-vous? Êtes-vous conscient du poids de vos cheveux sur votre cuir chevelu? Sentez-vous un picotement?

Quand vous absorbez ces sensations, vous habitez le moment. Vous êtes libéré de vos idées noires.

Faites appel au sens du goût et à celui de l'odorat

Cet exercice n'est pas conçu pour l'heure des repas. En fait, vous en retirerez les plus grands bienfaits si vous choisissez plutôt d'autres moments pour discerner des saveurs et des odeurs extrêmement subtiles.

Concentrez-vous sur le goût de l'intérieur de votre bouche. S'agit-il d'un goût neutre? Détectez-vous une saveur de menthe ou de fumée? Remarquez-vous certains changements? Quand vous *inspirez* par le nez, percevez-vous une odeur de bois? de poussière? de produits nettoyants? de fruits? Servez-vous de vos sens du goût et de l'odorat pour vous éloigner de vos pensées et habiter le moment.

Concentrez-vous sur votre respiration

Concentrez-vous sur les mouvements de votre poitrine, sur l'air qui emplit vos poumons, sur votre diaphragme qui se dilate, sur l'air que vous expulsez. Sentez-vous l'air passer par vos narines? Concentrez-vous sur les muscles à l'œuvre quand vous respirez, sur l'air qui entre et sort de vos poumons.

Quand ils sont sous l'emprise d'un deuil et d'un chagrin profonds, la plupart des gens ne peuvent habiter le moment que très brièvement; ils se laissent derechef happer par leurs obsessions. Habiter le moment exige de grands efforts de concentration. Prolongez le plus possible ces intermèdes et repartez de zéro chaque fois que vous échappe le moment présent. Recherchez l'endroit le plus enchanteur que vous puissiez trouver et absorbez-le avec vos oreilles, vos yeux, votre peau, votre nez. Écoutez votre musique préférée. Ayez toujours de la lecture à portée de la main, des livres qui retiendront votre attention et qui sauront vous inspirer. En voici deux, dont je recommande la lecture: *Silences*, par Hannah Merker, et *Full Catastrophe Living*, par Jon Kabat-Zinn[46]. La tenue d'un journal intime ou l'écriture libre peuvent aussi vous aider à vous concentrer sur l'instant présent et à organiser vos pensées, planifier votre journée, voire votre vie entière.

Plus vous pratiquerez cet exercice, plus vous accepterez la réalité. Les bouddhistes zen, comme d'autres ordres religieux, aspirent depuis des siècles à cet état stationnaire. Apprendre à intégrer un tel état de conscience à votre quotidien, c'est accepter le changement et participer pleinement à la joie, à l'amour et à la générosité de la vie qui vous entoure et qui vous habite. Chaque fois que vous trouvez dans l'instant présent le meilleur refuge que la nature puisse vous offrir contre la souffrance, vous renforcez votre aptitude à accueillir la vie telle qu'elle est.

La dévastation : un résumé

La rupture a tranché dans le vif de vos liens affectifs jusqu'à vous atteindre au plus profond de l'être. Que vous le vouliez ou non, vous avez une prise directe sur vos émotions et vos besoins fondamentaux. Ce peut être le début d'une nouvelle vie. La douleur de la dévastation s'accompagne d'une sorte d'illumination.

L'abandon vous atteint profondément et vous le ressentez comme une blessure mortelle, mais, ainsi que vous l'avez constaté, il déclenche aussi votre instinct de survie. Une immense terreur et des désirs primaires vous submergent : ce sont là vos émotions les plus précieuses et les plus importantes. Elles correspondent à des besoins primitifs qui vous habitent depuis la naissance. En apprenant à gérer votre souffrance, tenez compte de vos peurs ; c'est indispensable, car c'est par elles que vous découvrirez vos besoins. Quand vous osez accepter ces émotions, vous êtes prêt à entreprendre le processus de rétablissement.

Par l'akeru, vous transformerez la douleur cuisante de l'abandon en ouverture sur l'avenir. L'akeru vous invite à vivre dans l'ici et le maintenant. Vous voilà plus présent, plus accessible à votre entourage et à l'enfant qui vous habite. Cet enfant est libre dans ses sensations, car ses yeux, ses oreilles et sa peau n'ont pas encore été complètement immunisés contre les expériences de la vie. L'adulte autant que l'enfant ressentent le plus intensément la vie et ses sensations dans l'instant présent. Et c'est ce moi re-né qui vous accompagne dans le moment, ce moi doté de l'ouverture d'esprit, du sens de l'émerveillement et de la découverte propres à l'enfance.

Au sortir de la dévastation, vous vous rapprochez de votre autonomie affective. Vous avez appris, premièrement, à prendre conscience de la nature et de la profondeur de votre blessure; deuxièmement, à accepter la souffrance qui l'accompagne; troisièmement, à éviter tout sentiment de honte et à admettre que vos émotions sont normales; quatrièmement, à proclamer votre force de caractère (oui, vous pouvez vous tenir debout tout seul); et cinquièmement, à gérer vos émotions en habitant le moment.

La dévastation est un rite de passage au même titre que les rituels initiatiques du chaman qui, au cours d'un voyage spirituel, doit combattre ses démons avant d'hériter de ses pleins pouvoirs. Certains des meilleurs guérisseurs de notre société ont subi d'écrasants traumatismes et sont parvenus à analyser leur dévastation[47].

CHAPITRE TROIS

Deuxième étape : le sevrage

Qu'est-ce que le sevrage ?

Le sevrage dont il est ici question ressemble à celui du toxicomane. Après avoir absorbé le choc de la séparation, vous êtes en manque de votre moitié. Le système opioïde endogène du cerveau agissant comme médiateur de cette réponse, votre manque rejoint celui du toxicomane qui ne peut pas obtenir sa dose.

Au paroxysme de votre état de manque, vous êtes certain qu'en l'absence de l'être aimé votre vie est fichue. C'est votre soi enfant qui vous dicte cette certitude. Il vous pousse à reconquérir l'être aimé, à défaut de quoi vous mourrez. La première relation de l'enfant est indispensable à sa survie ; aucun nourrisson ne peut vivre si personne n'est là pour prendre soin de lui.

Poussé par votre soi enfant, vous tentez sans doute plusieurs fois de reprendre contact avec l'absent, sinon dans les faits, du moins en pensée. Vous persistez, parce que vous n'êtes toujours pas convaincu que la personne qui vous a quitté ne vous convient pas. Vous multipliez les blessures, mais l'enfant intérieur se dit que, cette fois, ce sera différent. Vous êtes comme l'alcoolique qui se persuade de ce que son prochain verre ne l'enivrera pas.

Vous vous en prenez sans doute à ceux qui essaient de vous aider. Par exemple, vous vous emportez contre votre thérapeute, surtout s'il vous conseille de ne plus rechercher la compagnie de votre ex-conjoint. Vous avez peut-être accepté cette séparation, mais votre soi enfant réagit en ne se présentant pas aux séances de thérapie, ou en allant d'un thérapeute ou d'un groupe de réadaptation à l'autre. Vous en voulez à votre thérapeute et aux autres personnes qui veulent vous aider parce qu'ils contrarient la volonté de l'enfant intérieur. Celui-ci craint que sa vie ne soit en danger si on reste sourd à ses implorations.

L'enfant en vous s'accroche à de faux espoirs pour se défendre contre des sentiments d'isolement, d'exclusion, de perte, car, privé d'espoir, vous vous enfermez dans un découragement qui se transforme en affliction et en un puits sans fond de larmes.

Mais vos larmes servent aussi de déclencheur. Quelque chose se fraie un chemin jusqu'à votre esprit conscient à travers le souvenir des moments de rejet et de vulnérabilité que vous avez dû vivre : votre droit à l'amour.

À l'étape du sevrage, vous portez attention aux pleurs de votre soi enfant. Vous admettez que ses besoins sont les vôtres et qu'il vous faut être à l'écoute de vos émotions les plus fondamentales.

Certaines personnes cherchent à éviter le sevrage en trouvant un conjoint de substitution. Mais un tel remplacement n'est pas opportun à ce stade-ci. Il viendra bien assez vite. Le sevrage est plutôt une phase d'acceptation de vous-même et de vos besoins.

La deuxième étape de l'abandon : le sevrage

LE SEVRAGE D'ÉTIENNE

Six semaines plus tôt, Gabrielle avait fait ses valises et quitté Étienne brusquement, sans prévenir. Six semaines plus tôt, Étienne avait trouvé une longue lettre d'adieu sur la commode vide.

Comme chaque matin depuis le départ de Gabrielle, il s'éveille en pleine nuit. Il voudrait pouvoir se rendormir, mais il sait que l'adrénaline qui court dans ses veines l'en empêche. Il est 3 h. La panique s'empare de lui. Ce n'est pas la première fois ; il a été pris de panique trop souvent à son goût. Il ne parvient tout simplement pas à faire durer une relation. Chaque fois, c'est la même histoire – tôt ou tard son amie le quitte. Mais avec Gabrielle, il s'est dit que ce serait différent ; il est si sûr d'elle !

Et voici qu'il se tourne et se retourne une fois de plus dans son lit, envahi par l'angoisse, tourmenté par la solitude, rejeté par la femme qu'il aime. Comment surmonter cela ?

Agité par l'insomnie, Étienne ne cesse de penser à Gabrielle. Son désir pour elle, le besoin de sa présence, le manque qu'il ressent lui sont intolérables. Finalement, les lueurs de l'aube commencent à infiltrer sa chambre. Ses préparatifs matinaux aident Étienne à chasser Gabrielle de ses pensées.

Il se dit qu'aujourd'hui il n'arrivera pas en retard au bureau. Il travaillera de son mieux, il essaiera de se concentrer, de fonctionner et de se comporter de la façon la plus normale possible.

Tous ses collègues de travail savent que Gabrielle l'a quitté. Ils n'ignorent pas que c'est la raison pour laquelle il a perdu du poids et semble si triste. Étienne devine leurs pensées : «Cela fait déjà six semaines, Étienne. Il est temps que tu prennes ta vie en main. Reviens-en!»

Étienne est en manque, en *sevrage*. Plus le temps passe, plus vos besoins demeurent insatisfaits, plus votre corps et votre esprit souffrent de votre perte. Même quand ils s'efforcent autant qu'ils le peuvent de ne pas craquer, les abandonnés sont chaque jour la proie d'un profond sentiment de deuil.

Les effets du sevrage sont cumulatifs et déferlent à la façon d'une vague. Ils doivent souvent atteindre un point culminant avant de s'adoucir, ce que ne comprennent pas toujours les personnes de votre entourage qui préféreraient voir votre désespoir s'apaiser au lieu d'augmenter de jour en jour.

Étienne s'est efforcé de tolérer son mal du mieux possible, mais il pleurait très souvent et il ne supportait pas la solitude. Ses amis et sa famille lui ont tenu compagnie et l'ont appuyé au début, mais ils ont finalement été frustrés de voir qu'Étienne n'avançait pas et qu'au bout de quelques semaines il était toujours aussi inconsolable. Du moins leur prêtait-il ces pensées.

En vérité, le sevrage amoureux n'obéit à aucun horaire. Il varie d'individu à individu, de circonstance en circonstance.

Le schéma d'abandon dont Étienne est victime a commencé dans sa tendre enfance. Son père, un homme très exigeant, lui reprochait la moindre de ses erreurs et le moindre manquement. Quoi qu'il fasse, ce n'était jamais assez. Étienne a donc appris à se reprocher de ne pas mieux réussir dans ses études, dans les sports ou dans tout ce qu'il entreprenait. Chaque fois que son père se fâchait contre lui, Étienne se sentait rejeté. Il s'en voulait de ne pas être à la hauteur de ses attentes.

À l'adolescence, Étienne était obsédé par le besoin de se montrer compétent en tout. Il était extrêmement sensible au rejet.

À dix-sept ans, quand sa première petite amie le quitta, il sombra dans une profonde dépression. Ce rejet amoureux fit émerger de vieux sentiments d'échec et l'ancra dans la certitude qu'il était indigne d'amour.

Écrasé de douleur et rongé par le doute, il noya ses émotions dans l'alcool. Ses relations amoureuses subséquentes furent toutes des échecs et Étienne devint alcoolique.

Au moment du départ de Gabrielle, Étienne fréquentait les Alcooliques anonymes depuis plus de cinq ans. Les femmes qu'il aimait le rejetaient encore malgré son abstinence.

– J'avais été abandonné trop souvent, dit Étienne. Il me semblait souffrir d'échec amoureux terminal, d'une maladie dégénérative : le rejet. Mon avenir était sans espoir. Je n'arrêtais pas de me reprocher toutes les erreurs que j'avais commises dans ma relation avec Gabrielle, je me maudissais d'avoir tout raté avec elle, d'avoir tout raté avec les autres femmes que j'avais aimées, bref, d'avoir raté ma vie.

Le *sevrage* est la deuxième étape de l'abandon. Ce mot désigne le manque intolérable qui vous ronge depuis que vous êtes séparé de votre moitié. Parfois, le sevrage s'installe sur-le-champ ; mais vous pouvez aussi ne pas en subir les effets tant que ne se sont pas apaisés la torpeur et le choc de la dévastation. Ainsi que nous le montre le cas d'Étienne, le sevrage empiète sur l'étape suivante, celle de l'*intériorisation*, quand l'abandonné se culpabilise. Les symptômes du sevrage peuvent se manifester plusieurs fois au cours du cycle de l'abandon.

Je vais vous confier quelques-unes de mes expériences personnelles de sevrage afin de vous aider à explorer les émotions et les circonstances auxquelles celui-ci donne lieu. En cours de route, je vous aiderai à comprendre ce processus et à y faire face. Je vous expliquerai en quoi le sevrage amoureux correspond à une désintoxication très réelle, et j'aborderai certaines de ses particularités post-traumatiques. J'ose espérer que vous serez ainsi en mesure de cerner les problèmes de sevrage amoureux antérieurs que vous n'avez pas réglés et que vous traînez comme un boulet. Enfin, je vous apprendrai comment maximiser le potentiel de croissance personnelle du sevrage en vous initiant à un deuxième exercice d'*akeru* conçu cette fois pour vous aider à guérir vos manques passés et présents.

Le sevrage et ses symptômes

Au cours de la phase du sevrage, vous vivez sans la drogue qu'était votre relation détruite. Vous ne ressentez plus l'effet sédatif de la sécurité : vous êtes confronté à la réalité.

Les symptômes du sevrage sont violents. De nombreux réchappés de l'abandon se livrent à des marchandages, sollicitent, supplient ou manipulent l'être aimé absent, et sont prêts à tout pour le reconquérir. Vous ressemblez à un toxicomane, vous désespérez d'obtenir la dose d'amour qu'il vous faut. D'où viennent ce désir et ce manque déchirants et désespérants ?

Le système opioïde endogène du cerveau est le médiateur des relations amoureuses. Les opiacés, les *narcotiques* tels la morphine, l'héroïne et l'opium, sont connus de la plupart des gens. Notre cerveau produit des substances morphinomimétiques, dont les endorphines. Tant les opiacés naturels que libère le cerveau que les narcotiques contribuent à calmer la douleur.

Selon le chercheur Jaak Panksepp, lorsqu'on construit une relation intime, le cerveau fabrique une plus grande quantité d'opioïdes. Réciproquement, quand une relation prend fin, la production de certains opioïdes diminue, ce qui soumet l'organisme à un sevrage physique pénible[1].

Sur le plan biochimique, vos relations les plus intimes correspondent donc à une forme de dépendance aux endorphines. L'effet ressenti au moment du sevrage amoureux – *le besoin, le manque, l'attente, le désir* de l'être aimé absent – est psychobiologiquement parent de l'effet ressenti lors de la suppression d'une drogue telle que la morphine ou l'héroïne, avec pour seule différence que vous associez vos symptômes à la perte de l'être cher et non pas à une absence de narcotiques. En d'autres termes, la différence réside dans le *contexte*, dans votre *interprétation* des symptômes de sevrage et non pas dans ses symptômes physiques eux-mêmes.

Voici quelques-uns de ces symptômes.

L'ARRACHEMENT

Votre relation est irrémédiablement terminée et vous avez déjà traversé la dévastation de la rupture, mais il vous reste à faire face à *l'arrachement*. Vous devez vous arracher à votre besoin de cette personne, à sa présence dans vos pensées, vos espoirs et vos rêves.

Pendant le sevrage, dit Marie, c'était comme si on m'avait amputée de mon jumeau siamois lors d'une chirurgie qui avait eu lieu à froid pendant la dévastation. J'étais dans la salle de réveil, mourant petit à petit au bout de mon sang, hurlant de douleur en appelant mon autre moitié.

À certains moments, vous croirez être capable de survivre sans la personne aimée, alors qu'en d'autres temps vous serez plongé dans un profond désespoir.

Même si votre relation amoureuse s'est limitée à une ou deux rencontres, vous y aviez investi vos rêves d'avenir et votre besoin d'amour. Quand ces espoirs ne se matérialisent pas, la déception est parfois profonde et vous renvoie à la case de départ, à votre *solitude*. Le sentiment de perte n'est pas forcément moins grand que si vous aviez été marié pendant de nombreuses années.

Les êtres humains sont des créatures sociables. Nous avons tous besoin d'éprouver un sentiment d'appartenance. La relation d'intimité nous aide à combler ce besoin. Peut-être avez-vous tenu ce fait pour acquis, mais votre appartenance à quelqu'un d'autre était essentielle à votre bien-être. Le fait de savoir que vous comptiez, qu'on vous aimait et qu'on vous chérissait suffisait à vous faire du bien.

Même si votre relation détruite n'en était qu'à ses débuts, la perspective de vivre sans votre être cher vous plonge dans le désespoir et le malheur[2].

Je croyais avoir enfin trouvé quelqu'un, dit Jean, mais elle ne m'a jamais rappelé. Finalement, cette expérience n'aura servi qu'à me montrer à quel point j'étais seul, à quel point ma vie était vide, à quel point j'avais besoin d'amour. Un seul et unique rendez-vous, et voilà que j'étais précipité dans une violente crise émotive.

LE MANQUE

Être en sevrage, c'est être en manque – en manque de la sécurité et de l'affection que vous espériez obtenir ou sur lesquelles vous comptiez.

Je ne savais pas à quel point je tenais à ma femme avant qu'elle ne me quitte, dit Richard. Dans notre couple, c'était la petite routine depuis belle lurette. Nous nous attrapions à propos de tout et il y avait beaucoup de tensions dans l'air. Mais quand elle m'a dit avoir besoin d'espace, puis quand elle a pris un avocat, on aurait dit que la terre s'était ouverte sous mes pieds. Je n'ai plus eu aucune raison de vivre.

Curieusement, la perte d'une relation de couple malheureuse est parfois aussi dévastatrice que celle d'une relation harmonieuse[3]. Pour comprendre la nature de l'abandon, il est indispensable d'explorer à fond les raisons de ce phénomène. Pourquoi la perte d'une relation fondamentale est-elle si terrible? Comment avons-nous pu développer une telle dépendance? Pourquoi éprouvons-nous pareil sentiment d'incomplétude quand l'être aimé sort de notre vie?

Les réponses à ces questions ne sont jamais simples. En vérité, amants et conjoints comblent tout un éventail de besoins complexes; ils sont beaucoup plus que de simples compagnons, amants ou partenaires sexuels. Un de leurs rôles les plus importants consiste à être un *objet de fond*.

L'objet de fond

Vers l'âge de deux ou trois ans, quand nous avons commencé à explorer notre petit univers en dehors des bras de notre mère ou de notre parent substitut, cette personne est devenue pour nous un objet de fond. Nous étions heureux de nous déplacer en toute liberté du moment que nous pouvions compter sur les bras de maman en cas de besoin. Maintenant que nous voilà adultes, la présence discrète d'une autre personne répond à un besoin similaire. Un objet de fond est une personne qui nous fait éprouver un sentiment fondamental d'unité, d'appartenance et de sécurité[4].

Gérald faisait la navette entre l'Angleterre et le Brésil, dit Denise. Nous nous parlions au téléphone environ deux fois par semaine pour nous dire des mots tendres et des «je t'aime». Ensuite, nous retournions à nos vies respectives, parfaitement heureux, certains d'appartenir l'un à l'autre.

Plusieurs personnes ont une relation aussi sereine que celle-là précisément parce qu'elles sont en confiance dans leur couple.

Sachant que quelqu'un est là pour elles, elles sont sûres d'elles-mêmes, autonomes et heureuses. Ce n'est pas un défaut de caractère si nous tenons l'être aimé pour acquis. Le sentiment de sécurité qu'il nous procure nous aide justement à tolérer d'en être séparé quand notre carrière ou nos activités personnelles nous sollicitent.

On peut dire qu'une relation est adulte quand aucun des membres du couple n'étouffe l'autre. Chacun permet à l'autre d'être son objet de fond. Ils savent que l'être aimé fait partie de leur vie, qu'il en est un élément important, mais ils savent aussi que leur vie ne se résume pas à lui[5].

Quand prend fin la lune de miel, de nombreux couples relâchent leur vigilance. Il arrive que l'un des deux accuse un gain de poids[6] dès que le flux d'adrénaline diminue, que s'apaise l'urgence de la fusion et que la relation perd de sa fragilité. La branche parasympathique du système nerveux autonome, qui rééquilibre l'organisme quand le système nerveux sympathique a été sollicité, intervient dans ce relâchement. Le système nerveux parasympathique ramène la tension artérielle et les hormones de stress à leur niveau de base et déclenche d'autres systèmes et appareils essentiels à la survie, par exemple l'appétit[7]. Idéalement, une période de relâchement prolongée permet au couple de se concentrer sur sa vie future en fondant une famille et en développant l'aspect professionnel de sa vie. Chacun est enfermé dans sa bulle, mais ses expériences contribuent elles aussi à l'enrichissement de la relation de couple.

Quand une relation intime nous donne un sentiment de sécurité tel que la présence du conjoint est tenue pour acquise, il arrive que nous fantasmions sur une aventure avec quelqu'un d'autre. De tels fantasmes ne sont pas toujours l'indice d'un problème dans le couple; parfois même, ils apportent un peu de piquant à une relation qui s'est enlisée dans la routine. Ce ne sont, après tout, que des imaginations. Mais la perte véritable de l'être aimé est très différente.

Pour mieux comprendre l'importance de l'objet de fond, observons comment les enfants acquièrent leur autonomie. Quand vous étiez tout petit, vous

L'arrachement

Le manque

L'envie de se déchaîner

Le sevrage sexuel

La perte de poids

Le manque de sommeil

L'expectative

L'épuisement et la dépression

Les symptômes du sevrage

deviez absolument être *attaché* à quelqu'un pour pouvoir progresser. Le nouveau-né dépend de sa mère pour obtenir les soins qui lui sont indispensables, et presque toute son attention est sollicitée par cette relation. Plus tard, quand le bambin commence à acquérir son indépendance et sa liberté de mouvement, sa mère devient pour lui un objet de fond. Il n'est plus nécessaire qu'elle soit toujours dans son champ de vision : il peut s'amuser à l'écart pendant des heures, soit seul, soit en compagnie d'autres enfants, à la condition de savoir que sa mère est à proximité, quelque part, *en toile de fond*[8]. Si un événement perturbe cette phase de la croissance de l'enfant – par exemple si sa maman doit effectuer un long séjour à l'hôpital –, la capacité de l'enfant à acquérir son autonomie risque d'en être retardée.

Pour la plupart, nous savions que notre mère était là pour nous aider et cette confiance nous permettait de tolérer d'en être séparés à l'occasion. Avec le temps, l'enfant se sent suffisamment en sécurité pour pouvoir supporter le stress d'une séparation plus prolongée quand il est en âge de fréquenter l'école. Pour être capable de franchir cette étape, l'enfant doit savoir que la personne qui s'occupe de lui est toujours à la maison et qu'elle attend son retour.

De temps à autre, le doute assaille les enfants qui demandent alors à être rassurés. Le bambin qui a mal au ventre voudra rentrer à la maison pour retrouver sa maman. En tant qu'adultes, nous ne sommes pas à l'abri de ce type de régression. Nous éprouvons tous jusqu'à un certain point le besoin de vérifier de temps à autre la solidité de nos liens affectifs, soit par un coup de fil, soit par une étreinte.

Vous n'êtes sans doute pas conscient de l'importance de ces manifestations rassurantes tant que perdure votre relation. Il se peut que vous minimisiez votre besoin de ressentir la présence du conjoint parce que vous préférez vous croire autonome sur le plan affectif. En vérité, l'expression de vos besoins et de votre vulnérabilité est aussi essentielle à votre équilibre psychologique que votre autonomie. La vulnérabilité ravivée par l'abandon n'est pas une tare ; elle est inhérente à la nature humaine.

Je ne me rendais pas compte à quel point le coup de fil hebdomadaire de Gérald était important pour moi, dit Denise, jusqu'à ce qu'il m'appelle une dernière fois du Brésil pour m'annoncer qu'il avait rencontré quelqu'un. Tout à coup, ma vie de femme autonome ne me satisfaisait plus. J'avais besoin qu'il soit là, à mes côtés ;

jamais je n'avais autant désiré sa présence. Mais il était parti, et j'étais complètement perdue et vulnérable. Ma vie n'était plus qu'une coquille vide.

Il est facile de *sous*-estimer notre besoin de contact, un besoin fondamentalement humain. Nous vivons dans un isolement relatif, souvent à l'écart de notre famille élargie. Quand nous perdons la plus importante de nos relations affectives, nous ne bénéficions pas du soutien d'une société étroite comme celles que nos ancêtres ont connues. Nous éprouvons alors un sentiment de dépossession quasi intégral, car presque tous nos besoins étaient dévolus à la personne qui nous a quitté. Quoi que nous fassions, nous ne pouvons pas, par la seule force de notre volonté, nous libérer du manque qui nous accable.

L'ENVIE DE SE DÉCHAÎNER

L'abandon est une forme de *séparation involontaire*[9]. Le fait que vous n'ayez pas choisi d'être seul éveille en vous une colère très forte, de la frustration et du ressentiment. La personne aimée a perturbé votre équilibre émotif et c'est parce qu'elle a déclaré forfait, parce qu'elle s'est retirée que vous voilà seul.

Souvenez-vous que vous n'êtes pas furieux contre la solitude elle-même. Ce sont les circonstances qui ont présidé à votre isolement soudain qui vous donnent envie de vous déchaîner. Vous ne pouvez ni ne voulez accepter les exigences de la solitude qui vous est imposée. Elle échappe à votre contrôle, du moins pour le moment[10].

L'absence de l'être aimé vous pèse de multiples façons tout au long de la phase du sevrage. Vous avez perdu cette personne sur le plan affectif; vous en êtes séparé sur le plan physique et, sans doute surtout, vous en êtes réduit à envisager seul votre vie future[11].

Vivre seul n'est ni une maladie ni un problème social. De nombreuses personnes choisissent de vivre seules. En fait, le célibat est de plus en plus répandu, car on préfère se forger des vies composites en combinant la carrière, les amis, les animaux de compagnie, la participation à des mouvements de groupe, et ainsi de suite. Depuis des temps immémoriaux, partout dans le monde des ordres spirituels ont attesté des bienfaits de la vie solitaire, voire de l'abstinence sexuelle, et sont une inspiration pour tous ceux qui n'investissent plus leur énergie vitale dans la relation de couple. Mais pour ceux qui, comme vous, en sont à l'étape du sevrage, la solitude est un état inconnu et détestable. Psychologiquement, vous n'êtes pas prêt à en apprécier les bienfaits.

Certes, je ne conseille à personne d'opter pour vivre seul, mais quand vous parviendrez à résoudre le conflit qui vous oppose à votre volonté – c'est-à-dire quand vous serez prêt à surmonter votre colère et votre indignation –, vous envisagerez sans doute plus positivement la perspective de la solitude. Quand vous cessez d'être furieux d'avoir été largué, vous apprenez à profiter des avantages d'une solitude provisoire. Cet isolement peut être un réel ressourcement, une occasion pour vous de renouveler vos réserves affectives et de descendre en vous-même par l'introspection. Sans doute est-ce le moment de remettre en question votre complaisance passée, de décider où se situent vos priorités.

La certitude terrible d'être condamné à une vie solitaire vous empêche sans doute de progresser. À ce moment de votre vie, votre deuil est si lourd que tout attachement qui puisse vous redonner un sentiment de plénitude vous paraît impossible. L'impression que vous serez dorénavant toujours seul est l'une des plus puissantes du sentiment d'abandon. Mais ne perdez pas de vue qu'il s'agit d'une impression, non pas d'une prophétie ou d'une réalité.

Le fait est que fort peu de personnes rejetées restent seules longtemps. Quand mes clients commencent à se rétablir, je les encourage à se faire au plus tôt de nouveaux contacts, à sortir de leur milieu social habituel et à élargir leurs horizons, à rencontrer des gens et à partager avec eux leurs nouvelles ressources intérieures. J'examinerai plus à fond la création de nouveaux liens d'attachement dans le chapitre sept.

Entre-temps, sachez que le rôle de la solitude dans votre réadaptation affective vous deviendra clair quand vous cesserez de la combattre. Vous commencez par analyser vos sentiments d'indignation et de trahison, puis vous surmontez votre état de choc. Ensuite, petit à petit, vous franchissez le cap de votre isolement en puisant à vos forces intérieures et, bientôt, vous vous tenez debout tout seul.

Le concept d'*akeru* vous rappelle que le fait de «vider, de percer un trou dans» quelque chose équivaut à inviter le recommencement. La solitude vous amène à une plus grande indépendance. Au bout du compte, cette période de solitude représentera un moment de réussite dans le renforcement de votre autonomie.

J'ai vraiment pensé, au début, que je mourrais de solitude, dit Marie. Mais après le choc initial, je comprends que ma vie est exactement là où elle doit être, c'est-à-dire au point où je peux faire un certain travail intérieur. Quelle que soit la raison de ma solitude actuelle, j'ai décidé que c'est une bonne raison. Je suis capable d'en voir les bons côtés.

LE SEVRAGE SEXUEL

Un autre symptôme fréquent à cette étape de l'abandon est le sevrage sexuel.

Quand l'organisme se met en état d'alerte, un certain nombre de fonctions corporelles sont suspendues. La conservation de soi mobilise toute votre énergie. Dans un moment de crise, l'un des appareils corporels dont le fonctionnement s'arrête est l'appareil génital qui, en temps normal, consomme une importante somme d'énergie. Il y a un ralentissement des pulsions sexuelles : l'ovulation est moins susceptible de se produire chez les femmes, tandis que les hommes connaissent des difficultés érectiles et sécrètent moins de testostérone[12].

Pourtant, les réchappés de l'abandon disent ressentir un violent manque sexuel et, surtout, le besoin de faire l'amour avec l'être aimé absent. Pour apaiser leur état de manque, ils se laissent fréquemment aller à leurs fantasmes, ils recherchent les relations sexuelles avec des partenaires substituts ou ils se masturbent plus souvent. Nombreux sont ceux qui font des avances répétées à leur ex-conjoint dans l'espoir de le séduire et ainsi le reconquérir[13].

Quelques semaines après le départ de Laurent, dit Marie, ma vie a sombré dans un désordre indescriptible. J'ai vécu un atroce sevrage sexuel, une véritable torture. Jamais je n'avais ressenti un tel désir physique de Laurent.

J'avais des rêves de nature sexuelle si envahissants et si intolérables qu'ils me réveillaient. Et je ne parvenais pas à me rendormir. J'ai acheté des dessous affriolants juste au cas où une occasion de séduire Laurent se présenterait. Mon désir de lui était insupportable.

L'élément fantasmatique ne représente qu'un des aspects du sevrage physique[14]. Les réchappés de l'abandon ont souvent honte de cette intensification de leur désir sexuel et ils ne s'en ouvrent ni à leurs amis ni à leur thérapeute. En outre, ces manifestations extrêmement personnelles leur paraissent parfois indignes d'attention compte tenu des autres préoccupations qui dominent en tout temps leur existence quotidienne. De façon générale, ces pulsions sexuelles exacerbées s'apaisent à mesure que vous progressez dans la phase du sevrage.

LA PERTE DE POIDS[15]

Plusieurs personnes perdent du poids tout de suite après une rupture, puis continuent à maigrir ou se stabilisent à un poids inférieur à la normale. Votre manque d'appétit général alterne avec de brusques accès de faim dévorante qui compensent pour les repas que vous avez sautés. Peu après, l'agitation et le dégoût de la nourriture s'emparent à nouveau de vous.

Je n'avalais rien de toute la journée, dit Roberte. Ensuite, il me venait une envie folle de manger des côtes levées – quelque chose que je ne mettrais jamais dans mon assiette en temps normal. Mais je les dévorais comme une bête, je mordais à belles dents dans la viande jusqu'à ce que l'os soit parfaitement nettoyé, et le gras coulait sur mon menton et sur mes doigts.

Il y a une raison biologique au fait que certaines personnes se jettent sur la nourriture tandis que d'autres semblent faire une grève de la faim.

L'abandon que vous subissez stimule la production d'importantes hormones de stress. Selon le physiologue Robert Sapolsky, le CRF (*corticotropic releasing factor* ou corticolibérine) et l'ACTH (hormone adénocorticotrope) préparent votre réaction de combat ou de fuite en bloquant votre appétit et en suspendant toute activité digestive. Les glandes salivaires interrompent leur sécrétion et l'estomac entre en phase de repos. Votre bouche est sèche et vous avez un peu la nausée. Cet arrêt des fonctions corporelles dévie l'énergie de l'organisme vers les principaux groupes musculaires, soit ceux grâce auxquels vous pouvez fuir un prédateur à toutes jambes ou vous jeter dans la bataille si le besoin s'en fait sentir.

D'autres hormones de stress, les glucocorticoïdes, interviennent dans la réaction d'autodéfense de l'organisme, mais semblent stimuler l'appétit au lieu de l'émousser. Des tests effectués par Sapolsky ont permis de constater cet effet sur des rats de laboratoire; il serait vraisemblablement le même chez les humains. Quand l'amygdale détecte un état de crise, le CRF et l'ACTH sont aussitôt libérés et vous préparent à réagir si nécessaire. Ensuite, les niveaux de glucocorticoïdes augmentent. Les glucocorticoïdes stimulent aussi votre appétit et vous incitent ainsi à refaire vos provisions d'énergie dans l'éventualité où vous auriez à faire face à un danger permanent.

Le facteur temps permet aussi d'expliquer pourquoi certaines personnes perdent l'appétit tandis que d'autres ne peuvent pas se retenir de manger. Voici comment : quand l'amygdale sonne l'alarme, il s'ensuit une libération subite des hormones CRF et ACTH, dont l'effet dure de dix à douze minutes tandis que quelques secondes suffisent à leur évacuation de l'organisme quand la crise a pris fin. C'est alors que l'appétit est bloqué. Mais entre-temps, le niveau de glucocorticoïdes est en hausse et atteint son point culminant en une demi-heure environ. Ces hormones demeurent dans l'organisme pendant plusieurs heures.

Que se passe-t-il quand les deux groupes d'hormones de stress sont présents en même temps dans l'organisme ? Le CRF et l'ACTH supplantent l'effet appétitif des glucocorticoïdes. En d'autres termes, lors d'une crise prolongée, vous perdez l'appétit et vous ne le retrouvez pas.

Mais si cette crise est interrompue (par exemple si votre ex-conjoint revient vivre avec vous quelque temps), le CRF et l'ACTH ne sont pas libérés de façon constante. Les glucocorticoïdes qui perdurent dans l'organisme vous incitent à manger et, subitement, voilà que vous avez faim.

Selon Sapolsky, la science comprendrait sans doute beaucoup mieux les états émotifs si elle s'intéressait au niveau d'hormones de stress dans le sang. Si le sang présente un niveau élevé de glucocorticoïdes mais une teneur négligeable en CRF et ACTH, on peut en déduire que le tourbillon de votre vie s'est quelque peu apaisé. Vous avez vraisemblablement retrouvé votre appétit. (Sur le plan biochimique, vous refaites provision d'énergie en vue du prochain combat.) D'autre part, si le taux de glucocorticoïdes s'accompagne d'une teneur élevée en CRF et ACTH, cela montre que vous êtes encore sous l'emprise de votre crise affective.

LE MANQUE DE SOMMEIL

La rupture déclenche un état d'alerte permanent, si bien que de nombreuses personnes éprouvent encore certains troubles du sommeil à l'étape du sevrage. Elles disent être anxieuses au réveil et se lèvent en général plus tôt qu'à leur habitude. D'autres restent au lit plus longtemps (sans pour autant bien dormir) et sont somnolentes plus tard, à ce moment de la journée où elles seraient le plus actives en temps normal.

J'étais incapable d'affronter la journée, dit Roberte. Les fins de semaine, je traînais encore au lit à trois heures de l'après-midi. Quand je finissais par me lever, c'était d'avoir trop mal au dos à force de toujours rester couchée. Quoi qu'il en soit, j'étais sûrement à bout, parce que mes cauchemars me réveillaient encore en pleine nuit, en panique, couverte de sueurs froides.

De telles interruptions aux habitudes de sommeil sont dues aux mêmes phénomènes qui affectent l'appétit. L'organisme continue de libérer des hormones de stress qui nous gardent éveillés et «prêts à agir» même en pleine nuit. On est alerte et sur le qui-vive, comme si un prédateur rôdait encore dans les parages[16].

L'EXPECTATIVE

Une des propriétés du sevrage est *l'attente* du retour de l'être aimé. Cette expectative est typique de tous les deuils. Même lorsqu'un être cher est décédé et qu'on sait qu'il ne reviendra jamais, on nourrit quand même pendant un certain temps l'espoir insensé de son retour.

Cet aspect du deuil a fait l'objet d'études exhaustives par des pionniers dans ce domaine – Elisabeth Kübler-Ross, John Bowlby, Mary Ainsworth et d'autres[17]. On le désigne par l'expression «la quête de l'objet perdu[18]». D'un point de vue biochimique, la quête et le manque sont l'expression émotionnelle du sevrage opiacé.

À quoi peut-on attribuer ce mécanisme profondément ancré? Ainsi que nous l'avons vu au chapitre deux, la création de liens d'attachement est une exigence biologique importante. Quand l'être aimé nous est arraché, on ressent cette perte immédiatement et en profondeur. Pendant la phase de sevrage, le cerveau cherche spontanément un lien affectif qu'il ne parvient pas à retrouver. Tout au long de cette quête, le cerveau émotionnel (le cerveau mammalien ou système limbique) veut se réapproprier ce qu'il perçoit comme indispensable à sa survie.

Quoi qu'on fasse, on est habituellement incapable d'empêcher cette quête futile d'une personne dont le cerveau rationnel sait pourtant qu'elle n'est plus là. On a beau tenter de retrouver son sang-froid, le cerveau persiste à rechercher la personne aimée. Le deuil est une forme d'amputation dont on continue à ressentir la violente douleur illusionnelle.

L'expectative du retour de l'être cher est due à l'hypervigilance à laquelle vous a préparé l'amygdale : vous voici en état d'alerte, aux aguets du moindre signe de présence de l'ex-conjoint[19]. L'organisme vous prépare à une longue veille. Vos pupilles se dilatent spontanément pour que vous puissiez mieux apercevoir l'objet de votre inquiétude. L'ouïe et tous les autres sens sont plus aiguisés que d'habitude, d'où une tendance à sursauter au moindre bruit. L'esprit conscient est tourmenté par tout ce qui concerne la personne absente et assiste le cerveau émotionnel dans sa quête. Vous regardez des photos et des objets qui vous rappellent votre vie commune, vous revivez peut-être mentalement vos derniers moments ensemble en espérant y déceler des motifs de rupture. Il se pourrait que vous soyez tenté de vous rendre sur les lieux de votre première rencontre. Tout cela évoque des souvenirs qui alimentent votre quête inépuisable.

Au début, dit Marie, j'avais seulement besoin de passer devant chez Laurent le soir pour voir si sa voiture était garée devant. Je ne sais pourquoi, j'étais moins anxieuse si je connaissais ses allées et venues. S'il y avait de la lumière dans son appartement, je l'avais trouvé, je savais où il était. Sinon, cela voulait dire que je l'avais perdu, et la panique s'emparait de moi. Où pouvait-il bien être ? Il était quelque part, je ne savais où, égaré dans la nature.

Votre tendance à confondre l'être aimé avec d'autres personnes atteint son point culminant[20]. Vous croyez *l'apercevoir* au loin, dans une foule. Quand vous vous approchez, vous constatez naturellement que ce n'était qu'une illusion.

Le renoncement à un être est un lent et douloureux processus. Quand votre recherche inlassable fait place à la réalité et que prend fin votre attente, le temps et l'énergie que vous lui avez consacrés ont été considérables. Vous devez accepter cette perte non seulement sur le plan rationnel (ce qui est relativement facile), mais aussi sur le plan psychobiologique – y compris au niveau du subconscient – avant de pouvoir relâcher votre vigilance[21].

L'ÉPUISEMENT ET LA DÉPRESSION

Les symptômes de sevrage composent la deuxième étape de votre traumatisme de séparation et sont le prolongement de la détresse psychobiologique qu'a enclenchée la dévastation. Avec le temps, ce sevrage vous ébranle, il vous épuise et sape toutes vos réserves d'énergie.

Il fallait que je me force pour aller travailler, dit Roberte. J'éprouvais sans répit un horrible sentiment de vulnérabilité comme si à tout instant une catastrophe allait se produire. J'étais à bout, complètement à plat. J'ai même pensé que je souffrais d'une mononucléose, du syndrome de fatigue chronique ou d'un quelconque mal mystérieux. Mais les résultats de toutes mes analyses sanguines étaient négatifs.

L'inappétence prolongée, l'insomnie intermittente, l'hypervigilance, la recherche et l'attente inlassables de l'être aimé sont toutes symptomatiques du stress post-traumatique. De nombreuses personnes disent aussi faire des rêves d'apparence réelle qui les plongent au réveil dans une grande anxiété ou une profonde détresse[22]. La présence de l'un ou de plusieurs de ces symptômes ne signifie pas forcément que vous serez atteint d'un *trouble de stress post-traumatique* complet. Parce que votre organisme est doté de mécanismes d'autorégénération, plusieurs de ces symptômes vont disparaître[23]. Mais entre-temps, ils vous font vivre une expérience écrasante.

L'étape du sevrage est post-traumatique[24]

On ne saurait comparer l'abandon à un accident d'automobile dont on commence tout de suite à se remettre. Il est au contraire comparable à un champ de bataille où l'on se défend pendant plusieurs semaines ou plusieurs mois contre les attaques de l'ennemi. On revit encore et encore les conséquences du deuil chaque fois que l'amygdale, perpétuellement sur ses gardes, libère des hormones de stress.

L'abandon donne lieu à une autre complication : il rouvre d'anciennes blessures. Durant la phase du sevrage, les personnes qui ont connu une forme ou une autre de séparation dans l'enfance sont confrontées en même temps à leurs blessures passées et à leurs blessures présentes. Ces traumatismes se fondent en un seul et unique état d'urgence émotive, une période intense et bouleversante de très grand stress[25].

Ainsi que l'affirme Richard: «Nous sommes plongés dans le sang, l'horreur, la mort et le démembrement de toute notre vie.»

Ce à quoi Étienne répond, sur le ton de la plaisanterie: «Tu ne penses pas que tu sous-estimes un peu la situation?»

Votre ancienne relation de couple contribuait à réguler de nombreuses fonctions psychobiologiques. Il est pratiquement impossible de dire combien d'aspects de votre bien-être émotionnel et hormonal en dépendaient dès lors qu'une très importante partie de ces activités avait lieu au niveau de l'inconscient, mais, en fait, vous vous étiez peu à peu entremêlé à votre conjoint de façon très subtile.

Votre couple satisfaisait d'innombrables besoins qui contribuaient à votre équilibre. Vous associiez l'être aimé à vos idées et à vos projets et vous modifiiez constamment votre comportement afin d'assurer l'équilibre de votre relation.

Au fil du temps, grâce au renforcement de ce lien, vous avez connu ce que les chercheurs appellent un unisson, un état d'harmonie avec le conjoint. Lorsque vous étiez à l'unisson, vos pupilles se dilataient en même temps, chacun de vous reproduisait les formes d'expression de l'autre et ses gestes, voire le tracé de ses rythmes cardiaques et de ses ondes cérébrales. En tant que couple, vous étiez en quelque sorte un double système de rétroaction biologique, vous exerciez réciproquement une action stimulante et modulante sur vos rythmes biologiques respectifs[26].

Chacun de vous s'était même habitué aux *phéromones* de l'autre, c'est-à-dire à ces signaux chimiques qu'émet l'espèce humaine (de même que les autres espèces animales) et dont la présence est détectée par un petit organe situé à l'intérieur du nez, l'organe voméronasal, distinct du système olfactif qui nous permet de capter les odeurs[27]. La détection des phéromones relève d'un sixième sens qui régule le cycle menstruel et joue un rôle dans l'attirance entre les êtres. Inutile de dire que votre couple assurait sur plusieurs plans votre bien-être social, affectif et *physique*[28].

Maintenant qu'il y a eu rupture, la confusion règne dans les nombreux processus que la relation de couple contribuait à réguler. C'est à l'étape du sevrage que les effets de ce chaos commencent à se multiplier, vous faisant ainsi ressentir une nervosité croissante.

Il n'est pas facile d'isoler les effets de cette confusion sur l'un ou l'autre des systèmes et appareils de l'organisme puisque ceux-ci interagissent pour former un réseau extrêmement complexe. Je me suis efforcée d'y parvenir en ce qui concerne le système opioïde du cerveau (l'anxiété de séparation provoque une réduction des opiacés naturels et un sevrage similaire au sevrage de l'héroïne) et les hormones de stress (qui affectent l'appétit, le sommeil, et certains états de vigilance et de préparation à agir). Mais en fait, les hormones de stress ont aussi une incidence sur de nombreuses autres fonctions, y compris le système immunitaire, la croissance, le vieillissement, la mémoire, le niveau d'énergie et les humeurs. On associe une réaction de combat ou de fuite qui se prolonge à de l'anxiété. Les personnes qui reçoivent un diagnostic de dépression présentent un taux élevé de glucocorticoïdes et de corticolibérine (CRF)[29].

Habituellement, les taux d'hormones, de neurotransmetteurs, d'opioïdes et d'autres agents biochimiques retrouvent peu à peu leur normalité à mesure que vous surmontez les différentes étapes du rétablissement. Entre-temps, vous devez composer avec une fébrilité permanente et les difficultés d'ordre pratique qui vous assaillent. Il n'y a donc pas lieu de s'étonner si vous êtes temporairement épuisé, stressé, malheureux et déprimé.

Pendant votre sevrage, vous êtes engagé dans un formidable combat mental qui exige un effort physique aussi considérable que si vous affrontiez un puissant ennemi dans une lutte corps à corps.

Les problèmes non résolus du passé

L'ENFANT EN SOI ABANDONNÉ

Lors de mon propre sevrage, j'ai constaté qu'aucune étude scientifique et aucun ouvrage d'autothérapie que j'avais pu consulter au fil des ans ne parvenait à décrire la violence émotive à laquelle j'étais confrontée. J'ai compris qu'il me faudrait moi-même écrire le compte rendu de cette crise peu ordinaire pour être en mesure de la sonder. Le résultat de ce travail est une histoire intitulée *Black Swan*, un conte pour adultes dont le personnage principal est une enfant qu'on a abandonnée sur un rocher. Ce texte s'inspire de mon propre abandon et il est aussi le rappel de tous mes deuils antérieurs. Il est imprégné de tout ce que m'ont appris mes années d'expérience auprès d'enfants rejetés et des réalités affectives communes à tous les nombreux réchappés de l'abandon que j'ai connus et aidés.

Cette fable puise à toutes ces expériences passées et renferme douze leçons de guérison. Quand j'ai commencé à partager ce récit personnel avec mes clients adultes, j'ai vu qu'il éveillait des résonances en eux et je l'ai aussitôt intégré à mon travail. (Les lecteurs trouveront ci-dessous un résumé de *Black Swan*. L'histoire intégrale[30], avec ses douze leçons de guérison, peut être commandée en composant le numéro 1 800 247 6553.)

Une fillette s'en va se promener dans la forêt profonde en compagnie de son père. Ils arrivent à un immense rocher perché sur un îlot au milieu d'un ruisseau. Le papa soulève sa fille dans ses bras et l'assoit au sommet du rocher, puis il lui dit qu'il va aller leur cueillir des bleuets pour le déjeuner. «Ne tarde pas!» implore la petite fille en regardant son père s'éloigner dans la forêt. Quelque temps après, la peur l'envahit. Elle se met à appeler frénétiquement son père, mais celui-ci ne revient pas, et elle en est réduite à passer la nuit sur son rocher, toute seule, recroquevillée de terreur.

À l'aube, elle descend de son rocher, puis elle s'enfonce dans la forêt à la recherche de son père.

Les contes séduisent notre imaginaire, ils parlent à la créativité et aux forces guérisseuses que nous possédons tous. Chacun de nous a été cette enfant sur le rocher. Bien sûr, votre enfance n'a sans doute pas été aussi tragique que celle de cette petite fille, mais les émotions ressenties étaient sûrement aussi intenses que les siennes. Nous avons tous dû descendre de notre rocher et nous frayer un chemin à travers la forêt.

Si nous gardons en mémoire l'image de cette enfant abandonnée, il nous est plus facile de reconquérir la part dépendante, impuissante et terrifiée de nous-mêmes et d'admettre l'existence en nous d'émotions refoulées ou oubliées[31].

Le sevrage d'Anita

Quand j'étais petite, dit Anita, j'ai vécu un sevrage affectif, mais, bien sûr, je n'en étais pas consciente. Après la mort de mon père, ma mère est retournée à temps plein sur le marché du travail. Ses employeurs savaient qu'elle avait une fille, mais ils lui imposaient quand même des horaires impossibles. Quand elle rentrait à la mai-

son, elle était épuisée ; et moi, j'avais faim, je me sentais seule et je m'ennuyais à force de l'avoir attendue toute la journée.

Quand mon père vivait encore, nous passions beaucoup de temps ensemble et nous allions souvent faire des balades. J'étais toujours au centre de son attention. Mais tout cela a cessé. Ce deuil a pesé sur moi sans même que je m'en rende toujours compte. Je n'étais qu'une enfant qui essayait de passer le temps en attendant un contact humain, en attendant que quelqu'un vienne et emporte au loin ce vide immense. Ma mère rentrait maussade du travail. Au souper, on se contentait de pizza ou d'un bol de céréales. Ensuite, elle allait se coucher et moi je restais dans ma chambre à regarder le plafond.

Finalement, ma mère s'est remariée et tout a changé, mais les longues heures que j'ai passées à l'attendre toute seule, c'est ça qui me revient en mémoire depuis que mon Jacob m'a quittée.

Nombreux sont ceux qui, comme Anita, revivent la solitude, la frustration et le besoin affectif inassouvi qu'ils ont connus lors d'un deuil antérieur.

Dans le chapitre précédent, j'ai dit que certains événements douloureux de notre enfance provoquent parfois des blessures qui se rouvrent au moment de la dévastation. Ci-après, j'énumère les deuils de l'enfance les plus susceptibles de refaire surface durant la phase de sevrage. Dans ces circonstances, les personnes dont l'amour, l'attention, les conseils et les soins étaient importants pour vous sont devenues physiquement ou affectivement inaccessibles.

LES SCÉNARIOS DE SEVRAGE DANS L'ENFANCE[32]

- La maladie d'un des parents ;
- La mort d'un membre de la famille immédiate qui s'occupait de vous et représentait un soutien psychologique ;
- La perte d'un grand-parent adoré ;
- Les querelles, la bisbille, le divorce qui obsèdent les parents ;
- Une catastrophe qui détruit la structure familiale : le départ du père ou de la mère ;
- Le départ d'un frère ou d'une sœur qui avait été votre héros, un modèle de comportement, un ami fidèle ;
- L'ergomanie d'un ou des deux parents ;
- L'alcoolisme dans la famille ;
- Le déséquilibre familial : parfois, quand vous avez eu le plus besoin de lui, un parent (ou les deux) n'était pas accessible ;

- Les déménagements fréquents, la rupture répétée des rapports sociaux, le fait de toujours être le petit nouveau du quartier;
- Un conflit ou un deuil prolongé qui pousse les parents à se distancer sur le plan affectif;
- La présence de dépression ou de maladie mentale dans la famille;
- La naissance d'un petit frère ou d'une petite sœur qui vous relègue à l'arrière-plan;
- La maladie ou la mort d'un frère ou d'une sœur qui accapare l'attention des parents;
- Des parents qui affichent un comportement égocentrique, narcissique ou indifférent.

De tels événements nous privent parfois de l'attention et des soins dont on a besoin et, dans certains cas, ils laissent des traces profondes dans la mémoire émotionnelle[33].

Les scientifiques ont découvert que, si l'on sépare de sa mère un animal qui vient de naître, cette séparation – fût-elle très brève – provoque des changements biochimiques qui se répercuteront sur le cerveau de l'animal toute sa vie durant. On note chez ces bébés d'importants changements dans la structure et le fonctionnement du *locus cœruleus*, présent aussi dans le cerveau humain. Lorsque l'animal atteint l'âge adulte, cet organe demeure sous-développé et sécrète moins de noradrénaline (norépinéphrine). La noradrénaline est l'un des messagers chimiques (neurotransmetteurs) qui aident à réguler l'état d'hypervigilance du cerveau quand celui-ci se croit menacé. Elle joue également un rôle dans l'anxiété et la dépression.

Pendant plusieurs mois, des chercheurs se sont penchés sur un groupe de bébés macaques que l'on séparait de leur mère périodiquement et de façon aléatoire. Parvenus à l'âge adulte, ces singes réagissaient à des situations inattendues par des comportements rappelant l'anxiété humaine et la dépression. Selon le chercheur Myron Hofer, ils restaient assis passivement, le dos courbé et les mains jointes, et semaient la tension au sein du groupe. Ils n'étaient pas intéressés à explorer leurs alentours.

En revanche, les singes du groupe témoin (que l'on séparait de leur mère régulièrement et de façon prévisible – en d'autres termes, ils savaient à quoi s'attendre) ne montraient aucun comportement anxieux ou dépressif quand on les introduisait dans un nouveau milieu à l'âge adulte. Les travaux de Hofer[34] sont conformes aux nombreuses études empiriques montrant que, chez les humains, les traumatismes de séparation de la première enfance entraînent souvent des changements durables chez l'enfant. Parvenu à l'âge adulte, l'enfant est anormalement anxieux lorsque confronté à des circonstances nouvelles et il éprouve de la difficulté à nouer des liens solides.

LES RÉPERCUSSIONS POST-TRAUMATIQUES

On ne sait pas très bien *comment* les expériences antérieures de perte et de séparation sont stockées dans le cerveau et affectent la réponse de l'adulte aux situations stressantes[35]. Même si l'adulte n'a pas conservé un souvenir précis de ces renoncements, il a sans doute conçu un schéma de comportement qui l'aide à y faire face.

Dans le chapitre sur la dévastation, nous nous sommes intéressés aux schémas de comportement indicateurs de stress posttraumatique dû à un abandon dans l'enfance. Nous allons maintenant nous attarder aux comportements adultes sans doute nés de circonstances où les besoins essentiels de l'enfant n'ont pas été comblés.

LES SCHÉMAS DE SEVRAGE CHEZ L'ADULTE

La dépendance et la codépendance

L'état de manque que certains d'entre vous ont connu dans l'enfance a affecté leurs relations avec les personnes auprès de qui ils recherchaient un soutien émotionnel, le type de dépendances qu'ils ont formées et la qualité de leurs relations affectives. Ils ont peut-être recherché chez les autres un remède à leur vide affectif, à leur solitude et à leurs frustrations. Pour la plupart, ils disent avoir ressenti un vide chronique.

Il n'y avait que ma mère et moi, explique Richard. Mon père est parti avant ma naissance ; je ne l'ai jamais connu. Je me suis accroché à ma mère, j'ai fait tout ce que j'ai pu pour qu'elle s'occupe de moi à tout instant. Plus elle tentait de m'ignorer, plus je m'efforçais d'attirer son attention. Elle essayait toujours de se débarrasser de moi en m'envoyant jouer dehors. «Débrouille-toi», me disait-elle.

J'excellais dans les sports et j'avais plein d'amis avec qui jouer, mais je revenais toujours très vite à la maison pour être aux côtés de ma mère.

Je n'avais jamais pensé que cela puisse être un problème jusqu'à ce que ma mère et moi soyons convoqués par le conseiller scolaire. J'avais des difficultés de comportement, je ne me concentrais pas sur mes études, j'étais facilement distrait dans mon travail, je n'obéissais pas aux directives, et ainsi de suite. Finalement, le conseiller a signalé à ma mère que je me sentais seul en classe, que je tolérais mal d'être séparé d'elle. «Ah oui? Ah bon?» ai-je répondu. Je l'ignorais totalement.

Je pense que le fait de m'accrocher aux jupes de ma mère au point de la rendre folle me procurait un sentiment de sécurité familiale, une vie affective. Si bien que j'étais toujours en manque – en sevrage –, et trop sur les nerfs pour pouvoir me concentrer en classe ou orienter ailleurs mon énergie.

Le besoin d'automédication

De nombreux réchappés de l'abandon qui ont vécu des manques affectifs durant leur enfance ont adopté des comportements qui les poussent à s'automédicamenter. En raison de ces schémas, ils mangent, boivent, magasinent, travaillent ou s'efforcent de plaire à l'excès, ou recourent à d'autres formes de gratification destinées à combler leur besoin d'affection.

À l'adolescence, relate Barbara, je voulais toujours plus d'amis, de petits amis, de chaussures, de vêtements, de boucles d'oreilles, de sorties, de bavardage, de sexe, de sodas à la crème glacée. J'étais une très grande consommatrice de tout ce qui n'était pas boulonné au sol ou au mur. Au collège, je me suis sérieusement endettée à force d'acheter à crédit. Je pense même ne pas encore avoir fini de payer cette dette. Mais quand j'ai épousé Henri, cela m'a motivée à mettre fin à mes excès. Il était temps que j'apprenne à me dominer.

Maintenant, les vieux sentiments d'isolement et de solitude que j'essayais d'apaiser en achetant des tas de trucs... eh bien... ils se sont réveillés.

La mise en place des conditions propices à un nouvel abandon

Même si vous faites un effort conscient pour éviter la répétition d'une situation, vous recherchez peut-être des relations qui reproduisent celles de votre enfance. C'est ce que Freud appelle la compulsion de répétition.

Bon nombre de réchappés de l'abandon en sont venus à considérer comme normales des relations qui ne leur apporteront jamais la sécurité qu'ils désirent. Dans certains cas, ils se contentent d'un compagnon de vie qui ne leur procure pour ainsi dire aucune plénitude affective. Ils donnent tout, ils tolèrent tout et ils ne reçoivent presque rien en retour, sinon des critiques et de la froideur.

Leur certitude ancienne et familière que cela ne suffit pas persiste. À leur insu, ils ont recréé les scénarios de leur enfance. La dynamique est la même, comme le sont aussi certains de leurs comportements ; le décor et les personnages seuls ont changé.

Le cas de Patricia est exemplaire de cette situation. Quand Patricia était petite, sa mère, ayant reçu un diagnostic de sclérose en plaques, passait la majeure partie de son temps confinée à sa chambre – non pas tant en raison de l'effet débilitant de sa maladie, mais surtout parce que ce diagnostic l'avait plongée dans la dépression. Tout en étant encore capable de se déplacer, elle a cessé complètement d'assister aux spectacles ou aux concerts scolaires de sa fille et aux cérémonies de fin d'études. À mesure que progressait la maladie de sa mère, Patricia lui prodiguait de plus en plus de soins, délaissant ainsi ses amis et ses activités scolaires et parascolaires.

Le père de Patricia les avait abandonnées longtemps avant que n'apparaisse la maladie de sa femme, et il avait depuis recommencé sa vie dans une autre ville. Il avait même une nouvelle famille. Quand Patricia avait cherché auprès de lui un soutien émotionnel, elle avait eu l'impression d'être de trop et d'avoir abusé de son temps.

Patricia continua à s'occuper de sa mère et ne fréquenta jamais l'université en dépit de résultats scolaires excellents. À dix-huit ans, elle trouva du travail dans une compagnie d'assurances et, à dix-neuf ans, après la mort de sa mère, elle épousa Benoît, qui était depuis l'école son amour de jeunesse. Benoît était un athlète très doué et très populaire, et un grand fêtard. Après dix ans de vie commune, Benoît était alcoolique et il ne parvenait pas à garder un emploi.

– Après quelques années de mariage, dit Patricia, j'ai constaté qu'il avait un problème d'alcool. Il rentrait tard, il était ivre et grossier. Bientôt, il suffisait que je le voie prendre un verre pour me sentir trahie et abandonnée à nouveau.

À mesure que Benoît s'enfonçait dans son alcoolisme, il devenait de plus en plus un spectre du passé qui réveillait le profond besoin d'amour et d'intimité de Patricia sans jamais le combler. (Cela est un exemple du paradoxe symbiotique dont il a été question au chapitre deux ; c'est quand il la repoussait que Patricia était le plus dépendante de Benoît.)

– *Le plus terrible, poursuit Patricia, est que j'ai laissé les choses aller. Quand je me suis décidée à entrer dans le groupe d'entraide Al-Anon, cela m'a aidée. J'ai appris à composer avec certains aspects de ma situation et à changer un certain nombre de choses. Mais mon vieux sentiment d'abandon était toujours présent, comme un chagrin obsédant, envahissant. C'est seulement en participant à un programme de guérison de l'abandon que j'ai pu commencer à mettre fin à mon manque affectif, à connaître mes besoins réels et à apprendre à les combler.*

Les trous de mémoire

Plusieurs d'entre vous perçoivent sous leurs comportements actuels la trace de leurs expériences passées. Mais quand ils en cherchent les causes, leur mémoire a d'immenses ratés. Pourquoi semblons-nous oublier si facilement les moments les plus traumatisants de notre enfance ?

Ma copine m'a quitté il y a plus d'un mois, dit Claude, et j'ai énormément de mal à m'en remettre. Mon sevrage me rappelle quelque chose de très vieux, de putride, quelque chose qui se dé-composerait en moi depuis des années. Je suis certain que cela a quelque chose à voir avec la mort de ma mère quand j'avais trois ans, mais je n'en ai aucun souvenir.

Ma grand-mère m'a dit que ma mère m'adorait. Paraît-il que je hurlais chaque fois qu'elle essayait de me confier à une gardienne. Je suppose que je ne supportais pas d'être séparé d'elle. Ç'a dû être un choc terrible pour moi quand elle est morte, mais je ne m'en souviens pas. Et je ne me souviens pas d'elle non plus, sauf par ses photos.

Mon père m'a pris en charge, mais semble-t-il qu'il a été très long-temps écrasé de chagrin. On m'a dit qu'il a dû engager une gardienne après l'autre parce que j'étais odieux avec elles. Je devais être impossible à contrôler et me venger sur tout le monde de la mort de ma mère.

Le fait qu'elle ne soit plus là m'a sûrement rendu fou, mais je n'en ai aucun souvenir.

Il est extrêmement frustrant de ne pas se souvenir d'un événement passé. Les sentiments familiers de vide, d'anxiété, de peur et de pa-nique sont alors d'une intensité remarquable apparemment sans com-mune mesure avec les événements récents qui les provoquent. Mais on ne parvient pas à se rappeler un stimulus antérieur déterminant qui nous aiderait à comprendre les causes de la panique qui nous envahit et à dominer nos émotions. «J'ai l'impression que ma mémoire a été amputée de grands pans de mon enfance», dit Claude.

À quoi peut-on attribuer ces défaillances de la mémoire?

Un mini-cours sur la mémoire Des études récentes ont montré que les hormones de stress contribuent de façon importante à la création des souvenirs et aux trous de mémoire.

Repassons avant tout le mini-cours que je vous ai donné sur le cerveau émotionnel. Rappelez-vous l'*hippocampe*, cette petite structure du système limbique, dont la forme rappelle le cheval de mer. Contrairement à sa compagne, l'amygdale, qui contrôle nos réponses émotionnelles, l'*hippocampe* encode les éléments concrets d'un événement: par exemple, le fait que vous rouliez en voiture, que la voiture a eu un accident, qu'il y a eu des blessés, que l'ambulance est arrivée, et ainsi de suite. L'hippocampe transmet ensuite ces données à d'autres zones du cerveau en vue de leur stockage à long terme[36].

Pourquoi les expériences de la première enfance sont-elles les plus difficiles à rappeler à notre souvenir?

Cela vient de ce que l'hippocampe atteint son plein développement chez l'enfant plus tardivement que l'amygdale. Lorsque vous vivez à l'âge adulte une importante perturbation affective, notamment un abandon, ce traumatisme active des représentations émotionnelles fragmentaires, par exemple celles de la naissance. Mais puisque votre hippocampe n'était pas parfaitement formé au moment de votre naissance, votre mémoire n'a pas stocké le souvenir de cet événement – elle ne renferme aucun contexte qui puisse encadrer le souvenir que vous avez gardé des émotions ressenties à ce moment.

Les hormones de stress et les souvenirs perdus Qu'en est-il des trous de mémoire qui ont lieu *après* que l'hippocampe a atteint son plein développement? C'est là qu'entrent en jeu les hormones de stress. Les hormones de stress peuvent fortifier ou affaiblir la mémoire selon le type de crise, son intensité ou sa durée[37].

Nous avons déjà vu que le stress (notamment le stress provoqué par un traumatisme d'abandon dans l'enfance ou à l'âge adulte) induit la libération de CRF (*corticotropic releasing factor* ou corticolibérine) et d'ACTH (hormone adénocorticotrope) qui, à leur tour, entraînent la production de glucocorticoïdes[38]. On a constaté que, selon l'ampleur et l'intensité du stress, ces hormones peuvent *entraver* la fonction mnésique de l'hippocampe. Joseph LeDoux explique que ces mêmes hormones de stress *renforcent* l'encodage de la mémoire implicite de l'amygdale : l'événement est gravé de façon indélébile dans la structure profonde du cerveau.

Résultat : vous récoltez tout un bagage de souvenirs émotionnels sans savoir où ni comment ils ont pris forme.

Vous essayez la psychothérapie, l'hypnose, l'interprétation des rêves, le cri primal, la thérapie des vies antérieures... en vain. Le souvenir de certaines expériences ne peut tout simplement pas être ravivé. Les hormones de stress ont fait que la fonction mnésique de l'hippocampe a été entravée et les détails de l'événement n'ont tout simplement pas été encodés. Vous en êtes réduit à vous débattre avec un sentiment troublant d'anxiété qui remonte à la surface indépendamment du stimulus qui l'a fait naître. Cette angoisse flottante est l'un des symptômes de stress post-traumatique résultant d'un abandon vécu dans l'enfance.

Le stress explique aussi le phénomène opposé, soit le renforcement de la mémoire. L'adrénaline (ou épinéphrine), une autre hormone qui entre en jeu dans la réaction de stress, *renforce* la mémoire hippocampique.

Je n'arrête pas de penser au moment où Gabrielle m'a annoncé qu'elle ne reviendrait pas, dit Étienne. C'est comme si c'était hier. Le moindre détail de ces circonstances est gravé dans ma mémoire. Ça me revient toujours à l'esprit en technicolor, que je le veuille ou non.

Qui n'a pas entendu quelqu'un dire qu'il se rappelle exactement où il était quand le président Kennedy a été assassiné et qu'il se souvient non seulement de ce qu'il a ressenti, mais des *détails* de cet événement ? Voilà un exemple de souvenir éclair sans doute dû à la décharge d'adrénaline qui l'a envahi quand il a appris la nouvelle de l'assassinat.

Ce facteur pourrait expliquer un autre symptôme fréquent : le besoin de faire une description intégrale de l'événement traumatisant. La personne semble incapable de gommer de son récit les détails superflus.

Quand je dois annoncer à certains de nos vieux amis que Laurent est parti, dit Marie, j'essaie de m'en tenir aux grandes lignes : «Nous avons rompu. Il m'a quittée.» Mais sans même m'en rendre compte, je me lance dans des détails dont je n'avais pas eu l'intention de parler. Je vois que cela met mon interlocuteur mal à l'aise, mais je me laisse emporter par mon récit et je suis incapable de m'arrêter. On dirait que je ne peux pas appuyer sur la touche pause, que quelque chose me pousse à raconter encore et encore notre rupture dans ses moindres détails.

Est-il possible que la mémoire renforcée joue un rôle dans le rétablissement ? Passer mentalement en revue ce qui s'est produit nous aide à trouver un sens à ce qui nous effraie ou nous bouleverse profondément. Nous repensons aux détails de l'événement afin d'ajuster celui-ci à notre réalité et d'en maîtriser la portée émotionnelle. Le fait de ressasser le moment critique d'une rupture nous rappelle *pourquoi* nous sommes si désemparés, et nous confirme qu'un événement traumatisant *a effectivement eu lieu*. En règle générale, les gens ont des trous de mémoire en même temps que des souvenirs extrêmement détaillés. Il se pourrait qu'au souvenir très intense de votre abandon récent s'ajoute un affect flottant associé à une perte antérieure.

L'irruption de ces émotions passées joue un rôle dans votre guérison. Quand se rouvrent vos anciennes blessures, vous devenez apte à composer avec le bagage de besoins, de désirs, de frustrations et de promesses non tenues que vous transportez depuis longtemps. C'est là un des bienfaits occultes du sevrage : il vous permet de reprendre contact avec vos besoins et vos émotions les plus élémentaires

De nombreuses personnes abandonnées (et de nombreux thérapeutes) croient qu'on reste prisonnier des émotions liées à d'anciens traumatismes si on ne parvient pas à se souvenir du passé. Cette opinion pourtant extrêmement répandue est tout simplement erronée. La mémoire opérationnelle du passé vous fait peut-être défaut – ce qui est certes frustrant pour le cerveau rationnel –, mais la mémoire associative, qui, elle, est fonctionnelle, vous permet néanmoins d'entrer en contact avec votre enfant intérieur abandonné et de tirer parti de l'exercice d'*akeru* qui suit.

Guérir le sevrage par l'*akeru*

COMMENT S'ABANDONNER À L'ÉNERGIE DU SEVRAGE

J'avais toujours une sensation de tiraillement au ventre, j'étais en manque de Gabrielle, dit Étienne. Si je n'avais pas cessé de boire, j'aurais cherché un soulagement dans l'alcool. Mais il me fallait trouver une façon moins destructrice d'éteindre le feu.

L'énergie du désir, l'instinct de fusion, est le moteur du sevrage. Ce n'est pas parce que l'objet de votre amour n'est plus là que s'estompe votre besoin de vous unir à lui. Au contraire, l'énergie fusionnelle tente par tous les moyens de retrouver ce qu'elle a perdu.

C'est pendant le sevrage que vous ressentez la violence de cet instinct avec le plus d'acuité justement parce qu'il est contrarié. L'instinct de fusion n'est jamais si présent que durant la phase aiguë du sevrage amoureux. Si douloureux que soit ce tiraillement, il est indispensable, car, si vous parvenez à rediriger son énergie, il vous incitera à guérir.

Quand vous avez comblé votre besoin de fusion – quand vous lui avez trouvé un objet –, il retourne à l'arrière-plan de votre sensibilité émotive. La même énergie se déploie, mais son moteur est silencieux. Toutefois, si quelque chose vient contrarier cette énergie, elle ne vous laisse aucun répit tant qu'elle n'a pas trouvé à s'attacher, à se réinvestir ailleurs.

C'est seulement quand je me suis très fortement lié d'amitié avec une femme que j'avais fréquentée dans le passé que cet insupportable tiraillement s'est apaisé, dit Étienne. Elle vivait la même expérience que moi, si bien que nous avons passé beaucoup de temps ensemble. Cela m'a aidé un brin de pouvoir me confier à elle, et j'ai eu un peu moins mal. Mais nous n'étions que des amis. Ce n'était pas comme si j'avais trouvé la bonne personne.

Nous sommes toujours à la recherche du compagnon idéal qui comblera tous nos désirs, même les plus grands. Et cette quête perpétuelle nous amène au deuxième exercice d'*akeru*, conçu pour vous aider à trouver le partenaire idéal. En premier lieu, sachez que vous-même êtes ce partenaire idéal. Quand vous créez des liens étroits avec *vous-même*, vous faites un pas de plus vers votre autonomie affective et vous commencez à rehausser la qualité de vos rapports avec les autres.

N'oubliez pas qu'une des acceptions du mot *akeru* désigne le vide que creuse le départ de quelqu'un. Ce vide engendre de la souffrance, certes, mais quand vous apprenez à rediriger son énergie, il devient une source de vie nouvelle. Vous devez faire en sorte que l'instinct de fusion saura répondre à vos besoins les plus fondamentaux, c'est-à-dire aux émotions issues des deuils passés et présents.

Nul ne s'attend à ce que vous réalisiez cet exploit comme par magie. Ce processus fait appel à un exercice pratique gradué dont chaque palier est le véhicule de votre guérison affective. La technique en est fort simple et ses résultats sont spectaculaires.

Heureusement, pour entrer en contact avec vos émotions les plus enfouies, il ne vous est pas nécessaire d'avoir gardé un souvenir fidèle de votre enfance. Compte tenu des défaillances dont nous avons parlé, la récupération de nos souvenirs lointains apparaît souvent comme une perte de temps, d'énergie et d'argent même pour les personnes très résolues.

Vos émotions sont les seuls instruments qu'il vous faut pour compléter cet exercice. Grâce à l'amygdale, vos tout premiers sentiments d'impuissance, de dépendance, d'affliction, de peur et d'espoir sont encore présents, stockés dans les circuits du cerveau émotionnel. Et plusieurs d'entre eux ont été réactivés, pour le meilleur ou pour le pire.

L'urgence que vous ressentez provient de votre moi primitif qui a peur, qui se sent seul et qui s'efforce désespérément de révéler sa présence. Vous devez *adopter* cet enfant abandonné, l'amener à descendre de son rocher.

Deuxième exercice d'*akeru*

Le deuxième exercice d'*akeru* fait appel à une technique appelée « thérapie de séparation ». Curieusement, la séparation enclenche un processus qui amène à nouer des liens étroits avec le centre émotionnel. L'idée consiste à séparer du soi adulte le soi enfant abandonné.

Pour ce faire, il faut engager et *poursuivre un dialogue* avec le soi profond. Mes clients font état de changements remarquables dans leurs émotions et leurs comportements à la suite de cet exercice ; je vous demande donc d'être indulgent si certains de ses aspects vous semblent embarrassants ou curieux. Je vais vous guider pas à pas. Votre but consiste à créer un rapport nouveau entre votre soi adulte et conscient et le siège de vos émotions[39].

Cet exercice a été mis au point par le Dr Richard Robertiello, psychanalyste, et par sa collègue Grace Kirsten. On en trouve une description détaillée dans leur ouvrage novateur, *Big You, Little You: Separation Therapy*. L'ouvrage se penche sur les aspects théoriques de la technique de séparation que je m'apprête à décrire et donne des instructions claires, faciles et complètes pour sa mise en œuvre. Ce qui suit est une version très abrégée de l'exercice du Dr Robertiello et de Grace Kirsten. Je vous suggère fortement de lire leur livre pour tirer le meilleur parti possible de leurs travaux.

LE DIALOGUE AVEC SOI

Première étape: Forgez une image mentale très précise de votre enfant intérieur abandonné, c'est-à-dire de ce fragment de vous-même qui vient d'être brutalement réveillé. Pour ce faire, rappelez-vous à quoi vous ressembliez à l'âge d'environ quatre ans et appliquez cette image à votre soi affectif profond. Imaginez que vous, l'adulte, observez cet enfant comme s'il était une créature distincte, séparée de vous. Vous pourrez ainsi extraire en toute conscience des profondeurs du cerveau limbique où ils sont enfouis les sentiments de dépendance qu'il personnifie. Le Dr Robertiello et Grace Kirsten vous conseillent de visualiser l'enfant à une distance d'un mètre cinquante de votre côté le moins performant: si vous êtes droitier, il se tient donc à votre gauche. Cela montre que le soi enfant est plus vulnérable et plus dépendant que le soi adulte.

L'enfant vous habite depuis longtemps, il exprime ses besoins, il tente d'intervenir dans votre vie adulte et de la dominer. Par exemple, quand vous n'êtes pas sûr de vous, c'est cet enfant en vous qui manque d'assurance, c'est lui qui recherche désespérément l'acceptation et l'approbation de son entourage. C'est encore lui qui hésite à prendre des risques et qui sabote vos nouvelles relations. Au lieu de tourner le dos à ces émotions, accueillez cette part de vous laissée depuis longtemps à l'abandon et occupez-vous-en.

Deuxième étape: Visualisez maintenant votre soi adulte. Créez une image mentale de la personne que vous aimeriez devenir.

J'ai eu du mal à visualiser mon soi adulte, dit Étienne. Je n'étais pas vraiment à l'aise avec lui. En fait, il m'était antipathique. *Il m'avait trop souvent laissé tomber.*

Le problème d'Étienne est très répandu. De nombreuses personnes ont du mal à se voir dès l'abord comme des adultes courageux et compétents. Essayez d'imaginer votre soi adulte dans une activité pour laquelle vous êtes plutôt doué. Étienne a pu surmonter ses difficultés en se regardant jouer au poker. Il a concentré son attention sur une soirée particulièrement chanceuse où il avait tout misé sur le jeu qu'il avait en main. Marie s'est vue en train de préparer des lasagnes, sa spécialité, et, sûre d'elle, de les servir à ses invités. Imaginez des moments où vous saviez que vous étiez au sommet de votre forme, extrêmement compétent et absolument autonome. Puisez maintenant à ces souvenirs agréables pour créer un portrait composite de vous-même qui réunit vos plus belles qualités.

Troisième étape : Vous voici prêt au dialogue entre la représentation adulte de vous-même et votre soi enfant – entre votre Grand Soi et votre Petit Soi.

En créant une image mentale de votre soi enfant et de votre soi adulte potentiel, vous avez dessiné un triangle dont vous, l'individu, êtes le sommet. L'enfant occupe l'angle inférieur gauche et l'adulte le coin inférieur droit. De votre poste stratégique, vous serez un observateur objectif et le modérateur du dialogue entre ces deux représentations, celle de vos besoins les plus élémentaires et celle de l'adulte compétent que vous savez être capable de devenir.

Le rôle du soi adulte : Votre soi adulte a pour tâche de combler tous les besoins de l'enfant – son besoin d'appartenance, d'amour, d'admiration et d'écoute – et celle d'alléger ses fardeaux et son sentiment de culpabilité. Votre soi adulte devrait veiller sur lui comme un parent aimant veille sur son enfant.

Le rôle du soi enfant : L'enfant exprimera ses besoins et demandera au soi adulte de lui venir en aide. Plus vous considérerez votre soi enfant comme une entité distincte, plus il vous révélera ses besoins, ses peurs, ses espoirs et ses rêves les plus élémentaires qui, dans certains cas, ont été refoulés depuis fort longtemps. Cet exercice a pour but de vous les dévoiler.

Le rôle de l'individu : En tant que modérateur, vous dirigerez en quelque sorte un jeu de rôle individuel. Naturellement, vous serez la voix de votre soi enfant et de votre soi adulte. Quand vous vous exprimerez au nom de l'enfant, vous assumerez la voix et les mimiques d'un enfant. Quand vous parlerez au nom de l'adulte, vous aurez les gestes et les attitudes d'un adulte courageux et raisonnable dont le but premier est de secourir l'enfant.

Votre objectif est de prendre davantage conscience de vos émotions, d'attribuer ces émotions à l'enfant, et de seconder l'adulte qui aspire à devenir fort et autonome sur le plan affectif.

Pour tirer le meilleur parti possible de cet exercice, faites-le chaque jour, si possible à la même heure et au même endroit. Votre Grand Soi engage la conversation en saluant Petit Soi et en lui demandant ce qu'il ressent. Il lui fait dire ce qui le

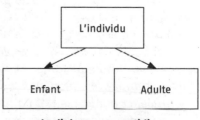

Le dialogue au quotidien

bouleverse en lui posant des questions et en lui manifestant un désir sincère de le comprendre et de l'aider.

Au début, les répliques ont tendance à s'étirer en longueur parce que l'enfant en a beaucoup à dire. Par la suite, la conversation est plus concentrée et plus directe. Vous devez rassurer l'enfant, lui dire que tout ira bien. Ce faisant, vous rehaussez le courage et la confiance de votre soi adulte. Vous voulez enfin que l'enfant intérieur se sente le mieux possible. Le meilleur moyen de lui remonter le moral est de l'inciter à verbaliser ses émotions.

Voici un abrégé d'un des premiers dialogues de Roberte :

GRAND SOI : *Que se passe-t-il, Petit Soi ?*

PETIT SOI : *Je suis triste.*

GRAND SOI : *Dis-moi ce qui ne va pas. Je t'aiderai.*

PETIT SOI : *Je crois que tu as fait une erreur au travail hier et j'ai peur que ton patron ne se mette en colère contre moi. Je n'aime pas qu'on me crie après. Ça me fait peur.*

GRAND SOI : *Je comprends ce que tu ressens. Tu n'as pas à avoir peur. Si mon patron se fâche, je m'en occuperai. Je veillerai sur toi quoi qu'il arrive. De toute façon, il est habituellement très gentil, et il ne s'attend pas à ce que je sois parfaite. Et puis, ce n'est pas ton problème. C'est mon problème. Ne t'en fais pas avec ça. Je veillerai à ce qu'il ne te fasse pas de mal.*

Roberte est parvenue à attribuer à son soi adulte et à son soi enfant des rôles distincts et à faire en sorte qu'ils agissent indépendamment l'un de l'autre. Les sentiments de l'enfant ont été reconnus et jugés valables par l'adulte dont la confiance en soi en a été par le fait même renforcée.

Cet exercice m'a beaucoup étonnée, dit Roberte. J'ignorais totalement que mon conflit au travail provoquait en moi de telles réactions. Mais quand j'ai entendu Petit Soi exprimer ce qu'elle ressentait, j'ai su qu'un contact se faisait et, d'une certaine façon, je me suis sentie plus forte. L'exercice n'a rien résolu – je veux dire qu'il n'a pas apporté de solution à mon dilemme. Mais, manifestement, quelque chose de beau a commencé à prendre forme. Petit Soi m'a accompagnée toute la journée, et quand j'ai fini par parler à mon patron, j'étais plus soucieuse de me protéger et plus assurée que d'habitude.

Rien ne vous assure qu'au sortir de ce dialogue vous aurez trouvé la solution à tous vos conflits. Une conversation *avec votre soi profond* ne diffère en rien d'une conversation avec n'importe qui d'autre. Elle a lieu sans que l'on sache en prédire l'aboutissement.

Travailler avec l'enfant en soi, c'est, en réalité, favoriser la croissance de l'adulte. En veillant aux besoins de l'enfant, votre soi adulte échappe à l'influence destructrice et négative de Petit Soi et fait preuve d'une plus grande maturité. En fait, si vous n'avez pas su faire face à une situation stressante de façon adéquate, c'est parce que vous aurez laissé votre soi enfant reprendre sa place en vous. Vous devez dès lors vous assurer que l'enfant et l'adulte ne délaisseront pas leur rôle respectif.

Plusieurs personnes disent qu'au début de l'exercice leur soi adulte ne sait pas comment agir.

« Mon soi enfant était si capricieux que mon soi adulte en était bouche bée », dit Julie. Voici une de ses premières conversations :

PETIT SOI: *Je suis grosse et laide, et c'est de ta faute, Grand Soi !*

GRAND SOI: *J'ai beaucoup de peine pour toi, Petit Soi. Je t'assure que je sais ce que tu ressens.*

PETIT SOI: *J'en ai rien à foutre de ton « Je sais ce que tu ressens ». C'est toi qui t'empiffres, et c'est moi qui souffre. Je voudrais être belle et tu m'en empêches.*

GRAND SOI: *Tu dois te sentir triste et seule.*

PETIT SOI: *Eh bien, dans ce cas, fais quelque chose. Mets-toi au régime et tiens le coup pour que je ne me sente pas si terriblement laide.*

GRAND SOI: *Je vais essayer, Petit Soi. Je sais ce que tu ressens.*

PETIT SOI: *Il ne s'agit pas d'essayer ! Essayer, ça veut dire que tu ne régleras rien. Tu me laisses toujours tomber.*

GRAND SOI: *Ce n'est pas uniquement de ma faute. C'est toi qui as le bec sucré, pas moi.*

PETIT SOI: *Ne cherche pas à me blâmer. Tu manges toujours trop, et c'est moi qui dois en payer le prix. Je te déteste parce que tu me fais grossir !*

Dans cet exemple, Julie a du mal à dissocier Grand Soi et Petit Soi, si bien que les rôles tendent à se renverser. Grand Soi tend à se mettre en colère au lieu de jouer son rôle d'adulte protecteur, et Petit Soi réagit à ce glissement.

Il n'est pas rare que les frontières entre les rôles s'estompent quand on n'est pas encore très familiarisé avec cet exercice. Si la conversation vous perturbe ou si elle semble aller nulle part, en tant que modérateur vous devez remédier à la situation. Repensez aux rôles respectifs de l'adulte et de l'enfant, et reprenez cette discussion ultérieurement, le cas échéant, en envisageant les sentiments de Petit Soi sous un autre angle.

Je ne savais pas comment agir avec Petit Soi, dit Julie. Chaque fois que je l'abordais, elle devenait hostile et extrêmement exigeante. Mais j'ai au moins découvert que j'étais très en colère, en colère contre moi! Je savais que la seule solution était de poursuivre ce dialogue jour après jour. Petit Soi n'a rien changé à son attitude, mais mon soi adulte en a été chaque fois plus fort et plus assuré.

Avec le temps, la volonté de Julie à ne pas renoncer à ses responsabilités d'adulte devant les caprices de Petit Soi s'est peu à peu renforcée et, avec de la pratique, son soi adulte a joué de mieux en mieux son rôle.

Voici un exemple de cela :

GRAND SOI : *Moi aussi, j'aimerais être mince. Mais pour cela, il va falloir que tu me parles dès que tu auras faim ou que tu auras besoin de quelque chose.*

PETIT SOI : *Qu'est-ce que ça vient faire là-dedans ?*

GRAND SOI : *Ce que tu ressens compte beaucoup pour moi, Petit Soi.*

PETIT SOI : *Moi, tout ce que je veux, c'est que tu maigrisses et que tu sois jolie pour que je ne me sente pas si grosse et si laide.*

GRAND SOI : *Précisément. Et cela aussi m'importe. C'est important que tu me fasses penser à ce que tu ressens. Entre-temps, je vais aller chercher l'aide dont j'ai besoin pour maigrir.*

PETIT SOI : *Il était rudement temps que tu reconnaisses que tu n'y parviendras jamais toute seule. Tu es trop faible.*

GRAND SOI : *Pour toi, autant que pour moi, je deviens plus forte.*

Vos résultats seront meilleurs si, au début, vous notez vos conversations par écrit. L'écriture vous aide à bien définir les rôles de Grand Soi et de Petit Soi et vous garde sur la bonne voie. Écrire, c'est en quelque sorte *agir*. Écrire vous immerge plus profondément dans l'exercice exactement comme le fait de prendre des notes vous aide à mieux vous concentrer sur un cours[40].

De nombreuses personnes détestent écrire, mais, malgré tout, les résultats en valent presque toujours la peine. Ce genre d'écriture ne ressemble en rien à la rédaction d'un rapport ou d'une plainte officielle destinés, par exemple, à une agence de crédit. N'importe qui peut s'y adonner. C'est vite fait : vous n'avez pas à analyser ce que vous écrivez, mais simplement relever les propos de chacun de vos soi. Personne ne lira jamais ce compte rendu sans votre accord ; il n'est pas nécessaire qu'il soit lisible ou même cohérent. Vos sentiments feront glisser le stylo sur la feuille spontanément.

Quand vous vous serez habitué à cet exercice et que vos soi adulte et enfant seront bien définis, vous pourrez remplacer l'écrit par l'oral. Certaines personnes qui pratiquent cet exercice depuis plusieurs années sont capables de poursuivre mentalement et silencieusement leur dialogue.

Que ce soit par écrit, en paroles ou en pensée, l'important est d'empêcher que les besoins et les sentiments de l'enfant ne se glissent à nouveau dans votre tête où ils pourraient vous faire échouer à devenir l'adulte fort et compétent que vous savez pouvoir être.

Si vous ne réussissez pas à entrer en contact avec l'enfant, revenez à la case de départ et forgez-vous une nouvelle image mentale de Petit Soi. Imaginez-le encore en dehors de vous et rédigez un dialogue où il vous exprime ses sentiments. Ce processus demande parfois beaucoup de travail. Tous les parents savent qu'il n'est pas du tout facile de composer avec un enfant capricieux. Vous devrez peut-être faire appel à toutes vos réserves de patience, mais persévérez avec délicatesse et continuez à lui poser des questions.

N'oubliez pas que Petit Soi se sent très vite abandonné. Il a besoin de savoir en tout temps qu'on veille sur lui. Autrement dit, parlez-lui au moins une fois par jour.

J'ai constaté que mon enfant était trop furieux pour me faire part de ses émotions, dit Étienne. Je l'avais négligé trop longtemps. Mais je n'ai pas renoncé. Au bout du compte, Petit Soi a explosé :

PETIT SOI : *Pourquoi te dirais-je quoi que ce soit ? Tu te fiches de moi. De toute ma vie, tu n'as jamais fait attention à moi ! Et maintenant, tu veux me faire croire que tu te préoccupes de ce que je ressens ? Ça ne va pas durer. Tu vas m'oublier et encore une fois faire semblant que je n'existe pas !*

GRAND SOI : *Pardonne-moi de t'avoir négligé si longtemps. Mais je suis sincère quand je dis que je veux savoir ce que tu ressens. Je veux te réconforter. C'est vrai que je me préoccupe de toi. Je ne te négligerai plus jamais.*

PETIT SOI : *C'est trop peu, trop tard. Je ne te dirai jamais rien.*

Bien entendu, c'était de la frime, dit Étienne aux autres membres du groupe. Maintenant, je ne peux plus le faire taire !

Le Petit Soi de Marie était tout aussi furieux qu'elle l'ait abandonné.

PETIT SOI : *Je suis si triste, Grand Soi. Tu n'as pas su empêcher Laurent de partir ! Comment as-tu pu faire ça ? C'est pis que la mort de maman. Je vis encore une fois une effroyable solitude.*

GRAND SOI : *Je sais à quel point tu souffres. Laurent a beau être parti, je serai toujours à tes côtés. Je ne te quitterai jamais.*

PETIT SOI : *Mais Laurent me manque...*

GRAND SOI : *Je sais. Il me manque à moi aussi. Mais au moins, tu sais que je t'aime et que je t'aimerai toujours.*

N'oubliez pas : le but de cette conversation n'est pas de régler un problème en deux temps, trois mouvements, mais bien de faciliter des échanges qui déboucheront en temps et lieu sur des changements.

Après avoir fait cet exercice un certain nombre de fois, j'étais de plus en plus en contact avec moi-même, dit Marie. Ce n'était pas le grand amour, oh non, mais j'aimais l'adulte que je devenais et je me sentais aussi beaucoup plus forte.

Il y a eu des fois où Petit Soi était vraiment insupportable – difficile et inconsolable – et je savais alors que j'avais touché à quelque chose de très important.

Bon nombre de mes clients me disent que leur enfant n'est pas raisonnable. Réfléchissez : ce n'est qu'un enfant qui a peur d'être seul et dont les besoins sont énormes. Grand Soi doit gérer les exigences de Petit Soi et lui faire comprendre gentiment mais fermement pourquoi certaines d'entre elles ne pourront être satisfaites. Penchons-nous sur le dialogue de Marie :

GRAND SOI : *Qu'y a-t-il, Petit Soi ?*

PETIT SOI : *Je me méfie de toi.*

GRAND SOI : *Pourquoi donc ?*

PETIT SOI : *Parce que tu me fais trop souvent vivre des choses horribles. Je veux que tu me promettes que rien de mauvais n'arrivera plus jamais.*

GRAND SOI : *Je peux seulement te promettre que jamais plus nous ne serons séparées.*

PETIT SOI : *Non, Grand Soi. Je veux que tu me promettes que jamais plus personne ne me quittera. Je veux que tu me promettes que tu trouveras quelqu'un qui m'aimera toujours. Je ne veux plus jamais vivre ça.*

GRAND SOI : *Je ne peux pas faire des promesses que je ne suis pas certaine de pouvoir tenir. Si j'étais capable de contrôler ces choses-là, je le ferais. Mais la vérité, c'est que la vie ne nous offre aucune garantie quand il s'agit des sentiments ou des comportements des autres.*

PETIT SOI : *Mais je veux que tu me protèges, je veux que tu fasses en sorte que je ne souffrirai plus jamais.*

GRAND SOI : *Je peux t'assurer que je ferai de mon mieux pour trouver une personne loyale et dévouée et pour que tu te sentes en sécurité.*

PETIT SOI : *Promets-le-moi.*

GRAND SOI : *Je te promets que, quoi qu'il arrive dans mes relations avec d'autres personnes, je t'aimerai toujours et je ne t'abandonnerai jamais.*

Certaines personnes me disent que Petit Soi essaie de les convaincre de satisfaire beaucoup plus les désirs de leur soi enfant que les désirs de leur soi adulte. Il s'ensuit alors une lutte de pouvoir.

Petit Étienne était vraiment très furieux contre moi parce que je refusais de lui acheter un chien, dit Étienne. Évidemment, je ne pouvais parler de cela à personne ; on m'aurait cru atteint d'un trouble de personnalité multiple. Mais nous nous querellions, Petit Étienne et moi. J'ai dû lui dire encore et encore que mon bail interdisait les animaux de compagnie. Il m'a fallu beaucoup de papier et beaucoup d'encre pour lui faire entendre raison et le calmer.

Bien entendu, Petit Soi m'a fait promettre que je lui revaudrais ça autrement... Et j'ai intérêt à faire ce que j'ai promis, sinon il ne va pas me lâcher ! Petit Soi est devenu si réel pour moi que jamais je ne pourrai l'ignorer : il me tuerait !

Au bout d'un certain temps, le soi enfant acquiert une personnalité réelle, il devient une véritable présence. Certaines personnes préfèrent se rappeler de temps à autre que Grand Soi et Petit Soi ne sont que des représentations, tandis que d'autres aiment voir en eux de vraies personnes. Certains de mes clients préfèrent appeler Petit Soi *l'enfant intérieur, le soi intérieur, les sentiments profonds, le soi primal, ou le centre émotionnel.* Peu importe le nom qu'ils lui donnent, des changements profonds se font sentir dès qu'ils ont fait cet exercice un certain nombre de fois.

Marilou a choisi de participer à un programme de réadaptation de l'abandon pour guérir de vieilles blessures. Elle était hantée par ses démons d'enfance, comme elle disait, parce que son père avait abusé d'elle physiquement et sexuellement et que sa mère était une personne sévère, froide et distante. Marilou a donc mis énormément d'espoir et d'attente dans cet exercice. Les résultats n'ont pas du tout été ceux qu'elle escomptait. Au bout de trois semaines environ, son Petit Soi lui a demandé d'aller sur la tombe de sa grand-mère.

GRAND SOI : *C'est à plus de six cents kilomètres...*
PETIT SOI : *Oui, mais je veux y aller. C'est la seule personne qui nous ait aimées.*
GRAND SOI : *Mais je ne peux pas quitter mon travail, Petit Soi.*
PETIT SOI : *Je veux que tu prennes quelques jours de congé et qu'on y aille en voiture.*
GRAND SOI : *Aux vacances, je t'y emmènerai peut-être.*
PETIT SOI : *Je ne peux pas attendre jusqu'aux vacances. Je veux y aller tout de suite. Je veux me rappeler comment c'était, l'amour de grand-maman ; comment c'était, de lui parler. Je veux ravoir son amour.*

GRAND SOI : *Tu ne voudrais pas que je te lise une histoire ce soir ? Ou qu'on fasse autre chose que tu aimes ? Tu verras alors combien je t'aime, moi. C'est ça, l'important.*

PETIT SOI : *Non. Je veux aller rendre visite à grand-maman. Elle me manque et je veux être près d'elle pour pouvoir lui parler.*

GRAND SOI : *Je n'ai pas vraiment envie de conduire la voiture jusqu'au Massachusetts juste pour parler à grand-maman, Petit Soi.*

PETIT SOI : *Moi, si. Si tu m'aimes, tu le feras.*

Marilou nous raconta comment Petit Soi l'avait harcelée pendant des jours et des jours jusqu'à ce qu'elle accepte de faire le voyage pour se rendre sur la tombe de sa grand-mère. Tandis qu'elle planifiait son voyage, elle s'était souvenue qu'une vieille compagne de classe vivait au Massachusetts, si bien qu'elle lui donna un coup de fil. Elles échangèrent des souvenirs du passé et se donnèrent rendez-vous pour dîner.

Marilou partit pour le Massachusetts. Durant le trajet, Petit Soi lui demanda une fois de plus de faire ce qu'elle lui disait. Elle lui demanda d'acheter une plante pour la tombe de grand-maman. Marilou accepta en espérant que cela suffirait à contenter Petit Soi.

Sur la tombe de sa grand-mère, Marilou vécut des moments très intenses. Petit Soi lui parla des occasions où elle se blottissait dans le giron de sa grand-mère, en paix avec le monde, aimée.

Marilou quitta le cimetière complètement épuisée, mais elle ressentait aussi un vaste soulagement et elle avait hâte de retrouver sa vieille amie. Ce soir-là, les deux femmes décidèrent de faire ensemble un voyage en Norvège pour visiter le pays où leurs parents à toutes deux étaient nés. Ce serait le premier séjour à l'étranger de Marilou.

Pour être efficace, le dialogue doit s'intégrer à votre vie quotidienne. Avec un peu de pratique, vous saurez résoudre des problèmes laissés en suspens, panser les écorchures d'anciens renoncements ou surmonter vos crises présentes. Tout ce temps, vous aiderez votre soi adulte à devenir chaque jour plus fort et plus compétent.

Cet exercice d'*akeru* ne vise pas à écarter le deuil. Il s'associe à celui-ci et tire parti du besoin exacerbé de fusion de la période du sevrage pour créer un lien entre votre soi adulte et votre soi enfant. Au lieu de vous distraire de vos émotions, il en fait un moteur de croissance. En renforçant ainsi votre soi adulte et en répondant aux besoins de votre soi enfant, vous vous approchez de plus en plus de votre autonomie affective.

La thérapie de séparation est efficace. Elle est facile à maîtriser et vous invite à être votre propre thérapeute et votre propre guide. Cette technique est valable pour tous. Nous avons tous un soi enfant qui, de temps à autre, nous appelle au secours.

Le sevrage : un résumé

Le sevrage a lieu quand tous les contacts avec l'être aimé sont rompus. Nous tentons d'avancer, mais nous trébuchons et nous perdons pied. Nous avions besoin de notre couple pour pouvoir fonctionner et jamais nous n'aurions deviné à quel point nos vies étaient entrelacées. C'est seulement maintenant que nous distinguons les côtés équilibrés et sains de ce rapport et ceux qui étaient basés sur la peur ou sur un besoin exagéré de plaire. Au cours de notre rétablissement, nous soumettons ces points de contact sains ou malsains à maintes épreuves : examens introspectifs, consultations avec des thérapeutes, des parrains, des amis, et tentatives de nouvelles rencontres. Finalement, nous découvrons les secrets d'une relation équilibrée et affectueuse.

Nos émotions profondes – les parts les plus anciennes et les plus persistantes de nous-mêmes – ont été réveillées et dynamisées. Tout le reste nous a été arraché. L'enfant sur le rocher pleure ce qu'il a perdu. Il ressent une profonde déchirure dans le tissu de son union, une grande frustration et un désir violent de s'attacher à nouveau. Quand nous lui donnons la chance de s'exprimer, nous parvenons enfin à répondre aux besoins, aux peurs et aux désirs de notre soi le plus profond.

Pendant le sevrage, nous sommes comme des petits poussins sortis de leur coquille, encore mouillés, à nu, et qui soudain affrontent le monde. Notre survie est rudement mise à l'épreuve. Nous avons perdu les liens étroits qui nous protégeaient. Sortis du sommeil où nous avaient plongés nos relations antérieures, nous voici tout à coup éveillés et vivants, nos besoins et nos émotions à vif, prêts à créer de nouveaux liens d'attachement.

Le sevrage, c'est vous qui devenez vous-même pour la première fois.

Le sevrage, c'est l'individuation.

CHAPITRE QUATRE

Troisième étape : l'intériorisation du rejet

Qu'est-ce que l'intériorisation ?

Intérioriser une expérience affective, c'est assimiler celle-ci et, en l'intégrant, lui permettre de transformer nos croyances les plus profondes. L'intériorisation est insidieuse. On ne se rend pas compte de sa portée.

L'intériorisation du rejet, c'est l'assimilation par l'organisme du traumatisme d'abandon que vous avez pris à cœur. En intériorisant ce rejet, vous vous infligez une blessure.

À l'étape de l'intériorisation, le soi recherche désespérément son amour perdu puis oriente sa colère et sa frustration contre lui-même. Le traumatisme devient ainsi un système autonome où couve le doute de soi et où la peur s'enracine.

L'intériorisation représente l'étape la plus critique du processus de l'abandon, car c'est durant cette phase que la blessure affective est le plus susceptible de s'infecter. Si vous ne la soignez pas, elle risque de contaminer votre estime de vous-même. Le moment est venu d'attaquer les bactéries virulentes du rejet qui vous a temporairement affaibli.

Comme il arrive à l'étape de la dévastation et au moment du sevrage, l'intériorisation fait se rouvrir d'anciennes blessures qui déversent ainsi leurs toxines dans une plaie toute fraîche. L'abandon est un traumatisme cumulatif: les rejets passés et présents s'amalgament. C'est l'occasion de se purger de l'insécurité, du sentiment d'inutilité et de la honte que vous nourrissez depuis l'enfance.

Vous devez racler le fond du marécage et passer au crible les décombres obtenus afin de ne conserver que ce qui compte. Vous entamez votre reconstruction.

La troisième étape de l'abandon: L'intériorisation du rejet

L'INTÉRIORISATION DE BARBARA

Barbara était femme au foyer et mère de cinq enfants de moins de dix ans quand son mari l'a quittée pour une autre femme qu'il avait connue au travail.

Quand j'ai demandé à Henri de me parler d'elle, dit Barbara, il m'a répondu qu'elle était une collègue, comme si cela suffisait à tout expliquer. «Et moi, qu'est-ce que je suis?» lui ai-je demandé. Mais je savais déjà qui j'étais: une maîtresse de maison dépendante, sans aucune identité hormis celle que me conféraient mon mari et ma famille. Voilà qui j'étais. Nous étions mariés depuis treize ans et demi. Jamais je n'avais même imaginé qu'Henri puisse vouloir me quitter. Mais je n'étais pas assez femme du monde pour retenir son intérêt. Après tout, j'étais demeurée tout ce temps à la maison avec les enfants pendant qu'il se faisait un nom. Je devais correspondre tout à fait au cliché de la femme au foyer ordinaire, ensevelie sous les lessives, les pratiques de foot et les cris d'enfants.

Je me disais sans doute que mes tartes parfaites et des confitures maison retiendraient Henri. Je croyais être une épouse idéale en repassant ses chemises et en rangeant ses chaussettes. Mais je me rends compte que j'ai commis une grave erreur en me laissant aller à devenir sa domestique. Je ne crois pas avoir été autre chose pour lui, même au lit. Tout ce sexe... J'y attachais beaucoup d'importance, mais je pense que, pour lui, ça ne représentait rien de plus qu'un simple exercice physique. Je n'avais été qu'un réceptacle.

Je sais. Je vous semble amère. Henri me reprochait toujours ma négativité. Lui, il n'était pas comme ça, il pouvait lâcher prise facilement. En fait, il ne s'est jamais plaint de ma gestion de la vie *familiale même si je sais que j'aurais sans doute pu faire mieux. Je ne pense pas enguirlander les enfants plus que d'autres mères, mais Henri ne peut pas le savoir. Il me trouvait peut-être insupportable, mais il ne disait jamais rien, en parfait gentleman qu'il était. Si seulement j'avais pu me rendre compte qu'un jour il se fatiguerait de notre vie familiale et de moi, j'aurais agi autrement.*

J'ai été naïve de croire qu'il ne désirait rien de plus qu'une maison bien tenue. Mais il avait une vie à l'extérieur où il rencontrait constamment des femmes plus intéressantes. J'aurais dû le savoir. Il s'est lassé de moi, qu'il avait asservie. De toute évidence, Henri voulait une femme qui soit son égale. Je croyais bien être son égale, mais en réalité je ne peux pas me mesurer à la femme de carrière avec qui il est maintenant.

Quand il me téléphone, il prend d'abord des nouvelles des enfants, puis il me demande si j'ai trouvé du travail. Je sais qu'il faut que je travaille pour que nous puissions survivre financièrement. Mais je suis pétrifiée à l'idée de ne rien savoir faire. Je suis certaine qu'après tant d'années mon diplôme d'études collégiales ne vaut plus rien. Qui va m'engager ? Il faut de l'expérience pour trouver un emploi décent.

J'ai peur et je sais qu'Henri a raison : en voulant beaucoup d'enfants, en me cachant derrière les besoins de ma famille, je me suis acculée à un mur.

Le compte rendu de Barbara comporte bon nombre de réactions du moi que l'on associe au processus d'intériorisation : autoaccusation, introspection douloureuse, sentiment d'insécurité dans son rôle, tendance à l'idéalisation du conjoint qui l'a quittée, impression d'être inapte et sexuellement invisible, impuissance à changer les circonstances de sa vie, dénombrement des choix qu'elle regrette aujourd'hui d'avoir faits.

Tous ne formulent pas à voix haute, comme le fait Barbara, des commentaires autodévalorisants, mais de nombreux réchappés de l'abandon affirment ressentir la même chose. D'une certaine façon, Barbara a de la chance d'être consciente de ses émotions. Au moment d'entreprendre sa guérison, cette connaissance peut l'aider à identifier ses pensées négatives et à les remettre en question. Dans la plupart des cas, l'intériorisation se déroule sur un plan extrêmement personnel, dans l'intimité des pensées les plus profondes. Le doute de soi fait en secret son interminable travail de sape. Il devient l'invisible instrument qui ronge de l'intérieur notre confiance en soi.

Les amis et la famille ignorent sans doute que l'on traverse à ce moment la phase la plus destructrice du deuil.

L'intériorisation du rejet est la troisième étape de l'abandon, mais elle agit tout au long du cycle du deuil. Elle a lieu chaque fois que l'on ressent de la colère et de la frustration face à soi-même parce que l'être aimé nous a quitté. C'est douloureux. La fureur dirigée vers soi est responsable de la dépression profonde liée à l'abandon. Elle est une des particularités de cette phase du deuil.

J'ai connu Barbara environ deux mois après avoir été abandonnée moi-même. Tout en constatant les progrès qu'elle faisait, je me débattais dans d'identiques sables mouvants : le sentiment d'inaptitude et le doute de soi. Ces décombres intériorisés peuvent détruire la confiance en soi de n'importe qui, du moins pendant un certain temps. J'étais bien décidée à ne pas leur céder la mienne.

Je me suis frayé un chemin parmi les fondrières de l'autodévalorisation en me raisonnant. Je n'avais aucune raison d'avoir honte, me disais-je. J'avais une profession. Ma carrière était intacte. J'avais su bien élever mes enfants ; en fait, le petit dernier avait quitté le domicile familial pour étudier à l'université à peu près en même temps que mon conjoint m'avait abandonnée et j'avais pu survivre à ma soudaine solitude. Je m'efforçais de me rassurer, de me dire que tout irait bien, mais je ne me trouvais pas très convaincante. Je me suis mise à errer dans une maison vide qui, un mois plus tôt à peine, était celle d'une famille aimante et active.

Je savais que je n'avais rien fait de mal. J'avais aimé et aidé mon mari de toutes les façons possibles. J'avais respecté ma part du contrat ; j'avais même conservé un poids idéal même après toutes ces années. Je m'habillais avec goût, je soignais mon maquillage et ma coiffure. Mon reflet dans la glace me rassurait : j'étais plus belle aujourd'hui qu'hier. En outre, n'étais-je pas plus sage, plus prospère, plus mûre ? Pourquoi mes réussites n'étaient-elles plus suffisantes tout à coup ? N'avaient-elles aucun sens ?

Je ne connaissais que trop bien les vapeurs toxiques que dégage la blessure de l'abandon. Ces gaz incolores et inodores pénètrent insidieusement dans la conscience, même quand vous pensez demeurer optimiste. En ma qualité de thérapeute, je savais devoir me dégager des miasmes du manque de confiance en moi et trouver quelque part une résurrection. Je me suis forcée à pratiquer de nouvelles activités, à délaisser ma petite routine. J'ai voyagé, j'ai rendu visite à des amis que je n'avais pas vus depuis longtemps. Au bout du compte, j'ai pu restaurer l'image que je me faisais de moi-même. J'ai retrouvé mes racines et mon équilibre.

L'effort exigé pour ce faire m'a tant étonnée que j'en ai acquis un immense respect pour le pouvoir de l'intériorisation. J'ai découvert que l'affirmation de soi ne suffit pas à empêcher les incidences de l'abandon ni ses préjudices potentiels.

Une de vos toutes premières tâches au cours du processus de rétablissement consiste à empêcher votre manque de confiance en soi de se souder à votre sentiment d'identité. J'ai pu constater que, pour ce faire, la volonté ne suffit pas. Le renforcement de l'estime de soi exige une approche plus dynamique. Vous devez *céder* à la puissance intérieure propre à cette étape, et non pas la *combattre*. Si l'intériorisation vous pousse à l'introspection, sachez profiter de cette force centripète pour y puiser de l'éclairement et de la clairvoyance. Votre objectif consiste à inviter des sentiments positifs *à l'intérieur de vous*.

Je propose donc de vous guider dans ce parcours à travers l'intériorisation, ainsi que dans les émotions et les circonstances que vous pourriez connaître en cours de route. Je vous dirai en quoi le chagrin provoqué par l'abandon diffère de façon importante des autres formes de deuil et je vous familiariserai avec quelques-uns des changements biochimiques et hormonaux qui se produisent durant cette phase. Je vous aiderai en outre à cerner des problèmes non résolus qui remontent à des renoncements antérieurs et je tracerai les grandes lignes des circonstances qui, dans votre enfance, ont pu ronger votre estime de soi. Tout ce temps, j'insisterai sur votre tâche la plus importante : tirer parti de ce repli pour assimiler des sentiments positifs et entrer en contact avec votre soi. Enfin, j'introduirai le troisième des exercices d'*akeru*. Cet exercice se concentre sur l'estime de soi blessée qui vous empêche de progresser. Son objectif est de vous aider à émerger de cette introspection muni d'une identité plus affirmée et d'une plus grande aptitude à vivre et à aimer.

L'ANATOMIE DU DEUIL DE L'ABANDON

Jusqu'à présent, beaucoup des émotions dont il a été question ressemblent à celles que l'on éprouve lors du décès d'un proche : la dévastation, le choc, le manque. Au cours de cette importante troisième étape, le contexte particulier de l'abandon devient plus apparent et montre en quoi il se distingue des autres formes de deuil.

Lorsqu'on songe au deuil, on pense à une expérience universelle qui rejoint toute l'espèce humaine au plus creux de ses émotions. Ce phénomène a été étudié en profondeur, ses différentes étapes ont été abondamment décrites et détaillées. Le deuil transcende les cultures, les sexes, l'âge et le rang social. Qui plus est, d'autres espèces animales semblent affectées par les mêmes manifestations de deuil[1].

La société admet sans peine que l'on soit en deuil d'une personne décédée. Mais le deuil consécutif à un abandon n'est que fort peu reconnu. Quand la mère ou le mari d'une amie meurt, nous nous attendons à ce que cette dernière traverse une période de détresse prolongée. Nous offrons un soutien moral et social à l'endeuillée, mais aucun rituel n'a été conçu pour réconforter la personne abandonnée. Votre chagrin est sans doute tout aussi immense et persistant, et tout aussi débilitant sur le plan affectif et sur le plan financier. Imaginez une femme : elle a trois enfants qui ont faim et aucun moyen de subvenir à leurs besoins ; il ne reste qu'un litre de lait au frigo et son mari vient tout juste de la quitter pour une autre femme. Ses inquiétudes ne sont pas que pratiques : elle vit un deuil complexe où interviennent la colère, le sentiment d'avoir été trahie et la stigmatisation de la femme abandonnée.

Il se passe en fait que le deuil de l'abandon n'est pas encore reconnu comme un deuil authentique. Contrairement au chagrin qu'occasionne la mort d'un être cher et sur lequel les professionnels se sont abondamment penchés, l'abandon et ses conséquences ne sont que les enfants pauvres de la psychologie.

Pourtant, comme tout deuil consécutif au décès d'une personne aimée, le deuil de l'abandon obéit à un processus qui lui est propre. Puisqu'il est si souvent ignoré, les personnes qui le vivent évitent le plus souvent d'en parler et enfouissent profondément en elles des émotions qui les rongent en secret à l'insu de leurs amis et de leur famille, voire d'elles-mêmes. Plusieurs se sentent isolées et ignorent comment expliquer ce qu'elles vivent à leur entourage. Ce deuil peut pourtant faire naître la peur et l'affliction et éroder pendant longtemps l'estime de soi et le dynamisme. Un deuil d'abandon non résolu peut aussi nuire aux relations futures.

J'ai du mal à imaginer qu'un événement d'il y a dix ans puisse encore m'affecter, dit Jean. Mais quand ma fiancée a rompu nos fiançailles, je n'ai pas surmonté ma souffrance, et je suppose qu'elle colle encore à moi.

À l'époque, vivre seul a été très difficile pour moi, même dangereux (Jean était suicidaire), mais je n'aimais pas devoir compter sur l'aide de mes amis. J'en ai eu assez de jouer les victimes, si bien que je me suis habitué à tout garder pour moi. J'ai fait ce que prêchent tous les ouvrages de croissance personnelle : je me suis efforcé de lâcher prise, d'aller de l'avant et de trouver mon bonheur en moi-même. J'ai si bien appris à faire semblant que tout allait comme sur des roulettes que j'ai cru avoir surmonté mon mal. Et pour m'assurer que je ne rechuterais pas, j'évitais de m'engager dans une relation pour ne pas avoir à me rappeler ce que j'avais subi. J'ignorais tout à fait que j'étais en deuil. Que faire sinon feindre que ma souffrance n'existait pas ? C'est la raison pour laquelle elle est revenue me hanter dix ans plus tard au moment où je cherche quelqu'un auprès de qui refaire ma vie.

En cachant sa peine, Jean a rejoint la masse des victimes ambulantes de l'abandon. Pendant une dizaine d'années, sa blessure était invisible, mais elle le rongeait intérieurement.

Afin de mieux comprendre ce que vous êtes en train de vivre, vous devez pouvoir identifier les particularités du deuil de l'abandon.

EN QUOI LE DEUIL DE L'ABANDON EST-IL DIFFÉRENT ?

La blessure intime

La différence entre le chagrin dû à la mort et le chagrin dû à l'abandon tient au fait que la personne aimée n'est pas morte : elle a choisi de mettre fin à votre relation. Vous ressentez cette perte comme un affront au moi, non pas comme un phénomène naturel.

Lorsqu'une personne que nous aimons beaucoup nous rejette, notre sentiment de valeur personnelle est remis en question. Le rejet et le manque de respect nous infligent une blessure narcissique[2]. Une blessure narcissique est en quelque sorte une gifle, une atteinte à la fierté, à l'estime de soi ; c'est une plaie vive qui laisse de profondes cicatrices. Il arrive que des renoncements apparemment anodins nous déstabilisent, par exemple la promotion qu'on espérait et qui nous est refusée ou la trahison d'un ami. Quand nous perdons la personne la plus importante de toutes, le choc est parfois dévastateur.

Après le départ de Laurent, dit Marie, ce n'était pas seulement lui et notre vie de couple qui me manquaient ; j'étais aussi en manque de mon propre bien-être. Tout à coup, être seulement moi ne me satisfaisait plus du tout. Je venais de perdre tout mon aplomb.

Marie parle ici de l'imperceptible perte d'estime de soi inhérente à l'intériorisation. Secrètement et insidieusement, le doute ronge de l'intérieur votre confiance en vous. Sans vous en rendre compte, vous commencez à percevoir dans chaque nouvelle expérience la preuve de votre inaptitude.

La blessure au soi: voilà ce qui distingue le deuil de l'abandon des autres formes de deuil.

La souffrance du deuil

L'une des idées fausses que doivent le plus souvent affronter les réchappés de l'abandon au pire moment du deuil est que l'intensité de leur chagrin n'est pas justifiée, que pleurer la mort d'un être cher est beaucoup plus difficile. L'abandon et la mort nous affectent différemment, mais on ne peut certes pas dire que l'un soit plus pénible à vivre que l'autre. L'intensité et la durée du deuil dépendent de la nature de la relation, des circonstances de la rupture ainsi que de la constitution physique et psychologique de la personne touchée[3].

J'ai assisté aux funérailles du mari d'une amie, dit Barbara. En la voyant chaleureusement entourée, j'ai compris que mon chagrin avait beau être aussi profond que le sien, il n'en avait pas la dignité. Il fallait que je cache à tous ma souffrance et que je témoigne comme tout le monde à mon amie ma profonde sympathie.

On dirait que la mort seule nous autorise à souffrir profondément.

Le renoncement

Le *renoncement* est commun au deuil dû à l'abandon et au deuil tout court. Les phases de ces deux deuils sont celles qu'ont formulées Elisabeth Kübler-Ross et John Bowlbe[4]. Que le renoncement à un être cher résulte d'un abandon ou d'une mort, il perturbe votre existence. Vous vous sentez perdu quand vous vous réveillez seul en pleine nuit ou quand votre voiture tombe en panne et que personne n'est là pour venir vous cueillir au garage. Perdre un conjoint, c'est perdre une part de soi. Il s'agit en quelque sorte d'une amputation psychique. Tant les réchappés de l'abandon que les veufs ou veuves doivent affronter les difficultés émotionnelles et pratiques d'une vie solitaire[5].

L'absence de protocole et de considération

Malheureusement, la société ne nous dicte pas la conduite à tenir quand une personne est victime d'abandon. Il n'y a pas de funérailles, et on ne lui adresse pas de lettres de condoléances. Elle a été plaquée, tout simplement.

Les réchappés de l'abandon en viennent à se demander s'ils n'ont pas causé leur propre malheur. Est-ce à cause d'eux que la relation s'est terminée? Sans doute ne devraient-ils pas souffrir à ce point. Peut-être souffrent-ils parce qu'ils manquent de courage. De tels reproches renforcent leur sentiment de honte et ils se retranchent encore plus dans leur exil affectif.

Quand Laurent est parti, je me suis sentie complètement isolée. Mes amis et ma famille ne l'avaient pas perdu, dit Marie; mais moi, si. J'étais seule avec mon chagrin. S'il était mort au lieu de me quitter, il aurait été mort pour tout le monde. Ma famille et mes amis auraient tous été en deuil. Mon téléphone n'aurait pas cessé de sonner. J'aurais été inondée de visiteurs. Ils se seraient tous entraidés et me seraient venus en aide. Après tout, j'aurais été la veuve, et j'aurais eu l'honneur de fermer son cercueil. Puis il y aurait eu les funérailles, l'enterrement au cimetière, un rituel pour souligner la tristesse et le tragique de cette situation.

Et je ne parle pas des cartes de condoléances et des fleurs offertes même par de vagues connaissances. Mais puisque Laurent n'était pas mort, seuls mes amis et ma famille pouvaient faire allusion à ma souffrance; que d'autres le fassent aurait été inconvenant. Le monde entier m'a tourné le dos et est resté à distance. On n'a pas voulu me mettre dans l'embarras, ou bien on est resté aveugle à l'épreuve que je traversais. Tout a été limité au cercle de mes intimes parce que personne n'était mort.

La torpeur et le choc

Les personnes en deuil font face à des problèmes différents de ceux qu'affrontent les réchappés de l'abandon. Quand meurt un être aimé, nous sommes confrontés à notre propre mortalité. La mort est absolue, irréversible, finale. Le désir de revoir l'être cher s'accompagne d'un profond sentiment d'impuissance et de désespoir.

La mort nous effraie tellement, et l'idée que nous ne reverrons jamais l'être aimé est si inadmissible et terrifiante que nous sommes sous le choc. Ainsi que nous l'avons vu, le cerveau produit des opioïdes (des antidouleur naturels), ce qui expliquerait l'état de torpeur dont font état bon nombre de personnes en deuil. Cette torpeur permet de surmonter le traumatisme initial et peut même, dans certains cas, apporter des soulagements temporaires à une souffrance intense.

Les personnes abandonnées disent elles aussi avoir subi un choc et sombré dans la torpeur (tel qu'il en a été question au chapitre deux), mais avec quelques différences. Les réchappés de l'abandon ne sont pas confrontés à leur propre mortalité, mais bien à la colère et à la dévastation dues *au rejet*. Souvent insensibles à la vie qui continue autour d'eux, *ils ne disent cependant jamais être insensibles à la souffrance du rejet*. Au contraire, leur douleur est implacable et il semblerait qu'elle l'emporte sur l'effet apaisant des opioïdes naturels de l'organisme.

La colère

La colère est commune aux deux formes de deuil. Plusieurs personnes voient dans la mort d'un être cher une forme d'abandon; elles lui en veulent de les avoir laissées seules en mourant. La personne que quitte l'être aimé est furieuse elle aussi, mais dans la plupart des cas, son grief est justifié : l'être aimé est parti de son propre chef.

Pour ajouter à votre affliction, l'ex-conjoint ignore tout de votre chagrin. Souvent, alors que vous êtes au plus creux de votre souffrance, l'être aimé a déjà refait sa vie, peut-être même avec quelqu'un d'autre. La relation est détruite pour vous deux, mais la personne *qui reste* porte un fardeau affectif beaucoup plus lourd que la personne *qui est partie*.

Ainsi que le dit Marie : «Quand Laurent m'a quittée, j'ai perdu ce qui comptait le plus au monde pour moi – lui. Il avait conservé tout l'or, et je n'avais rien d'autre que ma peine.»

Le déni de la réalité

Quand meurt un être cher, son départ est définitif. Refuser cette réalité nous aide à l'accepter. Mais dans le cas de l'abandon, ce déni de la réalité est plus complexe. Puisque l'être aimé vit toujours, une réconciliation est encore possible. Chez la personne abandonnée, ce refus se nourrit d'une éventualité tout à fait réalisable. La quête de l'être aimé est par conséquent plus engagée et plus tenace (la phase de la quête est commune à toutes les formes de deuil, ainsi que nous l'avons vu au chapitre deux).

Cette différence ne signifie pas que l'abandon soit plus difficile ou moins difficile à supporter qu'une autre forme de deuil. Elle signifie seulement que la personne abandonnée s'obstine parfois à refuser de voir la réalité en face et retarde longtemps, voire indéfiniment, la résolution de son deuil.

La résolution du deuil

Ce que le veuf ou la veuve ne peuvent faire, vous pouvez le tenter: persuader votre conjoint absent de vous revenir. Les personnes qui pleurent le décès de l'être aimé ne peuvent que souhaiter le retrouver dans l'au-delà. Il est extrêmement difficile d'accepter la mort physique d'un être cher. De nombreuses personnes consultent des médiums dans l'espoir d'accéder à l'au-delà et d'entrer en contact avec leurs disparus.

Pour les réchappés de l'abandon, la résolution du deuil – qui permet de *lâcher prise*, de dire adieu à leur relation – est d'autant plus pénible que l'ex-conjoint vit encore.

L'amour perdu

Quand meurt une personne, l'endeuillé ne perd pas son amour, mais il en conserve le souvenir qui souvent le réconforte. Au contraire, quand l'être aimé décide de mettre fin à votre relation, il reprend l'amour qu'il vous donnait, peut-être même pour l'offrir à quelqu'un d'autre. C'est une perte équivoque[6]. L'amour perdu et le rejet infligent une souffrance particulière qui mine la confiance en soi.

L'un des objectifs du processus de rétablissement consiste à reconnaître que ce deuil est un deuil légitime. Celui-ci comporte deux facettes: la première est commune à toutes les formes de deuil – *le renoncement* – et la seconde lui est propre – *la blessure narcissique*.

On a bien sûr beaucoup écrit sur les moyens à prendre pour survivre à un renoncement forcé; les livres de nombreux philosophes et thérapeutes peuvent vous être d'un précieux secours.

Le travail du deuil: accepter la douleur du renoncement[7]

Toutes les personnes en deuil doivent d'abord et avant tout *accepter la douleur inhérente au renoncement*. Il n'y a rien de plus universel que l'affliction du désespoir. Chacun de nous doit tôt ou tard se résigner à une perte. La mort d'un parent ou le départ d'un conjoint nous rappellent tous deux le caractère transitoire de la vie. Tout passe ; rien ne demeure ; tous les êtres vivants ne sont que de passage. Au bout du compte, nous n'aurons d'autre choix que nous séparer puisque nous mourrons tous. L'acceptation de ces deuils inévitables est l'un des aspects les plus importants et les plus pénibles de l'existence[8]. N'oubliez pas que la souffrance du deuil est le propre de la nature humaine. Le véritable travail du deuil consiste à accepter cette souffrance.

Dans *Le Livre tibétain de la vie et de la mort*, Sogyal Rinpoche cite le Bouddha :

> *Ce qui est né mourra*
> *Ce qui a été rassemblé sera dispersé*
> *Ce qui a été amassé sera épuisé*
> *Ce qui a été édifié s'effondrera*
> *Ce qui a été élevé sera abaissé*
> *En réalité, seule la Présence, le « maintenant », nous appartient.*

Le fait d'admettre la nature transitoire de toute chose aide de nombreuses personnes à composer avec le renoncement[9]. Mais les réchappés de l'abandon doivent en outre tenir compte de leur blessure narcissique – une blessure invisible et auto-infligée.

Remédier à la blessure au soi La nature très personnelle du deuil – qui distingue des autres le deuil de l'abandon – vous incite fortement à entreprendre un processus de guérison. Elle vous motive à vivre et à aimer encore plus qu'auparavant, non pas en dépit du rejet que vous avez subi, mais à cause de lui. Le reste du présent chapitre a pour but de vous aider à *remédier à la blessure au soi* qui caractérise l'intériorisation.

★ ★ ★

Vous trouverez ci-après un inventaire des comportements associés au processus d'intériorisation de l'abandon, un petit guide qui vous aidera à en reconnaître les particularités et à en déjouer les pièges. À mesure que vous comprendrez de quelle façon l'abandon peut nuire au soi, vous intercepterez et vous réfuterez délibérément ses messages négatifs, évitant ainsi de les intérioriser.

L'inventaire de l'intériorisation

L'IDÉALISATION DE L'ABANDONNEUR

Les réchappés de l'abandon sont portés à idéaliser la personne qui les a abandonnés et, par voie de conséquence, à se déprécier. Cette tendance est souvent celle que la famille et les amis ont le plus de difficulté à admettre. Pour de nombreuses personnes, le conjoint perdu semble doté d'un immense pouvoir en raison de la souffrance que son départ a provoquée. Cette souffrance devient le moteur de votre peur et elle exerce sur vous une très grande emprise. Vous vous laissez facilement leurrer par elle, conférant ainsi à votre abandonneur une importance et un pouvoir supérieurs à ceux qu'il a réellement.

Soudain, Henri occupait le centre de ma vie, dit Barbara. Tout, absolument tout dépendait de son coup de fil. Voyez quel apaisement, quel plaisir il pourrait me donner – si seulement il revenait! Voyez tout le mal, toute la souffrance qu'il a causés en me quittant! Je me sentais vaincue. Il avait un tel pouvoir sur moi! Comment faire pour cesser quelque temps d'être à ce point subjuguée?

La rupture vous a temporairement abaissé à un rang subalterne. La force de l'absence de l'aimé vous ébahit, l'intensité de votre amour vous dépasse et vous écrase. Lorsqu'on est en position d'infériorité sur le plan affectif et qu'on est impuissant à remédier à cette situation, on est naturellement porté à établir une hiérarchie et à placer l'abandonneur au-dessus de soi, sur un piédestal.

Quelles sont les propriétés biologiques de l'autosubordination?

Les femmes souffrant du *syndrome prémenstruel* n'ignorent rien du rapport entre perturbations hormonales et piètre image de soi. Les scientifiques en savent maintenant beaucoup plus long sur le rôle de la sérotonine (un neurotransmetteur) dans l'image que l'on se fait de soi-même. Les antidépresseurs à base de sérotonine sont très utilisés pour traiter la dépression et le manque de confiance en soi, ainsi que d'autres formes de déséquilibre affectif [10].

Mais des recherches sur le cerveau montrent que la relation entre les hormones et l'humeur a parfois un rapport direct avec l'état dépressif typique des réchappés de l'abandon. Pour comprendre ce lien, penchons-nous sur l'univers social des babouins – nos ancêtres éloignés – que Robert Sapolsky a étudiés dans leur habitat naturel. Sapolsky affirme ceci: «Les babouins consacrent environ quatre heures de la journée à la recherche de nourriture. [...] Pendant les huit heures qui restent, ils ont les uns envers les autres des comportements abominables : rivalités sociales, attaques en bloc contre d'autres animaux, mâles dominants d'humeur massacrante qui frappent des singes plus petits qu'eux, babouins qui se moquent en cachette de leur victime – exactement comme nous[11]. »

Qu'est-ce que les babouins ont à voir avec le sentiment de défaite ? La position hiérarchique du babouin varie en fonction de son rôle dominant ou subordonné. La dominance du mâle repose sur des critères stricts : quel mâle évite systématiquement le regard d'un autre ; quel mâle est agressif sans craindre les représailles ; quel mâle s'approprie la nourriture (ou la femelle) convoitée – bref, comme le dit Sapolsky, « quel mâle donne des ulcères, et quel mâle en a ».

En examinant le taux d'hormones de stress de ses sujets, Sapolsky a constaté que les mâles dominants présentaient le taux le plus bas de glucocorticoïdes, tandis que les singes subordonnés – les souffre-douleur – présentaient les taux les plus élevés d'hormones de stress.

En temps normal, les hiérarchies demeurent stables, mais lorsque les babouins ont du chagrin – par exemple quand meurt un membre du clan ou qu'un lien important est rompu –, le taux d'hormones de stress du mâle dominant augmente presque du double et son comportement change du tout au tout : il cesse de dominer.

Il s'ensuit un chambardement de l'ordre hiérarchique. Les mâles, quel que soit leur rang, se livrent à toutes sortes de manigances pour grimper les échelons. Le taux d'hormones de stress augmente de façon dramatique chez les babouins contraints de se défendre contre les attaques de mâles *inférieurs*[12]. Le plus curieux est que le taux d'hormones de stress *n'augmente pas* chez les mâles qui tentent de devancer ceux qui sont *au-dessus* d'eux dans l'échelle sociale.

On suppose donc que la réaction des babouins au stress varie selon qu'ils s'efforcent d'obtenir quelque chose, par exemple un rang social supérieur, ou qu'ils essaient d'éviter de perdre quelque chose, par exemple leur position dans la hiérarchie.

Le rang hiérarchique du babouin équivaut grosso modo à la « place » qu'occupe l'être humain dans sa relation de couple, autrement dit, à son aptitude à s'y affirmer. L'aptitude à s'affirmer dépend essentiellement de la confiance en soi, et cette assurance dépend à son tour de la manière dont on jauge cette confiance en soi. La perte de l'être aimé entraîne une hausse des hormones de stress, reflétant ainsi sur le plan biochimique une expérience subjective, soit un manque temporaire d'aplomb. On se sent impuissant, subordonné à la personne qui nous a quitté et l'on cultive une piètre image de soi.

Les recherches de Sapolsky laissent entendre que notre meilleur remède contre le rejet et la défaite consiste non pas à adopter une attitude défensive, mais bien à lutter pour gagner des points ; non pas à nous accrocher au passé, mais bien à aller de l'avant.

Quels que soient les chambardements biochimiques auxquels vous êtes soumis, vous devez dominer cette situation redoutable. Si vous vous sentez vaincu parce que l'être aimé échappe à votre contrôle et que vous ne parvenez pas à le reconquérir, vous pouvez néanmoins contrôler vos propres actes et nourrir de nouvelles ambitions.

Pourquoi sommes-nous si portés à idéaliser l'être qui nous a quittés ? Pour beaucoup de gens, cette réaction a sa raison d'être. Elle leur permet de croire qu'ils ont perdu quelqu'un de si unique, de si spécial, de si extraordinaire qu'il leur sera impossible de survivre à son absence. Ils lui confèrent un statut et un pouvoir bien supérieurs à la réalité afin de justifier le tourment qui les déchire. Ils se persuadent que leur impuissance et leur dépendance viennent de ce qu'ils ont perdu un être irremplaçable qui leur était absolument indispensable.

Pour mettre fin à ces pensées autodestructrices, il peut être utile de vous rappeler que ce n'est qu'une *phase*, que vos émotions font naturellement partie du processus de guérison et que, si vous le voulez vraiment, vous trouverez un nouvel amour qui vous apportera autant sinon plus que ce que vous donnait l'être aimé absent. Vous trouverez une justification à votre perte.

La tendance de Barbara à idéaliser les autres faisait partie d'un schéma de comportement qui s'était dessiné dans son enfance.

J'ai toujours été portée à hisser les gens que j'aimais sur un piédestal, dit Barbara, et à me placer au-dessous d'eux. Je me suis dit qu'Henri était parti parce que je n'étais pas à la hauteur.

Résister au pouvoir qu'il exerçait sur moi n'a pas été facile. Je me répétais que j'étais beaucoup mieux sans lui. J'inventoriais ses défauts et j'énumérais mentalement mes propres qualités. Mais je ne parvenais pas à cesser de le juger irremplaçable.

J'ai fini par comprendre que c'était moi qui lui conférais un tel pouvoir. Par conséquent, de quel pouvoir s'agissait-il ? Du mien. Il a fallu que je triomphe du pouvoir d'Henri pour me le réapproprier. Si je peux le créer, il peut m'appartenir.

Suivez l'exemple de Barbara : laissez-vous emporter par l'énergie de l'intériorisation, par son mouvement vers l'intérieur jusqu'au siège de votre propre pouvoir. Quand vous vous surprenez à idéaliser l'être aimé absent, rappelez-vous que vous êtes fort, que vous survivez aux assauts contre votre soi. Faites l'inventaire de vos qualités afin de les idéaliser.

LA COLÈRE IMPUISSANTE

Nous examinerons plus en détail dans le prochain chapitre la réaction de rage, mais l'étape de l'intériorisation n'est pas exempt de colère. Cette colère particulière est celle du souffre-douleur : vous battez l'air de vos bras, vous attaquez votre oreiller, vous cassez de la vaisselle et des bibelots. De tels comportements montrent que vous êtes l'objet de votre propre rage, qui est l'expression de votre découragement. La douleur et le renoncement vous contrarient, et votre impuissance à remédier à la situation vous est insupportable.

Chaque soir, en pensant à Serge, dit Roberte, je tapais à grands coups de poing dans mon oreiller. Je tapais et tapais jusqu'à l'épuisement. C'était la seule chose qui apaisait mon mal. Je me sentais si méprisable, si impuissante, si insignifiante à ses yeux.

Les réchappés de l'abandon ont souvent du mal à dominer leur agressivité durant cette période, comme si l'enfant en eux avait pris le dessus. Parfois, vous pleurez à gros sanglots. À d'autres moments, vous explosez de rage – le plus souvent quand on s'y attend le moins ou envers des victimes innocentes.

Il se peut également que vous exigiez de vos proches des preuves d'affection irréalistes. Vous leur demandez de vous assurer les soins et l'amour qui vous manquent si terriblement. Vous exigez l'impossible.

Quelques semaines après le départ de Serge, j'ai passé la journée avec une amie très proche, dit Roberte. Je lui ai dit que ma vie était foutue. Elle m'a répondu que j'étais trop négative, trop pessimiste,

| L'idéalisation de l'abandonneur |
| La colère impuissante |
| L'isolement et la honte |
| L'auto-accusation |
| La crise identitaire |
| L'invisibilité |
| La poursuite du combat |

L'inventaire de l'intériorisation

que je ne devais pas perdre l'espoir. J'avais l'impression qu'elle refusait d'admettre mes sentiments. Ça lui était facile de fermer les yeux sur ma dévastation – ce n'était pas sa vie à elle qui s'écroulait. Mais est-ce que ça me donnait le droit de l'enguirlander à tue-tête devant tout le monde, au restaurant ? Mon amie a tenté de me calmer. « Je voulais seulement t'aider », m'a-t-elle dit. Mais elle n'a réussi qu'à me faire crier de plus belle. Sur le coup, j'étais absolument certaine d'avoir raison, mais avec le recul, je comprends que je m'en suis prise à elle parce que j'étais furieuse de me sentir aussi impuissante.

Il n'est pas rare qu'on se défoule sur les autres, sur son oreiller, sur soi-même, tout simplement parce qu'on n'a pas la force de se défouler sur notre amour perdu. On a peur de la tempête, on se laisse plus facilement intimider, on craint les réactions indésirables, on appréhende un autre rejet. On ne veut pas risquer d'être blessé et de souffrir encore. Au bout du compte, on craint de nuire à la possibilité – fût-elle minime – de reconquérir l'être aimé absent.

J'avais peur de me mettre en colère contre Henri parce que la perspective de perdre un seul atome de l'affection qu'il avait encore pour moi me terrifiait. Je quêtais des miettes d'approbation.

Vous souvenez-vous des babouins dont le niveau d'hormones de stress est *plus bas* quand ils se battent pour profiter d'une situation chaotique ? Songez à eux et efforcez-vous d'assumer un rôle actif plutôt que passif dans votre guérison. Évitez la soumission et sachez résister à l'envie de vous déprécier. Redressez-vous et faites valoir vos qualités.

L'ISOLEMENT ET LA HONTE

La *honte* – la honte d'avoir été rejeté – est au centre même de la blessure affective que nous inflige le départ de l'être aimé. La honte nous incite à ne pas verbaliser nos émotions. On peut surmonter le *deuil*, en atténuer les effets ou les décaler, le projeter hors de soi, le canaliser, le soigner par des médicaments, l'amoindrir. Mais la honte de l'abandon résiste à presque tous les remèdes[13].

Roberta dit : « J'allais où je voulais sans problème avant que Serge ne me quitte. Mais après, jamais je n'allais au concert toute seule, jamais je ne m'attablais seule dans un restaurant. J'étais trop humiliée. »

Nous avons presque tous connu ce raz-de-marée de honte quand quelqu'un nous a quittés, le terrible silence, l'isolement dévastateur. Ne vous laissez pas écraser par cette sensation. Au contraire, décrivez ce que vous ressentez, sortez vos émotions de leur isolement. La honte se dissipera plus facilement.

Au tout début, quand votre monde s'écroulait, vous étiez sous le choc, dévasté d'être seul. Pendant votre sevrage, la solitude vous pesait et intensifiait votre chagrin. Mais à l'étape de l'intériorisation, votre isolement vous prouve que vous êtes indigne d'amour. C'est durant cette période que la solitude se transforme en autodévalorisation. La honte couve dans l'isolement et vous inflige la blessure invisible de l'abandon.

La certitude que vous ne méritez pas d'être aimé est au cœur même de la honte. Cette certitude est potentiellement dangereuse. N'oubliez pas : ce n'est qu'une impression que ressentent presque tous les réchappés de l'abandon. Si imposante soit-elle, elle est une abstraction, non une réalité. Vous méritez d'être aimé. Nous le méritons tous.

L'AUTOACCUSATION

L'autoaccusation est l'un des principaux agents renforçateurs de la honte. Si costaude que soit leur estime d'eux-mêmes, la plupart des gens qui traversent cette phase ne peuvent pas s'empêcher de se poser la question suivante : qu'ai-je fait pour mériter cela ?

Le plus souvent, le doute de soi et les récriminations sont d'une efficacité telle qu'ils l'emportent sur les affirmations qui vous aident à tenir à flot votre estime de vous-même : « Ouais, je suis superbe ; ouais, je suis extraordinaire. Et je fais tout à la perfection. À quoi bon ? Qu'est-ce qui cloche pour que quelqu'un ait décidé de me laisser tomber ? Pourquoi ai-je hérité d'une telle solitude ? »

Quand nous sommes aux prises avec la mort d'un être cher, la remise en question de notre notion de la vie et de nous-mêmes est inhérente au processus du deuil[14]. Mais quand l'abandon est en cause, cette introspection se transforme parfois en un acerbe dialogue intérieur.

Quand Gabrielle m'a quitté, dit Étienne lors d'une séance de groupe, ma solitude ressemblait à une punition, comme si je m'étais rendu coupable de quelque chose. J'étais démoralisé au point où je voulais que le même sort échoie à tout mon entourage – comme ça, je n'aurais pas été le seul à s'être fait larguer. C'est une des raisons pour lesquelles je me trouve ici – pour ne pas avoir l'impression d'être le seul à avoir échoué.

Vraiment, je me sentais visé, comme si quelque chose clochait sérieusement. Pourquoi les autres réussissent-ils à prendre leur vie en main ? Pourquoi ont-ils encore une vie de couple et moi non ?

À l'étape de l'intériorisation, l'introspection peut devenir une obsession.

Je ne dormais plus, dit Roberte, à force de ruminer chaque mot, chaque geste qui me revenait en mémoire pour y trouver les motifs de ma rupture avec Serge. Je voulais être quelqu'un d'autre ; je voulais pouvoir repartir de zéro.

Pourquoi ces autoaccusations ? Si douloureuses et potentiellement destructrices soient-elles, elles ont leur raison d'être. Elles nous aident à dominer provisoirement la situation. Si nous nous jugeons responsables, cela signifie que nous pouvons transformer les circonstances qui ont conduit à la rupture. Il suffirait, pensons-nous, que nous nous corrigions de nos défauts pour que l'être aimé nous revienne. Et s'il ne revient pas, nous saurons au moins comment agir (ou ne pas agir) la prochaine fois.

Mais le fait d'assumer ainsi l'entière responsabilité de l'échec du couple peut déboucher sur d'autres formes d'autopunition. Quand vous cherchez en vous-même des *faiblesses* à corriger, vous risquez d'en conclure que vous avez des défauts *inhérents* totalement inacceptables. Méfiez-vous de cette idée nuisible, erronée et *temporaire* que vous inspire le deuil.

Beaucoup des émotions décrites précédemment appartiennent à l'enfant intérieur et non pas au soi adulte. Il faut faire comprendre au soi enfant que sa solitude est *temporaire*. Si vous voulez vraiment établir une nouvelle relation, vous le ferez. Votre isolement ne signifie pas que vous êtes indigne d'amour, mais simplement que vous vivez une phase transitoire de profonde croissance personnelle.

LA CRISE IDENTITAIRE

J'ai toujours vécu en couple, dit Barbara. Mais maintenant, qui suis-je ?

Une rupture incite souvent à se poser cette question. De nombreuses personnes ont l'impression d'avoir été marquées au fer rouge parce qu'on les a «plaquées». Elles se préoccupent de l'opinion des autres. Croit-on qu'elles sont tarées, qu'elles ont un gène défectueux qui les empêche de se faire aimer? Dans certains cas, elles craignent que leurs lacunes imaginaires ne soient perceptibles.

Je dois aller à un mariage, me dit Josiane à notre première rencontre, et je n'ai personne pour m'accompagner. On dirait que je suis affublée d'un panneau lumineux qui dit «Personne Ne Veut De Moi...» Tout le monde sait ce qui cloche avec moi et pourquoi je suis toujours toute seule. C'est évident pour tout le monde, sauf pour moi.

Cette inquiétude concernant le regard d'autrui peut varier en intensité, de l'embarras léger à la paranoïa.

Josiane a subi des rejets à répétition. À l'adolescence, elle croyait que les gens parlaient d'elle dans son dos. Même si, avec le temps, elle a fini par surmonter cette impression envahissante, il lui arrivait encore de la ressentir de temps en temps.
– Parfois, quand j'entendais des gens murmurer ou ricaner dans l'autobus ou dans un ascenseur, je pensais qu'ils se moquaient de moi. C'est parano, n'est-ce pas? Mais on m'avait si souvent laissé tomber, si souvent blessée que je m'étais persuadée d'avoir des défauts terribles et évidents qui poussaient les autres à me fuir.

L'INVISIBILITÉ

Curieusement, certains de mes clients disent aussi avoir l'impression d'être invisibles – sur le plan sexuel et romantique. C'est le cas de Roberte.

J'ai pensé au début que je mourrais si je n'avais pas de relations sexuelles avec quelqu'un, n'importe qui. J'aurais volontiers fait l'amour à un arbre. Ensuite, j'ai versé dans l'autre extrême. Je me sentais absolument asexuée. J'étais certaine de n'avoir aucun sex-appeal, aucun charme, aucun charisme, bref de n'avoir rien qui puisse attirer quelqu'un. Ma confiance sexuelle était en chute libre. On aurait dit qu'en me quittant Serge m'avait sexuellement disqualifiée.

Quand le conjoint décide de rompre, il n'est pas rare que l'on doute de notre aptitude à inspirer l'amour qui nous manque. L'enfant intérieur se plaint ainsi : «Personne ne m'aime parce que je ne vaux rien, parce que je ne suis pas assez spécial. »

Ces sentiments remontent peut-être à une époque où vous aviez du mal à obtenir de vos parents l'amour et l'attention dont vous aviez besoin. Il se peut que ces expériences vous aient marqué et qu'elles vous aient amené à douter profondément de votre aptitude à séduire et à garder l'amour et l'intérêt d'une autre personne. Vous êtes ainsi devenu vulnérable au rejet amoureux.

C'est ce qu'un psychanalyste appelle une «aptitude limitée au *travail de la conquête*[15] », au travail «nécessaire à la transformation d'un objet indifférent en un partenaire participant». Voilà une façon très impersonnelle de dire que vous n'êtes pas assez désirable pour gagner l'amour et la loyauté d'une autre personne.

Quand l'être aimé nous quitte, la certitude de cette «aptitude limitée» émerge, comme si la rupture avait entériné l'idée à laquelle s'accrochait le soi enfant, à savoir que l'on est indigne d'amour.

Vous devez absolument vous entourer d'amis affectueux qui vous aiment et vous soutiennent, et pratiquer des activités constructives et optimistes. Vous pourriez, par exemple, participer à un groupe d'entraide, vous adonner à un programme d'exercice ou consulter un thérapeute. Les ateliers de réadaptation de l'abandon peuvent vous apporter une rétroaction positive et toute l'aide dont vous avez besoin.

À cette étape du processus, vous n'êtes sans doute pas encore prêt à vous engager profondément dans une nouvelle relation. Mais si vous persévérez, vous constaterez bientôt que vous n'avez rien perdu de votre charme en tant que personne et en tant qu'être sexué. Peu importe que vous vous sentiez invisible et petit en ce moment, l'amour fera à nouveau partie de votre vie.

LA POURSUITE DU COMBAT

L'abandon que vous avez vécu vous a sans doute humilié et abattu, mais il n'a pas eu raison de vous.

Si les recherches de Sapolsky sur les babouins ne vous ont pas convaincu de vous défendre, arrêtez-vous un instant sur les expériences qu'ont réalisées Maier, Watkins et Fleshner sur des rats de laboratoire[16].

Selon ces chercheurs, lorsque des rats mâles partagent la même cage, l'un d'eux devient le mâle dominant – le mâle alpha. Lorsque l'expérimentateur introduit un nouveau rat dans le groupe, le mâle alpha attaque l'intrus. Celui-ci commence par se défendre mais adopte bientôt une attitude de défaite. Lorsque le mâle alpha remarque ces signes extérieurs de soumission, il cesse de considérer le nouveau venu comme une menace et il le laisse tranquille.

Ces chercheurs ont étudié les effets de l'attaque et de la défaite sur le système immunitaire du rat. Ils ont constaté que la production d'anticorps (les bonnes cellules immunitaires) dans le rat attaqué chutait radicalement au cours des semaines qui suivaient son supplice. En d'autres termes, son système immunitaire était affaibli.

Les chercheurs se sont aussi demandé si cette diminution des anticorps était une conséquence d'un assaut physique (morsures et bousculades) ou d'une défaite psychologique. Ils ont attentivement étudié un groupe de rats qui ne se soumettaient pas mais continuaient à se battre quand on leur confiait un rôle d'intrus. Les résultats de cette expérience ont été spectaculaires : les morsures et les mauvais traitements répétés n'affectaient nullement le niveau d'anticorps des rats plus audacieux.

Cette étude confirme ce que des professionnels de la santé ont constaté chez les humains : les personnes qui ne luttent pas en temps de crise, celles qui restent passives, sont plus susceptibles de développer un cancer ou un autre type d'affection[17].

Le message est on ne peut plus clair : vous *pouvez* et vous *devez* combattre vos idées dévalorisantes. Accordez-vous quelques instants de solitude pour vous pencher sur votre vie et pour surmonter ce renoncement forcé en étant positif.

Les problèmes non résolus de l'étape de l'intériorisation

Quand je me suis sans cesse remise en question après que mon conjoint de longue date m'eut quittée, de vieilles émotions liées à une période difficile et douloureuse de mon enfance ont fait surface. Tout avait commencé quand ma mère était enceinte de son troisième enfant. J'étais l'aînée et, à sept ans, je commençais à faire de l'embonpoint.

Quand est né mon petit frère, je me suis sans doute sentie reléguée à l'arrière-plan des affections de ma mère. J'ignore si ma prise de poids avait une origine physiologique ou génétique. Il se pourrait qu'une accumulation de glucocorticoïdes en ait été responsable (voir le chapitre trois). Est-ce que j'apaisais ma faim d'amour en mangeant trop de biscuits aux brisures de chocolat ? Je l'ignore, mais quelle qu'en soit la raison, quand mon petit frère a fêté son premier anniversaire, j'étais devenue une enfant extrêmement obèse.

Dans ma famille, une telle obésité n'était pas normale. Chacun était mince et beau comme une image de magazine, sauf moi. Je me sentais laide. Des années après, ma mère m'a avoué qu'elle avait elle aussi été grosse quand elle était petite. Elle avait eu terriblement honte d'elle-même et elle s'était sentie rejetée par les siens et par le monde entier. J'ai dû lui rappeler cruellement cette phase difficile de sa propre vie. Je me demande si c'est pour cette raison qu'elle me donnait l'impression de s'éloigner de moi.

Pour empirer les choses, ma bouche était trop petite pour mes dents adultes. Une canine, ne sachant où aller, poussa droit devant. Avec ma dent proéminente et mon double menton, j'avais envie de me cacher. Cherchant à me secourir, ma mère décida de me donner une permanente. Échec total. Mes cheveux tombèrent par poignées. Je n'avais plus sur le crâne que de petites touffes pathétiques et frisottées. J'étais certaine que mes cheveux ne repousseraient jamais, que je serais toujours hideuse, une éternelle pourriture sur toutes nos photos de famille, mais j'essayais d'agir comme si rien de cela ne me touchait. Je ne voulais surtout pas que les autres enfants voient combien leurs taquineries me blessaient.

L'été qui a précédé mon entrée en sixième année, j'ai surpris tout le monde en me mettant au régime. J'ai perdu tout mon poids excédentaire, mes cheveux ont repoussé et ma canine s'est redressée toute seule. Le premier jour d'école, j'étais belle et mince. Mon image de moi-même s'est améliorée petit à petit, mais ça n'a pas été facile. Tandis que j'apprenais à me prendre en main, je m'efforçais d'aider mes amis à s'estimer davantage. Une thérapeute des émotions venait de naître.

Mais en dépit de cette massive reconstruction passée et de celle d'aujourd'hui, mes vieux traumatismes d'obésité ont refait surface quand l'homme avec qui je vivais depuis vingt ans m'a quittée. Au fin fond de moi, je me détestais encore et cette haine n'attendait que l'occasion de se manifester. La rupture a été le fil-piège qui a tout déclenché.

Dans mon cas, dit Pauline, ce n'était pas une question d'apparence, mais une question de santé. Enfant, j'avais le cœur malade et je passais la moitié de mon temps à l'hôpital où je subissais toutes sortes d'interventions. Ensuite, ma convalescence s'éternisait pendant des mois. Par la fenêtre, je regardais jouer les autres enfants et je me demandais pourquoi il fallait que je sois malade.

Je me croyais marquée par le destin comme si les autres enfants étaient meilleurs que moi. J'étais timide et maladroite quand ils venaient me rendre visite. Je me disais que je n'étais ni aussi forte ni aussi en forme qu'eux et que, par conséquent, cela les rendait supérieurs.

Toutes sortes de deuils peuvent affecter l'estime de soi d'un enfant : un décès dans la famille, un divorce, devoir partager l'amour maternel avec un nouveau petit frère ou une nouvelle petite sœur, des ennuis de santé, l'effondrement d'une amitié ou d'un rêve. Dans chaque cas, l'enfant est humilié d'avoir été abandonné. Les enfants observent naturellement le monde de leur point de vue limité et égocentrique, si bien que chaque deuil est une atteinte à leur valeur personnelle. Leurs aptitudes intellectuelles, insuffisamment développées, ne leur permettent pas de distinguer une occurrence purement générale d'une occurrence où intervient un échec personnel. Ils sont portés à laisser chaque deuil les toucher personnellement. Ces déceptions, ces déconvenues et ces humiliations ont beau s'être produites quelques dizaines d'années auparavant, elles sont réactivées au moment du départ de l'être aimé.

LES SCÉNARIOS D'INTÉRIORISATION CHEZ L'ENFANT[18]

Quelles expériences de l'enfance contribuent à éroder l'estime de soi ? Les membres de mes groupes d'entraide mentionnent souvent des parents qui :

- les dépréciaient, les critiquaient, les rejetaient ;
- les enguirlandaient, leur disaient qu'ils étaient méchants, les ridiculisaient ou les humiliaient en public ;
- affichaient une préférence pour un frère ou une sœur ou les comparaient défavorablement à lui ou elle ;
- les punissaient en les privant de leur affection ;
- les rendaient responsables de leurs sautes d'humeur et de leurs frustrations ;
- faisaient d'eux la cause de tous les problèmes de la famille ;
- les tenaient pour irresponsables, paresseux, entêtés, égoïstes ou désorganisés ;

- s'inquiétaient d'eux au point de miner leur confiance en eux-mêmes ;
- les traitaient comme des bébés et refusaient de voir en eux des êtres adultes et indépendants ;
- ne leur confiaient aucune responsabilité (comme s'ils ne faisaient pas partie de la famille) ;
- leur confiaient trop de responsabilités – ils en faisaient leurs domestiques et ne leur accordaient aucune importance en tant qu'individus ;
- se disaient toujours déçus de leurs accomplissements ;
- mettaient trop d'espoir dans leurs aptitudes ;
- ne mettaient pas assez d'espoir dans leurs aptitudes ;
- faisaient d'eux la cible de leur colère.

Ou bien :

- vous éprouviez des difficultés dans vos études ;
- vous étiez victime de préjugés en raison de certains problèmes ou particularités physiques ;
- vous aviez du mal à vous faire des amis ;
- vous vous compariez défavorablement à un frère ou à une sœur surperformant ;
- votre frère ou votre sœur croyait avoir plus de droits que vous ;
- vous avez connu des expériences négatives avec certains de vos enseignants.

La bonne nouvelle ? Lorsque les insécurités nées de ces expériences font surface, vous êtes en mesure de faire appel à votre rationalité d'adulte pour les affronter. Le moment est venu pour vous de repenser l'opinion que vous vous êtes forgée de vous-même dans votre enfance et de dissiper ce doute de soi qui ne vous sert à rien.

Jusqu'ici, ces expériences ont profondément affecté vos choix et la qualité de vos relations. Mais ce n'est plus nécessaire.

L'intériorisation de Josiane

Josiane est célibataire et occupe un poste de comptable dans un cabinet juridique. Elle se décrit comme « la victime parfaite de la blessure invisible ». Josiane a fait cette déclaration lors de notre première rencontre. Elle réagissait à ma description de l'intériorisation de l'abandon, mais, à mesure qu'elle me racontait son histoire, je constatais que son doute de soi contrastait tout à fait avec sa spectaculaire beauté. Une très légère cicatrice marquait sa lèvre supérieure mais rehaussait d'autant son sourire éclatant.

– C'est l'histoire de ma vie... Je suis incapable de trouver quelqu'un. J'ai l'impression d'être invisible sur le plan de l'amour. La Femme invisible, c'est moi. Vous connaissez le roman L'Homme invisible, n'est-ce pas ? Eh bien, ça, c'est une autre forme d'abandon, l'abandon de tout un peuple. J'ignore lequel est le pire des deux. Je sais seulement ce qu'on ressent quand on est oubliée et ignorée.

Josiane était une femme très intelligente, très belle, très dynamique qui possédait apparemment une grande capacité d'amour. Pourtant, comme chez un grand nombre de réchappés de l'abandon, sa blessure invisible empêchait toute relation d'intimité.

Tandis qu'elle poursuivait son récit, les conséquences de son expérience sur sa vie présente me devinrent évidentes. Sa mère l'avait abandonnée à la naissance ; elle avait ensuite dû quitter l'hospice des enfants trouvés pour aller vivre dans une famille d'accueil, puis dans une autre famille d'accueil encore. Elle avait finalement été adoptée à l'âge de trois ans par des parents riches et cultivés. La cicatrice à sa lèvre supérieure avait été un cadeau de sa mère adoptive, qui était alcoolique.

– Mon père avait espéré que mon adoption inciterait ma mère à cesser de boire. Ça n'a pas aidé. Au contraire, elle s'est mise à me blâmer pour tous ses problèmes.

Quand Josiane a eu six ans, sa mère est devenue enceinte du bébé qu'elle voulait depuis quinze ans. Dès le départ, Jacques a été le centre d'attention, reléguant Josiane dans l'ombre maintenant qu'elle était de trop. C'était un garçon extrêmement ambitieux. Il est devenu urologue. L'alcoolisme de sa mère et le choc affectif qu'a ressenti Josiane quand elle s'est vue remplacée par son frère lui ont beaucoup nui dans ses études, si bien qu'elle a failli rater son entrée au collège. Elle y est restée deux ans avant de décrocher complètement pour accompagner un groupe de musiciens dans leur tournée californienne.

Quand elle est revenue à la maison, elle était couverte d'ecchymoses, témoins de ses mauvaises fréquentations et de ses excès. Elle avait une très forte dépendance à la cocaïne et à l'alcool et inspirait du dégoût à ses parents. Ils en avaient vu d'autres, mais cette fois, ils *lui ont coupé les vivres. Voilà qu'elle était à nouveau abandonnée, littéralement – trop vieille pour être une enfant trouvée, mais assez jeune pour se sentir atrocement seule.*

Heureusement, quand elle toucha le fond, celui-ci rebondit un peu et, comme un trempoline, il la poussa vers le haut. Elle décida d'adhérer à un programme des Douze Étapes. Quand je l'ai rencontrée, elle ne se droguait plus depuis dix ans et assistait toujours aux réunions. Elle avait terminé ses études collégiales, elle avait un emploi, et elle participait comme bénévole à un service téléphonique d'urgence-suicide. Les fins de semaine, elle était hôtesse dans un restaurant. Malgré un emploi du temps très lourd, elle trouvait le loisir d'avoir peur d'être seule au monde.

Elle n'avait jamais connu une relation amoureuse durable et désespérait d'en trouver une. «Il y a quelque chose en moi qui pousse les gens à constamment me rejeter.»

Le cas de Josiane est extrême; néanmoins, il montre bien comment les traumatismes de séparation peuvent endommager l'image de soi. Si elle est importante, la perte d'estime de soi peut faire obstacle à l'amour et à l'intimité. Quoi que Josiane ait fait pour reprendre confiance en elle, le souvenir de ses rejets passés érodait en secret son estime de soi. Cette invisible érosion est devenue le rempart qui empêchait Josiane de prendre conscience de ses dons. Elle pourrait vous empêcher, vous aussi, d'atteindre votre plein potentiel[19].

Rares sont les personnes qui vivent des traumatismes aussi graves que ceux de Josiane, mais la plupart gardent le souvenir d'incidents qui les ont amenées à douter d'elles-mêmes et qui les affectent encore aujourd'hui. La plupart des gens sont capables de reconnaître les signes d'un manque d'estime de soi en eux-mêmes et chez les autres. En voici quelques-uns :

- Vous avez de la difficulté à vous affirmer;
- Vous éprouvez un sentiment d'inhibition dans certaines situations;
- Vous êtes indécis;
- Vous manifestez un besoin exagéré d'approbation;
- Vous avez du mal à tolérer l'imperfection chez les autres et en vous;
- Vous avez l'impression d'être inapte et incompétent, de ne pas être à la hauteur;

- Vous vous laissez intimider par des personnes au moi plus affirmé ;
- Vous vous comparez aux autres, vous vous dites qu'ils possèdent ce que vous n'avez pas ;
- Vous êtes hypersensible à la critique ;
- Vous évitez toute forme de concurrence par crainte de l'échec ;
- Vous appréhendez de vous produire en public par crainte de vous rendre ridicule ;
- Vous avez peur du succès : vous ne voulez pas qu'on vous envie ;
- Vous laissez l'anxiété du rendement freiner votre avancement professionnel ;
- Vous ruminez le comportement que vous avez eu dans un contexte social stressant ;
- Vous vous inquiétez de l'opinion des autres ;
- Vous laissez vos insécurités nuire à vos relations ;
- Vous évitez de vous mettre en évidence, mais vous vous plaignez de ne pas être reconnu ;
- Vous éprouvez de la difficulté à exprimer ouvertement votre colère ou tout sentiment négatif ;
- Vous ne savez pas demander ce que vous voulez, surtout si cela affecte vos émotions ;
- Vous acceptez difficilement les compliments ;
- Vous aimeriez posséder un certain pouvoir et une certaine autorité, mais vous ne savez pas vous imposer ;
- Vous vous sentez petit, faible, vulnérable ;
- Vous vous dépréciez avant que les autres ne le fassent.

Certains d'entre nous ne connaissent que trop bien ces indices. On a beaucoup écrit sur eux, si bien que la plupart ne nécessitent aucune explication. Mais un symptôme manque à cette liste, un symptôme qui n'est que rarement associé au manque d'estime de soi alors qu'il en est la pierre angulaire : c'est le besoin de **gratification immédiate**[20].

Avez-vous du mal à observer un régime alimentaire ? Renoncez-vous à votre diète parce que vous ne pouvez pas résister à ce gâteau au chocolat ? Achetez-vous des articles que vous n'avez pas les moyens de vous offrir ? Buvez-vous un deuxième ou un troisième verre ou recherchez-vous toutes sortes d'autres solutions miracles dont vous savez pourtant qu'elles vous seront néfastes à long terme ?

Les personnes qui ont connu l'expérience de l'abandon dans leur enfance ont souvent de la difficulté à reporter à plus tard ce qui pourrait les gratifier. Cette tendance résulte en un sabotage intérieur qui freine leur aptitude à réaliser leurs ambitions, par exemple la certitude qu'avait Josiane de ne pouvoir imiter son frère en devenant médecin.

J'étais aussi douée que mon frère, mais je ne voulais pas m'as-treindre à de longues études ni être contrainte de vivre pendant tant d'années sans argent et en dormant à peine. Je me sentais déjà trop misérable, je ne m'aimais pas, j'avais besoin de quelque chose qui me remonte le moral – tout de suite. C'est pour cette raison que je suis partie pour la Californie. Le groupe de musiciens que j'ai suivis me traitaient comme une reine. En tout cas, au début.

Les personnes qui peuvent reporter à plus tard leur gratification ont en général une solide estime de soi. Comment l'ont-elles acquise ? Il se peut qu'elles aient été douées de naissance et que ces dons leur aient apporté quelques succès. Mais la plupart du temps, quelqu'un les en-courageait des coulisses et leur rappelait qu'elles avaient du talent. Leur famille renforçait leur confiance en soi et les persuadait qu'elles méri-taient de réussir et qu'elles en étaient capables.

Les personnes qui ont besoin de gratification immédiate et qui n'ont pas la patience d'atteindre des objectifs à long terme sont sou-vent aussi intelligentes et douées que les autres. Quand elles s'appli-quent et tirent parti de leurs dons, il leur arrive de réussir. Ce qui les différencie est que le doute de soi fait surgir en elles un sentiment d'urgence, une faim affective qui leur dit : « J'ai besoin de ma dose tout de suite. »

Pourquoi un tel besoin de gratification immédiate ? Et en quoi ce besoin est-il lié à l'estime de soi ?

Dans le chapitre trois, nous avons vu que de nombreux réchappés de l'abandon ont été confrontés dans leur enfance à l'inaccessibilité physique ou affective prolongée de leurs parents. Remémorez-vous ce sentiment de vide – ces moments où vous aviez besoin de quelque chose que vous ne pouviez pas obtenir, ces moments où vous atten-diez quelque chose qui n'arrivait jamais. Vous ne pouviez pas obliger vos parents à mieux s'occuper de vous. Que sont devenus vos senti-ments de frustration, votre faim d'amour ?

Il est fort probable que vous les ayez intériorisés.

Vous avez retourné ce manque contre vous-même. Vous étiez certain de ne pouvoir retenir l'attention de papa ou d'être à nouveau le chouchou de maman. Vous vous êtes cru indigne ou tout à fait incompétent. À mesure que vos besoins gagnaient en importance, vous leur avez trouvé des solutions temporaires, des remèdes faciles et immédiats : nourriture, télévision, masturbation, exercice physique compulsif – bref, n'importe quoi, pourvu que cela apaise votre trouble.

Certains enfants qui intériorisent leur besoin d'amour traînent ces frustrations jusque dans leur vie adulte. Leur besoin de gratification immédiate entrave alors leurs grands projets d'avenir. Ils se retrouvent prisonniers du bas de l'échelle et se blâment d'avoir échoué.

Si d'aucuns sont sous-performants, d'autres sont surperformants, toujours désireux de compenser les lacunes qu'ils sont fermement persuadés de posséder. Ils travaillent sans répit et refusent toute forme de récompense. Ces deux groupes – sous-performant et surperformant – sont engagés dans un cercle vicieux d'autodévalorisation qui est au centre de leurs comportements extrêmes.

Plusieurs tentent d'apaiser leur malaise par l'automédication. Ils se tournent vers les drogues ou prennent des habitudes visant à calmer le sentiment d'urgence qui les étreint et qui provient d'une accumulation toujours plus importante de besoins insatisfaits. Ils développent une dépendance à la nourriture, à l'alcool, à l'exercice, au travail, aux autres, bref à tout et à n'importe quoi qui puisse les apaiser, les engourdir ou les distraire de leur faim affective.

L'antidote à ces schémas de dépendance autorenforçants et aux relations de codépendance[21], c'est l'identification audacieuse de vos ambitions, la poursuite de vos rêves abandonnés, et la recherche d'une réelle plénitude affective. Le troisième exercice d'*akeru* a pour but de faciliter ce processus. Il vous aidera à vous ouvrir à de nouvelles perspectives, à prendre de meilleures décisions et à aller à la rencontre de votre potentiel véritable.

Troisième exercice d'*akeru* : la construction de votre maison de rêve

Dans ce troisième exercice, vous travaillerez *de concert* avec l'énergie de l'intériorisation en tirant parti de votre ressource la plus importante : votre imagination. Vous pouvez le pratiquer en tout temps – au volant de la voiture, en faisant du tapis roulant au gymnase – dès que vous disposez de quelques minutes pour vous concentrer.

Les deux premiers exercices d'*akeru* jetaient les bases de celui-ci. En *habitant le moment*, vous vous êtes servi de l'instant présent pour gérer votre souffrance et renforcer votre rapport au monde qui vous entourait. Le *dialogue quotidien* vous a permis d'entrer en contact avec vos émotions et vos besoins les plus fondamentaux. Vous avez appris à prendre soin de vous-même.

Ce troisième exercice, qui en est un de visualisation, vous fait faire un pas en avant. Il renforce et valorise votre nouvelle relation avec vous-même. Puisque l'intériorisation est une phase de focalisation intérieure, vous pouvez puiser à cette énergie pour vous reconstruire intérieurement et pour apporter des changements positifs à votre vie.

Grâce à la visualisation dirigée, vous concentrerez votre énergie sur vos ambitions, vos rêves, vos idéaux, créant ainsi le fondement de votre nouveau soi. Ce processus met en lumière un ensemble de principes que j'appelle les quatre pierres angulaires du soi.

Pendant la phase d'intériorisation décrite dans le présent chapitre, le traumatisme de la rupture peut éroder votre image de vous-même. Malheureusement, de nombreuses personnes tentent de lutter contre ce traumatisme en jouant selon les règles habituelles : elles opposent à une blessure narcissique un remède narcissique. Elles se disent *oui*, je suis important ; *oui*, je suis sexy ; *oui*, je vaux plus que lui ; *oui*, j'ai du succès. Ces affirmations mettent vos qualités en évidence, elles s'arrêtent à votre beauté ou à vos talents.

Mais les *quatre pierres angulaires du soi* ne s'appuient pas sur vos dons particuliers. Il ne s'agit pas d'énumérer vos qualités physiques, vos aptitudes ou vos réussites professionnelles. Les pierres angulaires sont plus fondamentales, elles correspondent aux aspects inhérents, universels de la nature humaine. Elles sont inaliénables. Rien ne peut les affaiblir, ni l'âge, ni l'invalidité, ni même l'abandon. Ces principes invincibles du soi, nul ne peut vous les arracher.

LES QUATRE PIERRES ANGULAIRES DU SOI

1. Reconnaissez, acceptez et enfin célébrez votre individualité. Chacun de nous est un être tout à fait individuel, que nous soyons en couple ou que cette relation ait récemment pris fin. Nous entrons seuls dans la vie, et c'est seuls que nous la quitterons.

2. Célébrez l'importance de votre existence. Vous n'êtes ni plus ni moins important que quiconque. Toute vie a sa valeur et il vous revient d'estimer et de respecter la vôtre. La vie de tout individu compte, quels que soient son âge, ses qualités ou ses capacités physiques. La vie est un don précieux et évanescent dont on doit jouir à chaque instant.

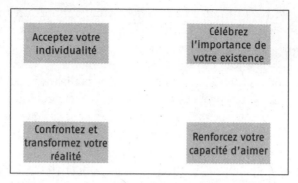

Les quatre pierres angulaires

3. Confrontez et transformez votre réalité. Peu importe que votre vie présente soit intolérable, elle est votre seule réalité. Ne perdez pas de vue qu'elle est en constante transformation et que vous en êtes le moteur. Vous n'avez sans doute pas choisi les défis que vous devez relever et vous n'êtes vraisemblablement pas responsable de tout ce qui cloche. Mais c'est à vous de remédier à la situation. Vous pouvez décider de la maudire ou vous pouvez décider d'en prendre votre parti. Vous êtes responsable de votre vie et de sa transformation [22].

4. Renforcez votre capacité d'aimer. Je crois que la plupart des gens font appel à un maigre cinq pour cent de leur capacité d'aimer. L'amour est l'un des plus grands pouvoirs de l'espèce humaine. On ne peut contrôler le sentiment amoureux d'un autre être, mais on peut accroître sa propre aptitude à donner et à recevoir de l'amour ainsi que tous les bienfaits qui viennent à sa suite.

LA CONSTRUCTION DE VOTRE MAISON DE RÊVE

L'exercice de ce chapitre est l'outil qui vous aidera à incorporer ces quatre principes dans votre raisonnement et dans vos convictions profondes. Il s'agit d'ériger votre maison de rêve en vous servant de votre imagination. Cette maison se fonde sur les *quatre pierres angulaires* dont nous venons de parler.

L'exercice ne prend que quelques minutes de votre temps. Ses résultats sont très rapides, mais il est difficile d'expliquer comment ou pourquoi il est efficace. Dans votre cheminement vers la guérison de l'abandon, il ne suffit pas de lire la description des pierres angulaires et de les comprendre intellectuellement, vous devez aussi les assimiler et être transformé par elles pour tirer le meilleur parti possible du processus d'intériorisation.

La visualisation vous aide à aller au-delà d'un apprentissage purement cognitif[23]. Combien de fumeurs connaissent par cœur la liste des effets néfastes du tabac sans pourtant être en mesure de s'en servir pour cesser de fumer ? La visualisation que je vous propose vous permet de passer outre au scepticisme et à la complaisance. En vous servant de votre imagination et en prenant le temps de contempler vos rêves, vous vous laisserez porter par l'énergie de l'intériorisation et vos pouvoirs visionnaires agiront sur vos plus lourdes insécurités.

Je suis incapable de parfaitement expliquer pourquoi cet exercice est aussi souverain, mais les preuves cliniques de son efficacité proviennent de plusieurs sources : mes clients, d'autres cliniciens, des réchappés de l'abandon et des professionnels œuvrant dans des domaines variés. Tous déclarent que ses résultats sont remarquables. Dans la maison de rêve que nous inventons, nous nous façonnons un nouveau soi capable d'orienter notre vie vers une toute nouvelle direction.

Mes clients montrent souvent de la résistance au début, car la visualisation les oblige à renoncer à leur logique et à leur besoin de comprendre. Par conséquent, ne vous préoccupez pas des rouages de l'exercice. Faites-en l'essai puis, à la lumière des changements qui affecteront votre façon de penser et d'agir, décidez si oui ou non vous voulez continuer à le pratiquer.

Vous n'aurez besoin d'être dirigé dans votre visualisation qu'une seule fois. Par la suite, vous serez capable de la susciter seul en quelques secondes. Certaines personnes trouvent utile d'enregistrer leur lecture des indications ci-après. Mais vous pouvez aussi demander à un ami de vous les lire pendant que, les yeux fermés, vous faites ce qu'il vous dit.

La construction du soi

D'abord, fermez les yeux et imaginez que vous disposez de ressources financières illimitées, que vous avez des milliards de dollars à la banque. Peut-être avez-vous gagné le gros lot à la loterie ? Vous ne pouvez pas ressusciter les morts ni contrôler les actes des personnes de votre entourage, mais si vous avez assez d'argent, vous pouvez faire des miracles.

Imaginez le contexte idéal d'une maison de rêve, *votre* maison de rêve. Imaginez que cette maison est si parfaite à tous points de vue que vous pourriez y vivre seul si nécessaire.

Quel climat préférez-vous ? Un pays où il neige en hiver ? Les tropiques ? Préférez-vous habiter au sommet d'une montagne ? Votre maison dominera-t-elle la mer, une rivière, un lac ou une vallée? La construirez-vous au cœur d'une forêt dense? dans une région agricole? en ville? Est-elle magnifiquement isolée ou y vivrez-vous au milieu des gens? Le quartier est-il plaisant? Votre royaume est-il un appartement avec vue imprenable ou une maison dans une collectivité organisée jouissant de tous les services? Est-ce voisin du lieu où vous habitez maintenant ou dans une autre province, voire un autre pays? (Arrêtez-vous et prenez le temps de visualiser cet endroit.)

Maintenant que vous avez choisi le lieu où vous construirez votre maison, imaginez la maison elle-même.

N'oubliez pas: vous roulez sur l'or. Si vous rêvez d'une maison petite et douillette, allez-y. Si ce qu'il vous faut, c'est un domaine luxueux, allez-y. Ce qu'il faut, c'est créer un endroit qui réponde parfaitement à vos désirs et où vous pourrez célébrer votre *individualité*. Avec Petit Soi, vous pourrez vivre en paix et heureux dans votre maison de rêve. Elle a tout ce qu'il faut pour satisfaire le soi adulte et le soi enfant. S'il faut des douves ou des grilles de fer pour que Petit Soi se sente en sécurité, incluez-les dans vos plans. Vous pouvez façonner et embellir votre propriété comme bon vous semble pour satisfaire tous vos caprices. Vous pouvez aménager son terrain à votre goût. Vous pouvez ériger une immense propriété avec chemin privé ou construire votre maison dans la rue principale de votre ville préférée. (Pause.)

Maintenant, imaginez l'intérieur de votre maison. Quelles sont ses dimensions? Où se trouve la cuisine? la salle de séjour? Avez-vous besoin d'une bibliothèque, d'un bureau, d'un observatoire? d'une terrasse, d'une véranda, d'une salle à manger? Et qu'en est-il des balcons, des puits de lumière, des escaliers, des recoins? Réfléchissez pendant quelques minutes à la qualité de votre milieu de vie dans cette maison de rêve.

Quelle est votre pièce préférée? Où passerez-vous le plus de temps? Imaginez-vous dans cette pièce. (Pause.)

Pour concevoir cette pièce, dites-vous qu'elle représente le cœur même de la maison et que toutes les autres pièces rayonnent autour d'elle. La cuisine est-elle votre pièce préférée? Êtes-vous assis à un comptoir devant la fenêtre, en train d'admirer le plus beau panorama du monde? Ou bien êtes-vous au salon, dans le plus merveilleux fauteuil qui soit, devant une immense cheminée de pierre? Vous prélassez-vous à l'extérieur, sur la terrasse? Choisissez votre coin favori dans votre pièce favorite et asseyez-vous-y. (Pause.)

Imaginez que vous êtes assis très confortablement. Que voyez-vous de l'endroit où vous êtes ? Visualisez un paysage sublime qui vous procure énormément de plaisir et qui vous dynamise totalement. Quand vous regardez ce panorama, vous reconnaissez *l'importance de votre propre vie*. Qu'est-ce qui attire autant votre attention ? Qu'est-ce qui vous émerveille ? Un ruisseau ? Une chute d'eau ? Une montagne ? Une forêt ? Une plage de sable fin ? Imaginez un paysage qui vous relie à la vie même et qui vous aide à habiter le moment. (Pause.)

À quoi ressemble votre pièce préférée ? Est-elle spacieuse et remplie de lumière ? Vous procure-t-elle une parfaite intimité ? Est-elle ouverte sur le reste de la maison ? Que renferme-t-elle ? Un vieux poêle en fonte ? Des tapis orientaux ? Un plancher de bois franc ? Un piano ? Imaginez le confort et le plaisir qu'elle vous procure. Cette pièce devrait être si parfaitement aménagée que vous pourriez y *accepter n'importe quelle réalité*, peu importe sa laideur, même celle à laquelle vous êtes confronté présentement. Qu'est-ce qui vous plaît tant dans cette pièce, et vous distrait de vos tristes pensées ? L'oiseau dehors, devant la fenêtre ? Un beau bouquet de fleurs ? Le bruit de l'océan ? Une photo particulière ? Une toile ? La pièce renferme ces objets et de la fenêtre la vue sur la nature est magnifique. Tout cela vous aide à accepter votre réalité, si difficile soit-elle. (Pause.)

Imaginez-vous dans deux ans. Quelle est votre vie dans votre maison de rêve ? À quelles activités importantes consacrez-vous du temps ? Avez-vous beaucoup de loisirs ? un nouveau travail passionnant ? Voyagez-vous ? Écrivez-vous ? Peignez-vous ? Faites-vous la cuisine ? Recevez-vous votre famille ? Étudiez-vous en vue d'un diplôme ? Vous lancez-vous dans une nouvelle carrière ? Laquelle ? Vous entraînez-vous pour une expédition d'escalade en montagne ? Vous reposez-vous ? Passez-vous beaucoup de temps à l'extérieur ? Rendez-vous visite à vos amis ? Imaginez que, dans votre nouvelle vie, vos activités vous procurent de grandes joies et d'immenses satisfactions. (Pause.)

Quels amis et quels membres de votre famille aimeriez-vous inviter dans votre univers ? Quelles nouvelles connaissances ? Y a-t-il des enfants avec vous ? Vivez-vous seul ? Partagez-vous votre maison avec d'autres personnes ? Où se trouvent leurs quartiers privés ? Quelles sont vos pièces communes ? (Pause.)

Imaginez que votre *capacité d'aimer* augmente chaque jour. Toutes les personnes de votre entourage reçoivent votre amour. Cet

amour leur réchauffe le cœur et vous unit à elles profondément.
Vous ressentez ce lien qui vous unit autant à des personnes loin-
taines qu'à celles qui se trouvent dans la pièce à côté. Votre nouvelle
générosité de cœur a pris forme parce que vous avez accepté votre
individualité. Parce que vous reconnaissez *l'importance* de votre
propre existence et que vous accueillez votre *réalité*, vous avez ren-
forcé votre capacité d'*aimer*. Où sont ces personnes ? Les entendez-
vous marcher à l'étage ? Entendez-vous une voiture arriver devant
votre porte à cet instant même ? (Pause.)

Maintenant, imaginez votre maison au grand complet, les gens qui
occupent l'arrière-plan, votre nouveau travail ou votre activité préférée
(ou votre farniente), le terrain qui entoure votre demeure, le climat.
Efforcez-vous de rassembler le plus de détails possible en une seule
image. Cette maison, c'est vous – l'être que vous êtes en train de
devenir. Son architecture et son décor représentent votre substance, vos
besoins physiques et affectifs, vos ambitions et vos rêves les plus profonds. Elle est la voie qu'emprunte votre nouvelle vie. (Pause.)

Pour tirer le maximum de cet exercice, faites-le souvent et régulièrement. Puisque vous n'avez pas à reconstruire chaque fois
votre maison, l'imaginer ne vous prendra que quelques secondes.
Il n'est pas nécessaire d'en énumérer les pierres angulaires, mais
faites en sorte que votre maison imaginée les comportera toutes.
Habiter cette maison devrait suffire à vous permettre de célébrer
votre individualité, l'importance de votre vie, votre aptitude à *accepter
la réalité* et votre *capacité d'aimer.* Il vous suffira de visualiser votre
maison pour renforcer ces principes, parce qu'ils ont été intégrés à
sa structure.

Je vous conseille de pratiquer cet exercice au moins trois fois par
jour pendant quelques secondes ou quelques minutes. Ce n'est pas
nécessaire de fermer les yeux. Vous pouvez revoir votre maison n'importe où, dans le train ou dans la file d'attente au bureau de poste.

Chaque fois que vous vous fixez de nouveaux objectifs, rénovez
votre maison de rêve en conséquence pour qu'elle soit toujours en
accord avec vos rêves et vos espoirs (ou en avance sur eux). La personne que vous êtes est en pleine croissance ; ses besoins évoluent.
Vous réajustez sans cesse vos ambitions. Vous pouvez donc décider
de transférer ailleurs la maison de vos rêves, de la rapetisser ou de
l'agrandir. Vous pouvez décider de démolir une pièce ou d'en ajouter
une. Vous pouvez changer de pièce préférée.

Vous devenez petit à petit un architecte virtuel, vous apprenez à résoudre des problèmes pratiques, par exemple où placer un placard ou un escalier. Plus la représentation de votre maison de rêve sera claire, plus elle vous sera profitable.

Tracez le plan de votre maison de rêve sur un papier. Beaucoup de mes clients gardent toujours ce plan à portée de la main. L'important est d'entrer dans votre maison de rêve au moins trois fois par jour.

Cette technique de visualisation fait appel à l'une de vos plus importantes ressources – votre imagination. Grâce à elle, vous devenez l'architecte ingénieur de votre propre vie. En tant que maître-concepteur, vous créez un espace intérieur correspondant à vos besoins, à vos ambitions et à vos désirs les plus importants. Cette maison représente votre vrai soi et vous procure en même temps un lieu où vous épanouir.

Quelle partie du cerveau est responsable de la conception, de la construction et de la résolution des problèmes que comporte cet exercice ? Je suis d'avis que la source de tous nos espoirs est responsable de cette visualisation. Cette source veut nous affranchir de nos insécurités et de notre besoin de plaire. Dans notre imagination, nous sommes libres d'accéder à un pouvoir intérieur beaucoup plus grand.

Où était donc caché ce soi depuis tant d'années ? Quand nous étions petits et que nous découvrions à peine l'usage de nos membres, nous osions nous aventurer loin de notre mère pour explorer notre petit monde. La visualisation d'une part naissante du soi renforce ce soi qui aspire à explorer le monde, à exercer son autonomie, à se libérer des contraintes de ses anciennes relations et à célébrer l'avenir[24].

L'intériorisation du rejet : un résumé

Pendant la phase d'intériorisation, nous sommes au cœur même du processus d'automutilation. Nous intériorisons nos sentiments de rejet et notre peur d'être seuls.

L'énergie de l'intériorisation est extrêmement puissante. C'est une force centripète qui attire les sentiments de rejet et d'abandon au plus profond de nous, là où nos certitudes prennent forme et où, en secret, nous nous jugeons ineptes et indignes d'amour.

Tout petits, quand nous nous sommes sentis abandonnés, nous étions moins capables de combattre nos insécurités et nos angoisses, nous étions moins souples sur le plan émotif et plus vulnérables. Nous avons intériorisé nos sentiments de rejet. Nous avons commencé à craindre la solitude.

Enfants, nous avons érigé des barrières improvisées. Nous nous sommes inventé des gardiens intérieurs qui empêchaient la peur et le mal de nous atteindre trop profondément.

À l'âge adulte, la perte de l'être aimé réveille ces gardiens intérieurs qui s'étaient efforcés tout ce temps d'empêcher la vie de pénétrer en nous. À nouveau, nous ressentons tout avec acuité, comme autrefois. Mais nous choisissons de ne plus douter de nous et de ne plus nous dévaloriser.

Le moment est venu pour nous d'intérioriser des émotions agréables, de célébrer l'importance de notre nature individuelle. Le parcours qui conduit à la guérison de l'abandon s'accompagne d'une vision qui nous permet de passer outre à nos gardiens et de nous reconstruire avec nos rêves, nos ambitions, notre acceptation et notre amour.

L'intériorisation nous fait entrer profondément en nousmêmes pour y affronter les démons du doute et de la peur. C'est le Gethsémani de l'âme, d'où nous revenons modestes, forts et visionnaires.

CHAPITRE CINQ

Quatrième étape : la rage

Qu'est-ce que la rage ?

La rage est une protestation contre la peur. Elle est notre moyen de défense, notre façon de refuser d'être victime de la personne qui nous quitte, l'instrument qui nous permet de renverser le rejet.

Les personnes qui connaissent la rage de l'abandon savent que leur plaie est tendre, enflammée et douloureuse en ce moment pivot du processus de guérison. Une douleur tenace nous agite tandis que nous luttons contre les toxines qui infectent notre blessure.

La plaie est à vif, les tissus en voie de cicatrisation sont fragiles. Si quelque chose ose l'effleurer, nous hurlons de colère. Nous sommes prêts à affronter la moindre menace, prêts à nous défendre contre les plus infimes critiques.

Les personnes de notre entourage ne se rendent pas parfaitement compte de la profondeur et de la gravité de cette blessure. Elles la frôlent, sans se douter de la souffrance que, ce faisant, elles nous infligent. Nous montons la garde, nous protégeons le soi en devenir.

L'enfant extérieur nous aide à nous défendre contre de nouvelles attaques. Il est cette partie de nous qui extériorise la peur et la rage de l'enfant intérieur. Il feint d'être notre allié et notre fantassin, mais en réalité il est notre portier. Il a pour mission de combattre le changement et d'empêcher nos émotions de survenir.

C'est lors de cette quatrième étape de l'abandon que les défenses risquent de se calcifier. On croit être redevenu fort, mais cette force apparente n'est rien d'autre que l'enfant extérieur qui s'enracine encore plus profondément.

La clé d'un rétablissement véritable réside dans le contrôle des impulsions de l'enfant extérieur. Apprenez à le reconnaître et vous pourrez ainsi commencer à démanteler vos réflexes malsains de défense. Jusqu'à présent, vous avez jeté les bases de votre guérison : l'enfant extérieur représente la prochaine étape de ce rétablissement. Vous devez transformer votre comportement.

On sait que la rage consume. Elle écume et bouillonne dans le noyau fluide du soi. Elle éveille aussi l'enfant extérieur, étale ses manigances au grand jour. Cette mise en évidence de l'enfant extérieur marque un point tournant du processus de guérison ; c'est le pont qui nous relie à une transformation durable.

La quatrième étape de l'abandon : la rage

LA RAGE DE ROBERTE

Roberte se souvient parfaitement du soir où son sentiment d'isolement a commencé à se muer en rage.

Elle se préparait à aller au concert. Elle n'avait pas mis les pieds dans une salle de concerts depuis qu'elle avait surpris Serge, le grand maestro lui-même, avec une autre femme. Elle regrettait de ne pas l'avoir frappé plus fort, de ne pas l'avoir carrément assommé à coups de sac à main et de ne pas lui avoir cassé le nez. À son avis, il s'en était tiré à trop peu de frais.

Mais cela remontait à six mois. Pourquoi l'idée d'aller au concert l'agitait-elle à ce point ? Elle avait bien appris le rôle que Serge lui avait imposé d'assumer et elle l'avait joué à la perfection pendant plusieurs années : assister à ses concerts, être témoin de son succès et le couvrir d'éloges. Comment avait-elle pu tolérer cela si longtemps ? Et voilà qu'elle se rendait une fois de plus au concert, mais, cette fois, dans un rôle de spectatrice anonyme.

En réalité, qu'avait-elle été d'autre que la spectatrice de la vie de Serge ? Il comptait sur elle pour nourrir son soi vorace et ne lui donnait certes rien en retour. Au contraire, il lui avait pris les quatre dernières années de sa vie, les plus belles, mais elle n'avait rien reçu en échange. Les six derniers mois depuis la rupture avaient été un enfer. Il était plus que temps pour elle de sortir de ce bourbier. Comment Serge avait-il pu bouleverser sa vie à ce point ?

Roberte s'adressait ainsi à son reflet dans la glace. Elle n'aurait vraiment pas dû accepter cette invitation, mais Jean avait un billet de surplus et, dans un moment de faiblesse, la part de Roberte qui aimait la musique lui avait suggéré de ne pas laisser ce billet se perdre. Songeant qu'il y avait trop longtemps qu'elle n'était pas allée au concert, elle avait accepté l'invitation de Jean. Mais, tout à coup, la pensée d'entrer dans une salle de concert lui pesait. Elle n'avait fréquenté personne depuis si longtemps. Bon, c'est vrai que ce n'était pas un vrai rendez-vous. Il ne s'agissait que de Jean, un ami, quelqu'un à qui parler après les groupes d'entraide. Jean ne ressemblait pas du tout à Serge. Non qu'il fût laid, mais il n'était absolument pas son genre – trop ordinaire... Il lui manquait ce... ce... cet indéfinissable je-ne-sais-quoi. Il ne devait surtout pas se faire des illusions. Non, elle ne lui avait pas transmis des signaux ambigus. Ils étaient des amis, un point c'est tout.

On frappe à la porte. «Des fleurs!» Elle a presque crié en les voyant. «Débarrasse-moi de ça.» Jean en reste bouche bée dans l'embrasure. Roberte lui arrache le bouquet des mains et le jette dans la corbeille à côté de la porte.

– Roberte..., dit Jean.

– Je ne suis pas prête pour ça, dit-elle, surprise de sa réaction de colère.

Elle n'avait pas prévu montrer à Jean cet aspect de sa personnalité. Elle essaie de se dominer.

– Je ne suis tout simplement pas d'humeur à cela. Tu devrais le savoir. Personne ne veut donc comprendre!

Elle se prend la tête à deux mains.

Dans la porte, Jean ne bouge pas.

– Oh... et puis, entre, fait-elle. Ne t'occupe pas de moi. J'ignore pourquoi je réagis de cette façon.

Mais ils savent tous les deux ce qui se passe. Elle lui a souvent, très souvent, parlé de Serge.

Jean tire de sa poche un mouchoir de papier qu'il tend à Roberte.

– Comment est mon mascara? demande-t-elle en se tapotant le visage tandis qu'elle s'efforce de retrouver son sang-froid.

– Tu es très jolie, dit Jean.

– Ce n'est pas ce que je voulais dire, répond-elle, furieuse. Est-ce que mon maquillage a coulé? Veux-tu que je me pointe au concert en ayant l'air d'une clocharde?

Il lui tend un autre mouchoir.

— *Roberte, si tu ne veux pas… rien ne nous oblige à y aller.*
— *Non. Allons-y, réplique-t-elle. Elle attrape son sac à main et claque la porte derrière eux.*

La quatrième étape de l'abandon, la rage, est la plus explosive. Le soir de sa sortie avec Jean, la colère de Roberte a débordé sur les lèvres de sa plaie. Roberte n'avait pas encore appris à la maîtriser. Il est évident que, dans son cas, la colère cache un grand chagrin et beaucoup de solitude. Roberte déchaîne sa colère sur quelqu'un d'autre, non pas sur *elle-même*, ce qui dénote un progrès certain par rapport à la colère de la victime, qui correspond à la phase d'intériorisation. La colère de Roberte en est une plus efficace, plus dynamisante que nous commençons à ressentir durant cette période. Dans le cas de Roberte, le passage d'un type de rage à l'autre n'est pas tout à fait complété. Elle n'a pas encore appris à la canaliser positivement, si bien qu'elle la déverse sur un tiers – Jean.

Il nous arrive parfois de parcourir les cinq étapes de l'abandon avec une telle rapidité que tout semble avoir lieu en même temps. Le processus peut durer quelques minutes à peine ou s'étirer sur plusieurs mois. Mais nous savons que nous en sommes à la phase de la rage quand celle-ci se laisse emporter par son propre élan.

La rage s'exprime par vagues d'émotions qui nous rendent irritables et nerveux. Parfois, c'est l'explosion. Il nous suffit d'égarer les clés de la voiture pour entrer dans une fureur aveugle. En fait, toute perte ou toute atteinte personnelle, réelle ou imaginée, peut provoquer une éruption de colère inattendue.

Après l'isolement du processus d'intériorisation, le fait qu'on puisse se mettre en colère est bon signe. Cela dénote une résistance active au mal. La rage nous dit que le soi assiégé, épuisé de s'auto-accuser, est prêt à se redresser et à se défendre. Puisque le soi n'est plus du tout disposé à porter tout le fardeau du blâme, cette colère doit chercher un autre exutoire. Elle prend d'abord la forme d'une protestation impuissante. On s'attaque à des objets inanimés tels qu'un oreiller, mais plus nos forces augmentent, plus la cible se précise. L'énergie de la colère nous aide à enfoncer les barrières de l'isolement. La rage veut absolument redresser l'injustice subie et restaurer l'estime de soi.

De nombreuses actions, typiques de ce revirement de situation, peuvent s'appliquer à la scène entre Roberte et Jean. La colère de Roberte lui permet de *renverser* le rejet subi et de *chasser* Serge de son piédestal. En se rendant à nouveau au concert, Roberte tente de *reconquérir* son territoire et de *renoncer* à son attachement douloureux. Elle est disposée à *ravoir* une vie sociale, même si cela lui est extrêmement pénible.

Il n'est pas toujours facile de diriger à l'extérieur de soi l'énergie qui préside à la rage. Au début, on procède à bâtons rompus. En dépit des remous qu'elle provoque, l'extériorisation de la rage ressentie est indispensable au processus de guérison. Par la rage, on réagit activement contre la blessure subie, on exige un changement. La rage nous aide à redevenir fonctionnel.

Je pensais sérieusement que j'étais devenue folle, dit Marie. Je ne savais plus si je voulais pleurer ou hurler. Tout était difficile. Au travail, je n'avais aucune patience. Quand des étudiants se comportent comme moi, les profs parlent de «faible tolérance à la frustration». Soudain, cette expression me convenait tout à fait. Les gens de mon entourage pensaient que mon cas s'était aggravé. Mais il se trouve que j'étais justement en train d'accepter que ma vie se transforme, et d'accepter aussi d'avoir beaucoup de travail devant moi pour me remettre en selle.

Dans sa forme la plus crue, la rage est de l'agressivité à l'état brut. Nous agissons sans réfléchir et nous nous croyons justifiés de le faire. La rage soutient un dialogue intérieur qui s'alimente lui-même et attise sa propre flamme. Elle est de l'*agressivité défensive* quand nous nous sentons attaqués personnellement et qu'elle sert à nous protéger. Elle est de l'*agressivité offensive* quand elle nous sert à exercer de sérieuses représailles.

La rage peut être tout ensemble destructrice et constructive[1]. Il vous revient de transformer son énergie en affirmation de soi – autrement dit, de vous prémunir à coup sûr contre la mésestime de soi.

Quand j'étais en proie à la colère, je n'osais pas croire que les émotions contradictoires et violentes que je ressentais puissent un jour déboucher sur la paix ou la sérénité. Mais j'avais pu constater chez les réchappés de l'abandon qui m'avaient consultée que cette énergie agressive avait sa raison d'être. Je savais que mon agitation était un appel de la vie qui tentait de me tirer de l'isolement auquel je m'étais astreinte. De toute évidence, mon soulagement approchait.

Le présent chapitre a pour but de vous accompagner au long des différentes formes que peut prendre la rage à cette étape-ci du processus de guérison. À la fin du chapitre, vous serez en mesure de reconnaître ses différentes fonctions et de canaliser son énergie à votre avantage. Plus tard, vous pourrez mieux identifier les particularités de votre enfant extérieur. Le fait de savoir nommer les comportements de ce dernier focalise votre attention sur les répercussions de vos renoncements passés. Le moment est venu pour vous d'aborder les affaires en suspens, de vous concentrer sur les raisons qui vous immobilisent à ce stade-ci de la rage, et de mettre fin aux schémas de comportements qui vous empêchent d'avancer.

La structure de la rage

Vous trouverez ci-après les émotions et les comportements caractéristiques du déroulement de la rage.

L'IMMINENCE DE L'EXPLOSION DE RAGE

Vous êtes irritable, rongé par des pensées mordantes, peut-être même êtes-vous sur le point d'exploser. Que se passe-t-il sous la surface des choses ?

Sur le plan psychobiologique, la *rage* est l'un des moyens de défense de l'organisme. Il choisit de *combattre* au lieu de *fuir* ou de *figer*.

Selon Daniel Goleman, qui décrit nos réponses émotionnelles dans son ouvrage intitulé *L'Intelligence émotionnelle*, la perception d'un danger déclenche la colère. Les menaces physiques tout autant que les atteintes probables à l'estime de soi ou à la dignité – par exemple, les injustices ou les marques d'impolitesse – peuvent déclencher la colère. Nous sommes particulièrement vulnérables à ce genre de menace quand l'être aimé nous a quittés.

Nous pouvons faire appel à la raison pour tempérer l'expression de cette colère, mais certaines situations présentent des défis particuliers[2]. N'oubliez pas que le cerveau émotionnel porte aussi le nom de cerveau mammalien. Dans les situations critiques, son penchant naturel est de nous forcer à réagir sans réfléchir. Imaginez un écureuil qui part en flèche pour échapper au caillou que lui lance un garçon avec sa fronde. Votre cerveau mammalien est programmé pour hésiter, s'élancer en courant, figer de peur ou exploser à la moindre menace. Compte tenu de la rupture récente, la plus petite atteinte au soi blessé risque d'être perçue comme un danger imminent.

L'amygdale joue un rôle charnière dans la rage. Elle est le système d'alarme du cerveau. En bon chien de garde, elle transmet les messages urgents à son maître, elle le prévient des dangers qui le menacent, et elle organise sa défense. Devant le risque d'un nouvel abandon, elle proclame l'état d'urgence affective et lance un appel au combat. Plus rapide que la pensée consciente, l'amygdale réagit par réflexe (selon les leçons émotionnelles qu'elle a retenues)[3].

Dolf Zillman explique que la colère donne lieu à deux vagues d'alerte[4]. Devant une menace imminente, l'amygdale demande la libération des hormones de stress qui provoquent une réaction immédiate et nous tiennent prêts à réagir à des dangers ultérieurs.

La première vague consiste en une montée d'adrénaline (ou une montée de catécholamine, c'est-à-dire une libération simultanée d'adrénaline et de noradrénaline [norépinéphrine]). Nous ressentons une poussée rapide d'énergie, suffisante, comme le dit Zillman, pour « un seul vigoureux plan d'action ». Selon les circonstances, cette première vague d'alerte se dissipe au bout de quelques minutes.

La seconde vague d'alerte provoque la libération de glucocorticoïdes qui produisent de l'énergie pendant plusieurs heures, voire plusieurs jours. Cela donne lieu à la création de ce que Goleman appelle « la tonalité de fond de l'état d'alerte ». Cette tonalité de fond devient « le support sur lequel d'autres réactions peuvent s'empiler très rapidement ». Goleman nous dit que « c'est pour cette raison que les gens sont beaucoup plus susceptibles de se mettre en colère s'ils ont déjà subi un irritant ou une provocation quelconques ».

L'imminence de l'explosion de rage
Le changement d'image
Le renversement du rejet
La libération des regrets
Le rejet de l'autorité de l'abandonneur
Le renversement de la perte
La malédiction de la réalité
Le ressentiment
La vengeance
La nouvelle résolution du deuil

La structure de la rage

Gabrielle me manquait, dit Étienne, et je n'étais pas très fier de moi. En plus, j'étais prêt à exploser à propos de tout et de rien. Un jour que j'avais téléphoné à ma sœur, elle ne m'a pas rappelé. J'ai supposé qu'elle était partie pour le week-end, mais je n'avais pas envie d'entendre ses explications. J'étais à bout de nerfs.

La blessure d'Étienne était toute fraîche et il était déjà dans un état de grande agitation – il était absolument prêt à agir. Étienne a reçu le silence de sa sœur comme une rebuffade. Aussitôt, une vague de colère s'est emparée de lui en même temps que le besoin psychologique irrépressible d'enguirlander sa sœur.

Finalement, ma sœur m'a appelé de sa voiture en revenant du nord. «Je voulais seulement savoir si tout va bien, a-t-elle dit; juste savoir comment tu te portes.» Malheureusement, j'avais déjà laissé un message très agressif sur son répondeur.

Pendant qu'on est occupé à autre chose, l'amygdale zélée scrute l'horizon de notre expérience pour y repérer des menaces affectives ayant des points communs, même minimes, avec nos vieux traumatismes. Ainsi que le dit Goleman, l'amygdale joue à une sorte de jeu-questionnaire neuronal de type *Name That Tune*[5]. Elle saute aux conclusions sur la base de deux ou trois notes à peine, se forge une opinion à partir de quelques minces indices. Dans les moments de grande agitation, quand le réglage de la tonalité de fond nous pousse à réagir, on peut éclater à la moindre provocation et s'en prendre à des «menaces» qui, plus tard, se révéleront anodines.

Je devais aller dîner avec ma meilleure amie le samedi soir, dit Barbara, mais elle a annulé pour pouvoir sortir avec son amoureux. J'étais si en colère qu'en quittant la maison au volant de ma voiture j'ai reculé et j'ai percuté un arbre. Ça m'a rendue encore plus furieuse, alors je suis sortie de l'auto et j'ai flanqué un coup de pied à la carrosserie. Bien entendu, je me suis blessée. Tous mes voisins me regardaient et j'imagine qu'ils se retenaient de rire. Je ne sais pas ce qui m'a pris. Mais je me suis fracturé un orteil et j'ai dû porter un plâtre.

Pourquoi un tel déclic de détente? Une trajectoire du cerveau permet la transmission des images et des sons directement à l'amygdale, en contournant le néocortex, soit la partie du cerveau où se forme la pensée consciente[6]. En d'autres termes, une milliseconde suffit au cerveau émotionnel pour réagir à un danger perçu, c'est-à-dire qu'il réagit bien avant que le néocortex n'ait eu le temps de recevoir et de traiter cette information sensorielle. Les yeux voient l'ennemi et l'amygdale déclenche une réaction de *combat*, de *torpeur*

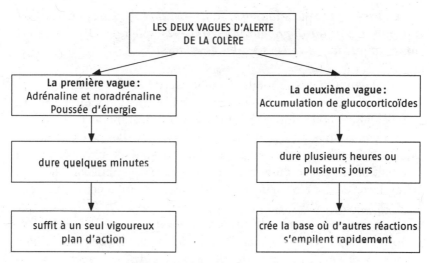

Les deux vagues d'alerte de la colère

ou de *fuite*, et ce, *bien avant* que le cerveau pensant n'ait eu le temps d'intervenir[7].

Le néocortex évalue une menace réelle ou imaginaire de façon beaucoup plus précise et délicate que le cerveau émotionnel, appelé aussi cerveau mammalien. Le néocortex est le siège de la raison. Les circuits cérébraux en direction et en provenance du néocortex sont plus complexes et possèdent beaucoup plus de cellules nerveuses que ceux de l'amygdale. Les circuits néocorticaux mettent environ deux fois plus de temps à traiter les données qu'ils reçoivent. Plus lents, ils sont néanmoins plus précis.

Quand le cerveau rationnel a compris qu'une menace perçue ne présente pas un danger réel, il annonce à l'amygdale que « tout va bien sur tous les fronts » et lui enjoint d'enfermer les chiens. Mais la seconde vague d'alerte s'est déjà enclenchée et a réglé la tonalité de fond en vue de l'état d'alerte.

Puisque cette tonalité de fond est subliminale, la plupart de ses effets échappent à la conscience. Vous ignorez parfois que vous êtes en état d'alerte. Quand quelque chose d'apparemment anodin vous irrite, il se peut que vous soyez le premier surpris de votre réaction exagérée.

Un jour, dit Marie, je me suis emportée contre mes étudiants. Ça ne m'arrive jamais en temps normal. Je n'ai rien vu venir, sinon j'aurais tué cela dans l'œuf. D'abord, j'ai éclaté ; ensuite seulement j'ai constaté que j'étais furieuse. Je ne m'en étais pas aperçue avant d'exploser. J'ai dû apprendre à surmonter ma rage. Il n'était pas question que je me venge sur mes étudiants.

Tout comme Marie, nous devons surveiller nos émotions, surtout en période de crise prolongée. Mais on peut retenir l'élan qui nous pousse à nous emporter contre des victimes innocentes.

La consommation d'alcool ne facilite pas les choses. Cette drogue liquide (éthanol) est un agent dépresseur du système nerveux central. Elle agit sur la partie du cerveau qui inhibe nos impulsions destructrices. La colère est plus difficile à contrôler sous l'influence de l'alcool.

Je suis allée boire un verre avec des amis un soir, dit Roberte, et l'un d'eux m'a dit: «Tu sembles aller beaucoup mieux, Roberte.» Eh bien, j'ignore pourquoi, ça m'a rendue furieuse. «Tu ne comprends rien!» ai-je lancé. «J'essaie de reprendre ma vie en main, et je vis un véritable enfer. Mais vous voulez croire que je vais mieux parce que vous en avez assez de me voir triste. Vous n'êtes pas intéressés à entendre parler de mon chagrin ou de le voir sur mon visage. Alors, je joue la comédie, voyez-vous? Je joue la comédie pour vous, pour vous contenter.»

À ce stade, la blessure de l'abandon est encore sensible. Quand la tonalité de fond a été réglée à la limite de sa capacité, des provocations toujours plus infimes suffisent à déclencher une réaction. Une atteinte qui comporte le moindre élément de rejet peut facilement devenir la goutte qui fait déborder le vase. Pris au dépourvu, on se surprend parfois à attaquer des victimes innocentes.

On refuse de vous céder le passage sur la route? Vous étranglez littéralement le volant (celui-ci se substitue au cou de l'autre conducteur)[8]. Votre seuil de tolérance est au plus bas. Pour l'amygdale, cet incident mineur est une forme de rejet. Puisque l'alcool exacerbe ce genre de situation, évitez à tout prix de prendre le volant quand vous en avez consommé.

LE CHANGEMENT D'IMAGE

L'état d'alerte crée parfois une énergie nerveuse qui incite à des gestes de toutes sortes, pas forcément agressifs ou querelleurs. Un grand nombre de mes clients extériorisent leur colère en transformant leur apparence.

Je me suis teint les cheveux, dit Marie. Le poivre et sel, c'était fini pour moi. Je suis redevenue brune. En fait, je ne me suis pas contentée du brun foncé qui est ma couleur naturelle, je suis allée jusqu'au noir profond. Quelques semaines plus tard, j'ai coupé mes cheveux très courts et j'ai acheté une paire de pendants d'oreilles tout à fait extravagants.

Lorsqu'ils vivent une période de transition importante, il n'est pas rare que les gens se livrent à des changements externes. Songeons, par exemple, aux femmes enceintes. Souvent, la femme enceinte redécore une pièce de la maison, voire la maison tout entière, en préparation au changement radical qui se produira bientôt dans sa vie. Un de mes collègues a été récemment promu au poste de directeur d'une unité de psychiatrie. Son salaire n'a pas beaucoup augmenté, mais il occupe maintenant un poste prestigieux qui atteste de ses connaissances professionnelles et de longues années de dévouement. Il a célébré sa victoire en achetant une voiture de luxe n'ayant qu'un lointain rapport avec la vieille picouille qu'il conduisait depuis que je le connais. Il était fier de lui et il voulait que cette fierté soit visible.

Ce besoin d'extériorisation de nos transformations intérieures est vieux comme le monde. Certaines personnes changent de coiffure ou renouvellent leur garde-robe. D'autres s'occupent de leur résidence ou choisissent de retrouver la forme. Ils ont beau sembler superficiels, ces changements reflètent une volonté d'agir et de mieux canaliser l'énergie de la rage.

Les changements effectués sont le plus souvent symboliques ; ils plantent le décor d'une transformation profonde et nous préparent, ainsi que notre entourage, à ce qui s'en vient. Notre image entièrement renouvelée dit au monde entier : « J'arrive. Préparez-vous. Laissez place à mon nouveau soi. »

De tels changements risquent fort de confondre vos amis et votre famille. Vous-même n'avez peut-être pas pleinement conscience des raisons derrière votre passion toute fraîche pour le maquillage ou le parachutisme. En bout de ligne, cela signifie que vous ressentez le besoin de prendre le dessus de la transformation qui vous a été imposée par le départ de l'être aimé.

J'ai décidé que, puisque l'abandon allait me transformer, dit Barbara, je ferais en sorte que cette transformation soit positive. J'ai pratiquement démoli le salon. N'oubliez pas que j'avais toujours le pied dans le plâtre. J'ai mis des bougies partout et aussi de vieilles photos de famille et même certaines des toiles que j'avais peintes avant de rencontrer Henri. Ensuite, j'ai invité tous mes amis et je leur ai servi de la fondue, un plat qu'Henri détestait.

LE RENVERSEMENT DU REJET

Un des premiers rôles de la rage est de vous aider à *renverser les effets du rejet.* Au lieu de vous mettre en colère contre vous-même, vous vous débarrassez de toutes les émotions nuisibles et de tous les messages négatifs. Au lieu de vous en vouloir et d'*intérioriser* vos doutes, vous *extériorisez* ces messages en les tournant vers *le dehors.* Aux yeux de certains, ce processus ressemble à une éruption volcanique. On ne peut refouler qu'un certain temps les souffrances et les blessures subies. Tôt ou tard, les messages négatifs qu'on a intériorisés doivent pouvoir s'extérioriser.

Je ne pouvais plus tolérer le moindre blâme, dit Étienne. J'en avais ras le bol et j'en avais assez de payer les pots cassés chaque fois que quelque chose clochait. J'ai décidé que Gabrielle assumerait dorénavant sa part de responsabilité dans notre rupture.

La colère montre qu'on est prêt à s'affirmer à nouveau. Bien entendu, il n'est pas nécessaire d'exploser comme un volcan chaque fois qu'on se fâche. On peut puiser à l'énergie de la rage pour réfléchir à nos anciennes certitudes et pour reconstruire notre estime de soi.

Ça ne peut pas toujours être de ma faute, poursuit Étienne. Ce n'est pas arrivé uniquement *parce que j'étais indigne d'amour. En fait, je trouve absolument injuste que Gabrielle m'ait chassé comme elle l'a fait. J'ai parfaitement le droit d'être furieux!*

LA LIBÉRATION DES REGRETS

Le truc? Concentrez dorénavant vos regrets sur les circonstances de la rupture et non pas sur les supposées insuffisances qui ont conduit à l'échec de votre couple.

Au début, je regrettais d'être moi, dit Marie; je regrettais d'être une femme que Laurent pouvait cesser d'aimer. Ensuite, je me suis mise à regretter de l'avoir connu et de l'avoir aimé. Nos longues années de bonheur familial ne me semblaient pas en valoir la peine quand je les comparais à la souffrance que m'infligeait son départ.

Le ton plaintif de Marie est perceptible, mais on constate aussi qu'elle commence à extérioriser sa rage. Les regrets ont la vie dure quand la fin d'une relation emporte avec elle tous nos espoirs et tous nos rêves. Mais quand vous renoncez aux hypothèses dévalorisantes que vous avez formulées à votre endroit, vous réparez aussi les effets nuisibles du manque d'assurance et des autoaccusations.

LE REJET DE L'AUTORITÉ DE L'ABANDONNEUR

Pour renverser les effets de l'abandon, vous pouvez aussi remettre en question la fiabilité de l'abandonneur. Il est temps pour vous de révoquer les pouvoirs que vous lui aviez conférés et d'examiner de près sa crédibilité.

De quel droit se permettait-il de juger si oui ou non j'étais désirable ? fit Barbara. Pas question pour moi de me dévaloriser parce qu'un quelconque individu m'a rejetée ! Même s'il s'agit d'Henri. En fait, Henri est stupide de m'avoir laissé tomber.

Certaines personnes ont du mal à passer de l'*idéalisation* de l'être aimé au *rejet* de son autorité. Il n'est guère facile de se regarder avec objectivité. Vous aviez si complètement subordonné votre confiance en vous à l'autorité de l'être aimé qu'il vous est difficile d'admettre que votre vie puisse avoir un sens en son absence. Vous devez donc maintenant déterminer et revoir vos a priori.

J'ai dû faire descendre ma femme du piédestal où je l'avais mise, avoue Richard, mais ça n'a pas été facile. J'avais si longtemps respecté son opinion. Mais j'ai fini par écouter mes amis. Ils ne cessaient de me répéter que le fait qu'elle m'ait chassé de sa vie ne signifiait absolument pas que j'avais fait quelque chose de terrible ou que j'étais taré.

Plusieurs de mes clients me disent qu'au moment de les quitter leur conjoint était devenu extrêmement critique et hostile. Celui-ci rejetait le blâme de la rupture sur la personne qu'il quittait afin de justifier son désir de rompre.

Gabrielle devait se sentir affreusement coupable de me quitter, dit Étienne. Elle m'a écrit une longue lettre où elle énumérait tout ce que j'avais fait pour qu'elle en soit venue à envisager la rupture, tout ce qui lui avait déplu, les côtés les plus horribles de ma personnalité qui l'avaient poussée à rompre.

Au début, je prenais tout cela à cœur; je croyais tout ce qu'elle disait et je m'en faisais le reproche. Mais je commence à comprendre que ses récriminations lui permettaient de se justifier de mettre fin à notre couple.

Le rejet de l'être aimé vous a beaucoup blessé, si bien qu'il vous est difficile de trouver la force de lutter contre autant de négativité. La pluie de critiques vous a affaibli et, par conséquent, il vous est plus difficile de chasser votre abandonneur de son piédestal. Si vous vous débattez avec un problème, demandez à des amis, à quelqu'un de la famille, à un thérapeute ou à un conseiller de vous aider. Ou encore, joignez-vous à un groupe d'entraide où vous pourrez exprimer librement vos émotions, recevoir des messages de rétroaction et résoudre vos difficultés. Vous pouvez aussi participer à des ateliers de rétablissement où vous trouverez un inestimable soutien.

Il m'a fallu pas mal de temps pour comprendre que j'étais furieuse, dit Marie. Mais j'en avais assez de souffrir et de toujours me sentir rejetée. Après avoir écouté les autres raconter leur histoire, quelque chose dans le comportement de Laurent m'est devenu évident : il était parfaitement égoïste et irresponsable. Comment avais-je pu être aveugle à son égocentrisme quand nous étions mariés? Je n'en sais rien. Je suppose que, dès le départ, je l'ai idéalisé.

Mais maintenant, je n'avais plus d'œillères. Puisque Laurent m'avait quittée sans presque s'expliquer, je pouvais croire qu'il n'avait aucun respect pour moi en tant que créature humaine. Comment pouvait-il me laisser toute seule avec les débris de notre vie de couple?

J'étais furieuse qu'il n'apporte aucune réponse à mes questions. S'il avait été tel que je me le représentais depuis toujours, il aurait au moins essayé de me prévenir, ou il m'aurait expliqué plus clairement la situation. Brusquement, tout devenait clair: Laurent était un goujat.

LE RENVERSEMENT DE LA PERTE

Je n'ai pas cru utile de m'emporter contre ma femme, dit Charles, même si c'est elle qui me quittait. Je pouvais comprendre qu'elle était fidèle à elle-même et qu'elle faisait ce qui lui semblait juste et nécessaire. Que je sois furieux n'y aurait rien changé.

Certains de mes amis me répétaient que je ne pourrais jamais guérir complètement si je ne me rendais pas compte que j'étais en colère contre elle. C'étaient eux qui lui en voulaient de ce qu'elle avait fait. Moi, j'étais dans ma propre bulle, furieux non pas contre ma femme, mais contre la vie. En fait, j'étais un ours qui rugit et qui écume de rage à la seule pensée des efforts qu'il me faudrait déployer pour refaire ma vie. Pourquoi me fâcher contre elle quand, au fond, c'était moi que cela concernait – ma souffrance, ma séparation d'avec ma famille, ma solitude ? C'est cela qui me mettait hors de moi: non pas qui avait eu tort ou qui avait fait quoi à qui, mais ce qu'il fallait que je fasse pour renverser la situation à mon avantage.

Charles n'est pas le seul réchappé de l'abandon capable d'étouffer sa rage parce qu'il préfère tout de suite recommencer sa vie, mais il ne fait pas partie de la majorité. La plupart ont besoin d'être furieux contre le conjoint qui part.

LA MALÉDICTION DE LA RÉALITÉ

Nombreux sont les réchappés de l'abandon qui peinent à faire des progrès parce qu'ils veulent à tout prix maudire la réalité qui leur a été imposée. *Maudire la réalité* est une forme de rage qui remet au lendemain votre acceptation de la situation.

J'ai tout essayé pour cesser de me nuire, en vain, dit Justin. J'étais prisonnier de ma colère. Je n'arrivais pas à me remettre de ce que ma femme m'avait fait.

L'importance de l'acceptation de la réalité a été traitée dans le chapitre quatre. Lors de la visualisation de la maison de vos rêves, en faisant l'exercice d'*akeru*, vous avez conçu une maison où vous pourriez imaginer votre vie d'une façon tout à fait nouvelle. *L'acceptation de la réalité* est une des pierres angulaires de cette vision.

L'aptitude à accepter et à assumer la réalité telle quelle est indispensable à la guérison de l'abandon et, pour beaucoup, c'est souvent le plus grand défi de tous. Certaines personnes font tout ce qu'elles peuvent pour ne pas voir des situations qui leur déplaisent ou dont elles ne veulent pas. Elles agissent comme si les nier suffisait à les faire disparaître. Nous connaissons tous des individus qui protestent sans relâche contre des situations sur lesquelles ils n'ont aucun contrôle, comme si leur indignation allait finir par gommer la réalité. Ils s'obstinent à se battre jusqu'à l'épuisement et même jusqu'à ce que leurs amis, jusque-là encourageants, se lassent de leur présence.

Accepter la réalité, c'est assumer une perte et le renoncement qui accompagne cette perte. *Maudire la réalité,* c'est essayer en vain de contourner le deuil. À long terme, cette stratégie est vouée à l'échec. Un jour vient inévitablement où l'on doit faire le point de la situation et pleurer sur ce qu'on a perdu.

L'abandon nous amène effectivement à une importante croisée des chemins. On peut choisir de contester ce qui nous déplaît ou décider de voir la réalité en face. Les circonstances qu'on est forcé d'assumer aujourd'hui ne dureront pas. La réalité est en constante mutation. Mais c'est à nous d'en prendre la responsabilité et de la faire évoluer.

Ma souffrance et ma colère m'empoisonnaient la vie. Mais un beau jour, j'ai dit: «Rends-toi à l'évidence, Marie: ce que tu désires le plus manque à ta vie. Laurent n'est plus là. Ça fait mal. Regarde les choses en face, accepte ta situation et va de l'avant.» Certes, ce n'était pas un début très jojo, mais c'était un début.

L'acteur Christopher Reeve, que le rôle de Superman a rendu célèbre, a été exemplaire des êtres qui ont assumé un renoncement avec un courage remarquable. Son deuil fut particulier: Christopher Reeve a perdu ses capacités physiques quand une chute de cheval a provoqué une lésion de la moelle épinière. Aujourd'hui, il est considéré comme un modèle non seulement pour les milliers de personnes handicapées par une lésion médullaire, mais pour nous tous.

Pour Christopher Reeve, le *blâme* était sans intérêt. Il aurait pu se tourmenter s'il l'avait voulu, il aurait pu inlassablement ressasser l'erreur que lui ou son cheval a commise. Mais il a su accepter une transformation radicale de sa vie, accepter de devoir relever des défis aux antipodes de ceux qu'il affrontait avant son accident. Il était exclu qu'il dilapide son énergie à *maudire la réalité.* Se battre contre ce qu'il ne pouvait pas changer était futile; il a été forcé de l'admettre et il a choisi d'investir ses efforts dans ce qui n'échappait pas à son contrôle. Comme un grand nombre de réchappés de l'abandon, il a dû accepter de ne plus pouvoir vivre comme avant, accepter un destin dont il ne voulait pas, et accepter de ne pas avoir le choix. Personne d'autre que lui ne pouvait décider de tirer le meilleur parti possible de sa situation. Il aurait pu choisir le désespoir, il a choisi la vie.

Lutter contre les circonstances, résister à la souffrance et au deuil, voilà qui nous fait traverser des moments extrêmement pénibles. Les choses s'améliorent quand nous parvenons à faire face aux circonstances et à comprendre ce que nous pouvons faire pour améliorer notre sort. Après quoi nous pouvons faire en sorte un jour à la fois d'avoir une vie la plus remplie et la plus réussie possible.

Christopher Reeve fut la preuve vivante qu'il est possible non seulement d'accepter un destin difficile, mais aussi de s'en réjouir. Ce faisant, on se hisse à un niveau supérieur d'humanité – ce que rend l'expression latine *amor fati*, qui signifie littéralement «aimer son destin[9]». Une formule similaire nous vient des programmes de Douze Étapes: *Il faut vouloir ce que l'on a*. Pour franchir l'immense gouffre psychique qui se creuse entre maudire la réalité et *amor fati*, la dure besogne de l'acceptation est indispensable. Lâchez prise. Sachez voir dans votre expérience de l'abandon une occasion de croissance personnelle.

Contrairement à Christopher Reeve, les réchappés de l'abandon ne confient pas publiquement leurs blessures à de fervents admirateurs. Nous ne parlons qu'avec nos proches et nos amis intimes de nos désirs, du rejet subi et de notre manque de confiance en soi, et il arrive aussi que nous n'en parlions à personne. À vrai dire, une blessure physique et une blessure psychique d'abandon suscitent des réactions sociales bien différentes. Mais les personnes abandonnées partagent quand même certains points communs avec Christopher Reeve: elles n'ont pas choisi le malheur qui leur est dévolu ni son bagage de chagrin, de bouleversements et de défis. Comme dans le cas de Christopher Reeve, une occasion leur est offerte de rediriger leur énergie et d'accroître leur capacité de vivre et d'aimer.

LE RESSENTIMENT

Le ressentiment est une colère de faible intensité qui bouillonne sous la surface. Même si l'on commence à dominer les phases aiguës de la rage, on nourrit quelque ressentiment. Chaque jour, il faut composer avec les conséquences et les petites iniquités de la rupture, par exemple le fait d'être obligé de sortir les sacs d'épicerie de la voiture sans l'aide de personne, ou le fait d'aller seul au cinéma.

Le ressentiment que vous éprouvez dépend des circonstances. Cela vous ennuie d'avoir à expliquer l'absence de votre conjoint chaque fois que vous croisez une personne de votre connaissance. Cela vous ennuie quand des amis planifient pour vous des rendez-vous surprises ou quand ils vantent les bienfaits des agences de rencontres. Et puis, il y a toutes ces petites corvées que vous n'êtes plus deux à partager : sortir les ordures ménagères, faire la lessive, sans parler du loyer que vous devez maintenant assumer seul. Les samedis soir de solitude ou les longs week-ends qui s'annoncent et que vous ne savez trop comment occuper, cela aussi nourrit votre ressentiment. Et que dire du ressentiment cuisant de certaines personnes quand elles aperçoivent l'être qui les a quittées en compagnie d'un nouvel amour ?

Du ressentiment, dites-vous ? fait Marguerite. Voilà que je me retrouve avec deux enfants, un salaire minable et un avocat qui réclame un versement immédiat de 5000 $. Je suis aussi invitée au mariage de ma cousine, je n'ai pas d'argent pour m'acheter une robe et personne pour m'accompagner. Combien de ressentiment suis-je censée éprouver avant d'éclater en mille morceaux ?

Le ressentiment est un élément naturel et inévitable du parcours de l'abandon, mais on peut puiser à son énergie pour améliorer la situation. Le défi consiste à transformer le ressentiment en agressivité constructive par la pratique d'activités enrichissantes et agréables.

Mon ressentiment était si intense que même mes enfants suffisaient à le provoquer, dit Barbara. J'avais plus que jamais besoin d'eux depuis que j'étais si seule. Mais le soir, quand je rentrais de mon nouveau travail à plein temps, le fait de devoir m'occuper d'eux toute seule dépassait mes forces.

Il fallait que je trouve une solution. Je ne voulais pas que le ressentiment finisse par avoir raison de moi. Il fallait que j'apporte des changements à ma vie. En premier lieu, j'ai inscrit mes enfants à des activités de fin de semaine au centre communautaire pour pouvoir moi-même fréquenter le gymnase. Ç'a plutôt bien marché, puisque j'y ai rencontré quelqu'un qui m'a invitée à me joindre à un groupe d'entraide pour personnes abandonnées.

Petit à petit, mon ressentiment s'est apaisé. Mais il a fallu que je sorte de ma coquille pour me construire une nouvelle vie. Il a fallu que je remplace chaque aspect négatif de ma vie par quelque chose de positif.

LA VENGEANCE

Certaines personnes vivent leur ressentiment en exerçant mentalement des représailles contre l'être aimé absent. D'autres *passent à l'acte*. En cas de divorce, il peut arriver qu'un conjoint réplique en imposant des contraintes financières à l'autre partie ou en privant celle-ci de son droit de visite. De tels gestes punitifs, entre autres, ont pour but d'infliger à l'autre une souffrance équivalente à celle que l'on éprouve.

Les fantasmes de vengeance et les actes de représailles atténuent le sentiment de victimisation et donnent l'impression d'être quelqu'un qu'on a tout intérêt à prendre au sérieux. Cette quête de vengeance est une réaction de défense compréhensible et très répandue, mais elle conduit au gaspillage d'une importante réserve d'énergie.

Au début, quand Charlotte a décidé de me mettre à la porte, dit Justin, tout ce que j'ai pu faire, ç'a été de m'emporter. Dans le temps, je ne savais pas ressentir autre chose que de la colère. J'étais enragé. Et je ne savais pas quoi faire de cette rage à part la déverser sur ma femme. Je ne m'arrêtais que si Charlotte se mettait à faire de l'urticaire. Quand je n'essayais pas de me venger, je buvais comme un trou. Inutile de dire que je ne me contrôlais plus. C'est même allé au point où j'ai eu envie de la frapper. Un soir, elle a appelé la police et elle s'est débrouillée pour me faire enfermer. J'ai passé la fin de semaine en tôle. Cette fois-là, c'est moi qui ai fait de l'urticaire.

On regrette souvent les gestes que l'on fait sous l'effet de la colère, c'est le moins qu'on puisse dire. Quand le cerveau émotionnel croit être en danger, il nous pousse aussitôt à nous défendre, parfois en attaquant. Mais dans nos sociétés modernes, l'agression est rarement justifiée. Sur le coup, vous croyez avoir raison d'agir ainsi, mais dans 99 pour 100 des cas, vous regretterez votre geste.

D'après Goleman: «Contrairement à la tristesse, la rage dynamise et peut même exalter. C'est la plus séduisante des émotions négatives. Le monologue intérieur arrogant qui est sa force de propulsion comble l'esprit d'arguments extrêmement convaincants pour justifier un violent accès de colère[10].» Quand une personne aimée nous quitte, notre rage se nourrit à une blessure intime profonde. On nous a trahi, exilé malgré nous de notre relation de couple. Les preuves qu'on accumule contre l'abandonneur servent à justifier presque tous nos gestes de représailles.

Ces idées relèvent du néocortex – siège de la pensée consciente – que des voies nerveuses relient à l'amygdale. Quand les griefs s'empilent les uns sur les autres, des ondes de choc parcourent ces voies nerveuses et déclenchent l'état d'alerte du cerveau émotionnel. Ainsi, bien que le cerveau rationnel puisse calmer les réactions que suscite l'amygdale, un ressentiment croissant attise les braises de nos émotions.

Quand je voyais mes enfants en fin de semaine, poursuit Justin, je passais mon temps à reprocher à leur mère tout ce qu'elle avait fait ou dit. Évidemment, ils pleuraient. Et ça me poussait encore plus que jamais à vouloir les amener à prendre pour moi. J'ai même décidé de me battre pour avoir leur garde. Quand j'ai eu dépensé 7000 $ en frais d'avocat, mes enfants ont dit au juge qu'ils regrettaient de me faire de la peine, mais qu'ils préféraient habiter chez leur mère.

J'ai sérieusement voulu lui faire payer ça – comme si elle en était responsable. J'ai tapé dans le mur à coups de poing et j'ai cassé des trucs. Inutile de dire que j'étais si bouleversé que j'ai perdu des tas de clients. J'étais toujours trop furieux ou bien j'avais trop bu la veille pour assurer le suivi de mes dossiers.

J'ai touché le fond quand j'ai su que Charlotte avait trouvé quelqu'un d'autre. J'avais déjà congédié trois thérapeutes parce qu'ils m'avaient conseillé de ne pas intervenir et de la laisser tranquille. Laisser Charlotte tranquille ! Je me disais qu'elle m'appartenait, qu'elle était ma propriété, qu'elle n'avait pas le droit d'agir ainsi. Tout ce que je voulais, c'était gagner, me venger, lui faire payer ma souffrance et ma solitude.

Il n'y a pas que les actes de représailles qui puissent renverser le rejet. Ainsi que Justin l'a découvert plus tard, il existe des solutions de rechange plus favorables à la croissance personnelle. Quand on apprend à canaliser son énergie, la rage pousse à agir de façon positive. Mais cette intention louable n'est guère facile à discerner si l'on soumet sa rage à la volonté de l'enfant extérieur. L'enfant extérieur représente des schémas de comportement profondément enracinés. Il se manifeste quand on passe aux actes ou qu'on perd le contrôle de ses émotions.

Il a fallu que je me rende compte des effets que ma colère contre Charlotte avait sur moi, poursuit Justin, avant de pouvoir y mettre un terme. Pour cela, j'ai dû beaucoup dialoguer avec moi-même, me transformer du tout au tout. Je dois avoir une volonté de fer, car je ne touche plus du tout à l'alcool. Ma rencontre avec Étienne m'a porté chance. Je l'ai accompagné à deux ou trois séances, et c'est comme ça que j'ai commencé à participer au groupe. Je suis en voie de compléter une entreprise de reconstruction majeure.

Heureusement, une fois réorientée, la rage nous procure toute l'énergie nécessaire au travail de réadaptation. Elle montre qu'on a décidé de se défendre au lieu de *fuir* ou de *figer* sur place. Cette énergie peut nous servir à reprendre notre vie en main. Tirez parti de ce surcroît de dynamisme, de concentration et de capacité sensorielle pour relever le défi qui consiste à vous construire une nouvelle vie. La rage, qui pousse à l'action, peut pousser à une action *proactive*.

LA NOUVELLE RÉSOLUTION DU DEUIL

L'un des problèmes les plus difficiles à résoudre pour de nombreux réchappés de l'abandon est la résolution du deuil. Souvent, cette résolution est insuffisante et les laisse aux prises avec d'obsédantes questions qui n'ont pas trouvé de réponses. À force d'essayer de savoir ce qui n'a pas marché, ils encouragent un insidieux processus d'automutilation. Il n'est pas nécessaire de rester dans un état de mort apparente pendant qu'on lutte pour recoller les morceaux cassés du passé. Maintenant que la rage a atteint son paroxysme, il est temps de se reprendre en main.

Vous devez récrire l'histoire de votre rupture selon votre point de vue, avec plus de courage, plus de sagesse et plus d'objectivité. Au lieu d'être la personne qu'on a quittée, *c'est vous*, maintenant, qui décidez comment prendra fin votre couple en fonction de vos propres émotions. Vous n'êtes plus une victime. Mettez votre énergie sauvage au travail et créez votre propre dénouement.

La plupart des réchappés de l'abandon commencent par imaginer deux ou trois scénarios différents. Ils s'entraînent à mener avec le conjoint perdu des conversations où il leur est possible de formuler ce qu'ils ne sont jamais parvenus à lui dire. Ces simili-dialogues vous aident à comprendre les aspects de la relation qui vous avaient échappé et les détails qui vous permettent de passer à autre chose.

Mettez ces scénarios en scène de la façon qui vous convient le mieux: vous pouvez parler tout seul, écrire des lettres à votre amour perdu, soumettre à un ami, à un thérapeute ou à un parrain les idées que vous souhaitez formuler. L'important est d'aborder tous les points qui vous permettront d'accepter sereinement l'éclatement de votre couple. Si nécessaire, mettez sur pied un contre-rejet et chassez de votre vie votre amour perdu dans une conversation imaginaire. Certaines personnes en viennent ainsi à pardonner à leur abandonneur[11]. En répétant une conversation qu'ils finissent par avoir pour vrai, de nombreux réchappés de l'abandon se sentent plus aptes à prendre des décisions qui servent leurs véritables intérêts.

Vous pourriez juger utile de créer le contexte de cette résolution du deuil. Certains de mes clients expédient à l'amour perdu une lettre soigneusement rédigée. D'autres ont une rencontre avec leur ex-conjoint, avec ou sans l'appui d'un tiers, par exemple un thérapeute ou un avocat.

Ma rage contre Laurent se transformait en propos fielleux et en crise de larmes chaque fois que je m'asseyais avec lui pour décider du partage de nos biens, dit Marie. Mais un jour, j'ai décidé de lui dire calmement ce que je pensais et ce que je ressentais. Qu'il m'écoute ou qu'il se moque de moi n'avait plus aucune importance. L'important pour moi, c'était de pouvoir lui décrire comment je vivais son départ et pourquoi ma souffrance était si grande. Je lui ai dit exactement ce que je pensais de lui depuis qu'il m'avait imposé ça. C'est ainsi que j'ai commencé à lâcher prise.

Comme l'a découvert Marie, exprimer au conjoint perdu la colère et les autres sentiments complexes que l'on ressent, voilà qui aide à grandir[12]. Ce faisant, on affirme son soi naissant.

L'aptitude à l'individuation[13]

Dans un couple, c'est l'aptitude à l'individuation qui nous permet d'être exactement tels que nous sommes. Cela signifie pouvoir ouvertement ne pas être d'accord avec l'autre, se mettre en colère sans craindre que le conjoint rompra le contact, reconnaître que l'on a des droits. On peut demander ce que l'on veut parce qu'on n'est pas entièrement soumis aux besoins et aux attentes de l'autre.

Cette aptitude à l'individuation aide à traverser les moments les plus difficiles, par exemple la séparation physique d'avec l'être aimé à la suite d'une rupture.

L'individuation est un défi majeur pour ceux qui ont connu des traumatismes d'abandon dans l'enfance. En raison de leur *peur latente de l'abandon*, ils ont du mal à manifester leur désaccord ou à exprimer leur colère dans le couple. Ils cherchent toujours à plaire. Ils sont codépendants. Ils veulent être complaisants, serviables et agréables non seulement en présence du conjoint, mais avec presque toutes les personnes de leur entourage.

Les réchappés de l'abandon dans l'enfance cherchent souvent à s'identifier aux besoins et aux attentes des autres. Ils sont émotionnellement incapables de tolérer la moindre rupture de contact, même avec de simples connaissances, et ils répondent à toutes les attentes de leur entourage. Leur besoin d'amour submerge complètement leur identité. Lorsque quelqu'un rompt un contact, même occasionnel, cette rebuffade a sur eux un effet dévastateur.

Vous est-il difficile de vous détacher des besoins et des attentes d'autrui ? N'oubliez pas que, chez les enfants qui ont vécu des traumatismes de séparation dans la première enfance, l'amygdale est programmée pour capter les indices d'une rupture imminente, abaissant ainsi leur seuil de tolérance au rejet. Pour surmonter vos peurs, vous devez d'abord admettre que vous en avez.

L'étape de la rage nous offre une occasion de transformer notre façon de réagir à la fin d'une relation. En communiquant avec l'être aimé perdu, notamment en s'affirmant et en lui faisant part de nos pensées et de nos sentiments, on apprend peu à peu à devenir un être individuel.

Les progrès sont lents, mais chaque fois qu'on résiste à la tentation de laisser les besoins de quelqu'un d'autre éclipser les nôtres, on en est récompensé.

Le déroulement de la soirée avec Roberte m'a beaucoup troublé, dit Jean. J'ai dû surmonter mon premier élan : ne pas en parler, faire comme si de rien n'était. Après tout, je savais d'où venait sa colère ; j'avais connu la même. Mais certains de ses propos et sa façon d'agir ce soir-là m'ont beaucoup blessé.

Je sais par expérience que je peux m'accrocher longtemps à mes sentiments, surtout quand je me fâche ou que je suis blessé. J'ai pensé que, cette fois, je devrais essayer autre chose et peut-être dire à Roberte ce que je ressentais.

Alors, je lui ai dit ceci : « Roberte, la semaine dernière quand tu as agi comme si j'étais un boulet dans ta vie, cela m'a rendu

*furieux et méfiant. Je te le dis, parce que j'aimerais pouvoir te
parler ouvertement de ce que je ressens. Moi aussi, je suis vulnérable.»*

*Elle s'est contentée de répondre: «Tu as raison. Je m'excuse.» Ce
n'est pas sa réaction qui m'a apaisé, mais le fait de pouvoir lui exprimer
mes sentiments. J'ai pu me débarrasser de ce qui me tourmentait.*

L'aptitude à l'individuation est ce qui permet à chacun de préserver son identité au sein du couple. La rage aide à rompre les liens
qui ont empêché l'extériorisation. Une fois affranchi de ces entraves,
vous pouvez commencer à corriger vos comportements complaisants
et à faire valoir vos préférences et vos besoins[14].

UNE AUTOÉVALUATION RÉALISTE : AU-DELÀ DE L'AUTOACCUSATION

En tant que membre actif des Alcooliques anonymes, Étienne s'est
appuyé sur les Douze Étapes de son rétablissement pour se concentrer entièrement sur le comportement qu'il acceptait de corriger.

*Les AA m'ont appris que la seule personne qu'il m'était possible
de contrôler, c'était moi. J'avais été trop contrôlant avec Gabrielle,
malgré ce que j'étais prêt à admettre intellectuellement. Quand je
me suis engagé dans le processus de guérison de l'abandon, j'ai pu
faire face à l'insécurité et à la colère qui me venaient de mon enfance et que, toute ma vie adulte, je n'avais jamais cessé d'extérioriser. J'ai compris que ces émotions affectaient mon attitude envers les
autres.*

*J'ai donc commencé par réparer mes torts auprès de Gabrielle,
en m'excusant de l'avoir si souvent prise en otage à cause de mon
insécurité, et de m'être déchaîné contre elle. Je savais qu'elle avait
aussi une part de responsabilité dans notre échec, mais elle devait
l'assumer toute seule. J'ai fait amende honorable en mon seul nom.
Cela m'a aidé à sentir que je bouclais la boucle.*

Comme Étienne, de nombreux réchappés de l'abandon créent
leur propre version de la résolution de l'abandon quand ils admet-
tent que certaines lacunes de leur personnalité gagneraient à être
corrigées. Si vous faites amende honorable et que vous assumez
votre part de responsabilité dans l'échec d'une relation, cela peut
vous aider à régler un certain nombre de questions en suspens.

LES MANIFESTATIONS DE COLÈRE POST-TRAUMATIQUES

Une des particularités post-traumatiques de l'abandon dans l'enfance est la difficulté à gérer l'expression de la colère. La colère se manifeste alors souvent d'une façon non productive. Nous balançons entre une réaction exagérée et une réaction trop modérée. Nous répliquons, mais nous passons à côté du but.

J'ai souvent l'impression d'être un chat dégriffé, dit Josiane. Je sais tout ce qu'il faudrait dire, mais quand vient le moment de m'affirmer, je fige. Je laisse trop souvent les gens avoir la partie belle, et la peur m'empêche de les remettre à leur place. Le moindre rejet m'atteint jusqu'à la moelle. Je n'ai pas de griffes pour me défendre.

De nombreux réchappés de l'abandon dans l'enfance sont vulnérables, comme Josiane, au rejet et à l'agressivité. Ils évitent les confrontations, si exigeantes sur le plan émotif. Pourquoi ? En raison de la peur dictée par l'amygdale : la peur des représailles, du rejet, de *l'abandon*.

Que se passe-t-il quand l'abandon déclenche en vous une réaction de combat ou de fuite, mais qu'il vous est impossible de relâcher ces tensions grandissantes ? L'abandon crée un stress intérieur : sa menace ne vous oblige pas à vous défendre physiquement comme si vous étiez attaqué par un animal sauvage. Néanmoins, il se produit une poussée des hormones de stress, une augmentation de la fréquence cardiaque et une dilatation des pupilles, votre attention se concentre et les muscles des jambes et des cuisses se tendent. Mais ces tensions physiques ne se relâchent pas[15].

Certaines personnes avouent en venir parfois aux mains avec leur conjoint. Dans la plupart des cas, cependant, elles parviennent à se dominer, quitte à déplacer plus tard leur hostilité accumulée sur une cible de substitution[16].

Ce fréquent déplacement de l'agressivité est en partie dû à la nature particulière du chagrin de l'abandon : la souffrance est souvent vécue en silence et dans le secret parce que la société ne tolère pas facilement l'expression de ce chagrin.

Cette rage refoulée est-elle à l'origine des symptômes si souvent regroupés sous le diagnostic de dépression agitante ?

LA DÉPRESSION

Notre encadrement de la colère serait incomplet si nous n'abordions pas aussi la dépression agitante, soit une dépression associée à une forte irritabilité et à une très faible tolérance aux contrariétés. À mesure que nous enrichissons nos connaissances de la psychobiologie de la dépression, nous comprenons mieux que la dépression comporte de nombreuses facettes. Ses effets s'observent sur plusieurs plans – psychologique, physiologique, neurochimique et même moléculaire – dont l'interaction conduit à l'état psychologique que nous désignons par l'expression *je suis déprimé*.

La colère retournée contre soi Les psychothérapeutes ont longtemps affirmé que la dépression est une colère retournée contre soi, une *rage refoulée*[17]. Plusieurs en ont conclu que le meilleur remède à la dépression consiste à *extérioriser sa colère*, à l'exprimer. L'efficacité de ce remède est matière à discussion, mais un examen attentif révèle que les personnes chez qui la colère ne s'exprime pas facilement sont plus sujettes à la dépression et présentent un affaiblissement de leur réponse immunitaire. Nous avons vu précédemment que la docilité, contrairement au combat, entraînait une diminution des réactions immunitaires chez les rats de laboratoire.

La dépression et les hormones de stress

Des recherches ont montré que les personnes souffrant de dépression présentent un taux élevé de glucocorticoïdes[18]. Il s'agit des mêmes hormones de stress que Sapolsky a relevées en quantités excessives dans le sang des babouins dominés, souffre-douleur des singes qui occupent un rang plus élevé dans la hiérarchie du groupe. De même, l'organisme humain augmente sa production de glucocorticoïdes quand nous sommes confrontés à la détresse d'une rupture. Les circonstances de notre vie subordonnent provisoirement nos désirs à ceux de quelqu'un d'autre. Il se peut donc qu'un taux plus élevé de glucocorticoïdes contribue à l'apparition d'une dépression agitante temporaire.

Les remèdes à la dépression

Certains médicaments, notamment les antidépresseurs, peuvent soulager la dépression en rétablissant l'équilibre biochimique[19], mais il faut se rappeler que l'organisme sécrète lui-même des substances biochimiques qui lui procurent du bien-être. En d'autres termes, le corps possède ses propres mécanismes pour retrouver son équilibre. Ainsi que le signale Candace Pert dans son ouvrage intitulé *Molecules of Emotion*: «Chaque être humain possède une "pharmacopée naturelle[20]" –

la meilleure pharmacie qui soit, au plus bas prix possible – qui produit tous les médicaments dont nous puissions jamais avoir besoin pour que le corps et l'esprit fonctionnent exactement comme ils sont censés fonctionner [...]. » Nos activités, l'amour que nous recevons, nos contacts physiques et, plus généralement, la qualité de nos relations personnelles affectent la production de ces substances endogènes.

LES AUTRES CHANGEMENTS HORMONAUX

Outre les glucocorticoïdes, l'adrénaline, la noradrénaline (norépinéphrine), le CRF et l'ACTH que libère l'organisme en période de crise émotive, d'autres changements hormonaux ont lieu qui nous préparent à un siège prolongé. Le pancréas sécrète du glucagon, qui hausse le taux sanguin de glucose, tandis que la sécrétion d'insuline cesse afin de limiter les dépenses énergétiques. L'organisme libère de la prolactine, qui inhibe la reproduction, et freine la production de progestérone et de testostérone pour que la très grande quantité d'énergie nécessaire au maintien de son potentiel reproductif soit consacrée à son autodéfense. L'hormone de croissance est inhibée afin que les nutriments et l'énergie que consomment différents systèmes corporels en temps normal soient mis au service d'une opération *de combat ou de fuite.* La vasopressine, une hormone antidiurétique, est libérée, et le corps élimine ses déchets solides pour que nous puissions plus facilement fuir à toutes jambes dans la savane ou nous jeter dans la bataille. Les endorphines et d'autres opiacés naturels aident à atténuer la douleur, tandis que le cortisol, une hormone de stress, participe à la réparation des tissus endommagés advenant un traumatisme physique. Ce sont là quelques-uns des changements hormonaux qu'entraîne la réaction de l'organisme à une crise émotive suscitée par l'abandon.

Un bouleversement positif provoque lui aussi des changements biochimiques et hormonaux. Le système nerveux sympathique n'est pas mis en état d'alerte uniquement quand on est en danger, mais aussi quand des circonstances qui requièrent un grand déploiement d'énergie et une vigilance accrue nous mettent à rude épreuve : par exemple, jouer au basketball ou faire la démonstration d'un théorème. Loin d'être menaçantes ou pénibles, ces activités favorisent le bien-être physique et mental. Si l'on sait orienter correctement l'état d'alerte de cette quatrième étape, de grands progrès sont possibles.

Les recherches de Sapolsky sont éclairantes. Rappelez-vous que le taux d'hormones de stress des babouins augmente s'ils luttent pour préserver leur rang hiérarchique, mais demeure stable s'ils se battent pour grimper dans l'échelle sociale du groupe. Autrement dit, quand les babouins combattent *pour obtenir quelque chose*, leur taux d'hormones de stress est au beau fixe. Cette recherche sur les babouins montre que nous pouvons gérer notre stress (et la dépression à laquelle celui-ci peut donner lieu) en redirigeant l'énergie de la rage vers la poursuite active d'un objectif[21].

LA CANALISATION DE LA COLÈRE

De nombreux réchappés de l'abandon ne savent pas qu'ils sont en colère et ignorent comment agir quand ils s'en rendent compte.

La poétesse Maya Angelou nous dit combien il lui a été difficile de passer à l'action quand elle se sentait grugée par son entourage. Dans son livre intitulé *Je sais pourquoi chante l'oiseau en cage*, elle confie aux lecteurs les nombreux types d'abandon dont elle a été l'objet dans son enfance: le chagrin du deuil; les déménagements; la discrimination; la violence sexuelle, physique et psychologique; la trahison. En authentique réchappée de l'abandon dans l'enfance, elle hésitait à se défendre quand elle avait été blessée. Elle préférait faire mine de rien, prétendre que ce n'étaient que d'inoffensives anicroches. Elle excusait le comportement des autres. Quand elle a enfin pu rassembler son courage et sa confiance en soi, elle a pu s'affirmer. Elle a su dire aux gens que leur façon d'agir lui était désagréable et leur annoncer comment elle aimerait qu'on la traite. Ce message tout simple lui a permis de ne plus subir de tels rejets et de surmonter sa terreur de l'abandon.

À chaque seconde de notre existence, chacun de nos échanges est l'occasion pour nous d'affirmer notre nouveau soi en devenir.

* * *

On voit que la rage a de nombreuses facettes. Elle peut masquer une souffrance ou une peur sous-jacentes, ou entraîner de la dépression, de l'anxiété et de l'épuisement. Elle a de nombreux visages, notamment l'inhibition, l'hypersensibilité ou la passivité. Elle peut également s'exprimer ouvertement par de la violence physique ou verbale.

La rage ressemble au lion de la savane qui rugit pour protéger son territoire. Son rugissement furieux a été provoqué par la perception d'un danger et annonce qu'il est conscient de la présence de ses ennemis. En montrant les dents, le lion donne à sa peur le visage de la *force*.

Quand il rugit, il affirme son autorité et indique qu'il sera sûrement le vainqueur. Mais sous son rugissement féroce, le lion est sensible à la menace dont il est l'objet. Parce qu'il a peur, il se montre agressif ; parce qu'il a peur, il est furieux. Sa rage est l'expression de son désir de vivre.

La raison prend le dessus

J'ai consacré de nombreuses pages de ce livre aux réactions instinctives que l'on a face à des situations stressantes, quand les réflexes du cerveau émotionnel l'emportent sur l'aptitude à réfléchir à un plan d'action. Vous devez comprendre que l'amygdale ne dicte pas chacune de vos réactions. Vous possédez un cerveau supérieur – le néocortex – capable d'évaluer rationnellement la situation et de concevoir une stratégie de gestion de la colère.

L'influx sensoriel atteint le thalamus où il bifurque ensuite vers deux zones cérébrales différentes. La voie neuronale la plus longue qu'il emprunte ne conduit pas à l'amygdale mais au néocortex. (La voie neuronale courte rejoint l'amygdale ; la transmission de l'information est plus rapide par ce chemin mais aussi beaucoup moins précise.) Le néocortex analyse l'information reçue, récupère les souvenirs, compare et organise les données en fonction de leur pertinence. Bref, il pense, planifie et raisonne[22].

Je veux dire par là que nous pouvons tirer des enseignements de nos expériences et que l'abandon nous fournit un généreux centre d'apprentissage où puiser une sagesse nouvelle. Le néocortex et le cerveau émotionnel réévaluent de concert nos anciennes certitudes et planifient notre nouveau parcours. Nous pouvons ainsi vaincre notre tendance à idéaliser l'abandonneur, nous affranchir de notre sujétion autogène, et affirmer notre valeur personnelle.

Quatrième exercice d'*akeru* : l'identification de l'enfant extérieur

Le quatrième exercice d'*akeru* a pour but de vous aider à comprendre vos réactions à la colère et à modifier votre comportement.

Nous avons déjà parlé de l'enfant intérieur[23] – cette part de nous qui s'agrippe à ses frustrations, à son ressentiment et à sa rage. L'enfant extérieur[24] actualise la colère de l'enfant intérieur. Quand on devient conscient de l'enfant extérieur, on a enfin accès aux défenses primitives inconscientes qui entravent nos relations personnelles et nos projets d'avenir.

Dans la hiérarchie du soi, l'enfant extérieur se situe entre l'enfant intérieur et l'adulte.

Adulte
Enfant extérieur
Enfant intérieur

Laissé à lui-même, l'enfant extérieur est capable de renverser nos meilleures intentions. Le premier pas vers une transformation positive consiste à identifier ses comportements.

L'enfant extérieur sabote votre vie en secret. Il justifie ses manigances en prétextant agir pour votre protection. Il feint d'être votre allié, mais au lieu de faire valoir vos besoins réels, il impose sa volonté.

L'identification de l'enfant extérieur prolonge les exercices d'*akeru* précédents en leur ajoutant un niveau supérieur de conscience personnelle. Dans le premier exercice, vous avez appris à *habiter le moment* afin d'y puiser de la force et du pouvoir; dans le deuxième exercice, vous avez entamé un *dialogue quotidien* avec vos besoins et vos sentiments les plus profonds; dans le troisième exercice, vous avez appris à renforcer le lien entre vos besoins et vos actes par une pratique de *visualisation* qui façonnait votre vision de l'avenir. Ce quatrième exercice vous aide à identifier les schémas de comportements autodestructeurs qui freinent votre cheminement.

Pour neutraliser les défenses de l'enfant extérieur, le secret consiste à en reconnaître l'existence. Quand vous saurez identifier les attributs de l'enfant extérieur, vous exposerez au grand jour ses agissements secrets et vous rechercherez les déclencheurs émotionnels qui les provoquent. Vous en retirerez une compréhension nouvelle qui vous permettra de dominer la situation.

Vous devez donc isoler l'enfant extérieur et contrôler ses actes en tirant parti de la même technique de séparation à l'origine de la création de Petit Soi et Grand Soi.

Créez une image mentale de votre enfant extérieur – une image autre que celle de Grand Soi et Petit Soi. Les émotions que personnifie Petit Soi ont leur raison d'être, mais les comportements de l'enfant extérieur sont indésirables, surtout les schémas profondément enracinés qui contrecarrent votre croissance. En isolant les comportements de l'enfant extérieur de vos sentiments réels, vous prenez un recul psychologique qui vous permet d'observer leurs interactions.

Il vous faudra sans doute du temps pour créer une image précise de l'enfant extérieur. Mais quand vous saurez faire une distinction entre *comportement* et *sentiment*, vous serez en mesure de mettre fin aux réflexes nuisibles qui sont les vôtres face aux nombreuses situations de stress que vous subissez.

L'INVENTAIRE DES ATTRIBUTS DE L'ENFANT EXTÉRIEUR

Voici une liste de 100 manières d'être aisément identifiables chez l'enfant extérieur de chacun d'entre nous. Ces traits sont énumérés de façon aléatoire pour refléter l'irrationalité de l'enfant extérieur. Vous devrez vous référer quotidiennement à cet inventaire pour prendre conscience de votre enfant extérieur, pour deviner ses comportements et pour découvrir ses cachettes. N'oubliez pas que l'enfant extérieur est l'extériorisation malvenue des sentiments de l'enfant intérieur. Informez-vous sur ce que fait l'enfant extérieur en vous inspirant de la liste ci-après pour dresser l'inventaire de ses comportements.

L'enfant extérieur de chacun de nous est unique et se démarque de tous les autres ; ses particularités dépendent de nos expériences, de nos émotions et de nos besoins propres. Cette liste ne saurait donc être exhaustive, et vous ne vous reconnaîtrez sans doute pas dans toutes les caractéristiques énumérées. Plus il vous sera facile de distinguer votre enfant extérieur et celui des autres, plus vos ressources intérieures enrichiront vos relations personnelles.

Encerclez chacun des énoncés ci-après qui se rapportent à vous, ou contentez-vous de les lire pour en nourrir votre conscience de soi. Le caractère aléatoire de cette énumération a pour but de déstabiliser l'enfant extérieur. Avec un peu de chance, cela vous aidera à remarquer certains aspects de vos comportements qui vous échapperaient en temps normal.

Pour de meilleurs résultats, lisez cette liste plusieurs fois. Vous ne reconnaîtrez sans doute pas dès l'abord votre enfant extérieur. N'oubliez pas qu'il habite votre inconscient ; il vous sera donc difficile d'admettre que ses traits de caractère les moins flatteurs sont aussi les vôtres. Persévérez néanmoins jusqu'à ce qu'il émerge. Vous pouvez également ajouter à cette énumération au fur et à mesure que vous découvrirez des traits qui appartiennent en propre à votre enfant extérieur.

La consultation et la mise à jour quotidiennes de cet inventaire est la clé qui vous aidera à abattre les défenses de l'enfant extérieur. Si vous gardez toujours l'enfant extérieur dans votre mire, vous irez plus loin que la plupart des gens dans la compréhension de la dynamique des comportements.

Chaque fois que vous pourrez attribuer un détail ou un trait de caractère à l'enfant extérieur, vous verrez encore plus clairement vos défenses inconscientes et vous pourrez par conséquent choisir de réagir au stress de façon plus constructive.

Les attributs de l'enfant extérieur

1. L'enfant extérieur est la part de nous la plus égoïste, la plus autoritaire et la plus égocentrique.

2. L'enfant extérieur représente tout ce qui témoigne de la vulnérabilité de l'enfant intérieur – les cicatrices, les tares, les défenses visibles.

3. L'enfant extérieur a un âge mental de sept ou huit ans. Son égocentrisme est de son âge.

4. L'enfant extérieur se déguise souvent, surtout en public. Puisque les personnes cachent très bien leur enfant extérieur, vous croyez sans doute être le seul à en avoir un.

5. L'enfant extérieur est l'enfant terrible de la personnalité. Même les personnes les plus aimables qui soient peuvent ressembler à des enfants de sept ans ayant de graves problèmes de comportement si elles se sentent suffisamment menacées.

6. L'enfant extérieur est assez développé pour avoir un moi très autoritaire (hélas). Il est assez âgé pour imposer sa volonté, mais pas assez âgé pour admettre que les autres ont aussi des droits et des sensibilités. (L'enfant intérieur n'est pas assez évolué pour posséder son propre moi, et c'est pour cette raison qu'il s'approprie le nôtre.)

7. L'enfant extérieur fonce et s'empare de la situation, même si nous avions l'intention bien arrêtée de prendre celle-ci en main avec maturité. L'enfant extérieur fait à sa tête et nous laisse ramasser les pots cassés.

8. L'enfant extérieur peut prendre le dessus sur vous si vous avez fait plusieurs fois l'expérience de l'abandon. Chez de nombreux réchappés de l'abandon dans l'enfance, l'enfant extérieur prime.

9. L'enfant extérieur a des accès de colère et se lance dans de longues diatribes s'il se sent critiqué, rejeté ou abandonné. Ses troubles affec-

tifs apparents sont la conséquence de vos expériences malheureuses. Ne le blâmez pas – il ne tolère pas le blâme.

10. L'enfant extérieur prend sa revanche sur le soi. Il se dissocie du soi et, à la moindre occasion, il crée une scission entre Grand Soi et Petit Soi.

11. L'enfant extérieur aime attribuer ses torts à votre conjoint. Il s'efforce de vous convaincre que vos travers les plus inacceptables sont en réalité ceux de votre conjoint.

12. L'enfant extérieur n'aime pas faire ce qui est bon pour vous.

13. L'enfant extérieur préfère ce qui vous fera grossir ou ce qui vous ruinera plutôt que ce qui vous rendra mince et financièrement responsable.

14. L'enfant extérieur est un hédoniste.

15. L'enfant extérieur parle en mal de vos amis à leur insu.

16. L'enfant extérieur aime le chaos, les situations de crise, le drame.

17. L'enfant extérieur adore jouer les victimes.

18. L'enfant extérieur vous distrait quand vous cherchez à vous concentrer.

19. L'enfant extérieur aime jouer les martyrs.

20. L'enfant extérieur remet toujours tout au lendemain.

21. L'enfant extérieur fait d'immenses dégâts que vous mettez un temps fou à réparer.

22. L'enfant extérieur vous pousse à toujours être en retard à vos rendez-vous.

23. L'enfant extérieur perd tout et en blâme tout le monde.

24. L'enfant extérieur trouve toujours le moyen de se justifier.

25. L'enfant extérieur s'efforce d'avoir l'air détendu et chic, et se débrouille pour que vous ayez l'air stupide.

26. L'enfant extérieur est le *oui, mais…* de votre personnalité

27. L'enfant extérieur est réactif plutôt qu'actif ou réflexif.

28. L'enfant extérieur explose quand il est déçu de lui-même.

29. L'enfant extérieur a toujours raison.

30. L'enfant extérieur déteste appeler au secours. Il est têtu, désagréable, aveugle et obstiné.

31. L'enfant extérieur se conduit comme un tyran, mais c'est un lâche qui a peur de dire ce dont il a besoin.

32. L'enfant extérieur réagit gentiment quand un ami vous marche sur les pieds, mais il lui en veut ensuite pendant vingt ans.

33. L'enfant extérieur est un spécialiste du blâme; s'il ne se sent pas bien, quelqu'un est sûrement responsable de son malaise.

34. L'enfant extérieur recourt aux larmes comme moyen de manipulation.

35. L'enfant extérieur critique les autres pour éloigner les soupçons.

36. L'enfant extérieur a un rire forcé quand il veut dissimuler les émotions qui échappent à son contrôle.

37. L'enfant extérieur agit seul, sans vous consulter, vous, l'adulte.

38. L'enfant extérieur doit tout contrôler pour éviter de *ressentir* les émotions de l'enfant intérieur, en particulier la souffrance, la solitude, la déception ou le deuil.

39. L'enfant extérieur déteste attendre, surtout l'appel téléphonique de votre tendre moitié.

40. L'enfant extérieur ne noue pas des relations, il prend des otages affectifs.

41. L'enfant extérieur n'aime pas se montrer vulnérable; il cache ses blessures.

42. L'enfant extérieur exige, défie, déçoit, ignore, se rebiffe, manipule, séduit, boude, se lamente, et se venge pour que ses besoins d'acceptation et d'approbation soient comblés. Cela ne lui apparaît absolument pas contradictoire.

43. L'enfant extérieur a un état préféré: la colère. En fait, c'est son *seul et unique* état.

44. L'enfant extérieur ne sait garder ni son argent ni son sang-froid. Il dépense son argent et se met en colère tout de suite sans s'inquiéter des conséquences.

45. L'enfant extérieur veut obtenir ce qu'il veut immédiatement, voire hier.

46. L'enfant extérieur veut s'immiscer sur-le-champ dans votre nouvelle relation. Il est aussitôt plus réactif, plus exigeant et plus dépendant que jamais.

47. L'enfant extérieur se retrouve parfois chez le conjoint. Il arrive que l'on épouse quelqu'un qui puisse actualiser les désirs de notre

propre enfant extérieur. Il est à espérer que l'enfant extérieur de notre conjoint ne s'en prenne pas *à nous*.

48. L'enfant extérieur est perceptible dans le comportement de nos enfants. Quand nous nous engageons dans une lutte de pouvoir avec notre fils ou notre fille, nous combattons en réalité notre enfant extérieur. Nous encourageons aussi parfois secrètement notre progéniture à combler les désirs de l'enfant extérieur. Nos enfants extériorisent la colère que nous refusons d'assumer.

49. L'enfant extérieur se déchaîne s'il détecte même le plus subtil indice d'abandon, compromettant ainsi la sécurité de Petit Soi.

50. L'enfant extérieur voit à ses propres intérêts tout en feignant de protéger Petit Soi. Mais l'enfant extérieur ne désire qu'une chose : le contrôle absolu.

51. L'enfant extérieur aime à plaire, mais ce n'est pas sans arrière-pensées. Il peut donner votre dernière chemise. Et vous, qu'obtenez-vous en retour ? Vous êtes nu et vous avez froid.

52. L'enfant extérieur n'est pas assez vieux pour se préoccuper des autres. Vous seul pouvez le faire, parce que vous êtes adulte.

53. L'enfant extérieur met cruellement à l'épreuve les personnes auprès de qui il cherche sa sécurité.

54. L'enfant extérieur joue avec les émotions d'une nouvelle tendre moitié. Son jeu préféré est celui du chat et de la souris.

55. L'enfant extérieur est futé et sait se montrer sous son meilleur jour quand il cherche à séduire un conjoint potentiel. Il peut incarner l'altruisme, la décence, la bonté et la tolérance.

56. L'enfant extérieur sait aussi être séduisant, amusant, charmant et dynamique. Quand il s'est emparé de sa proie, il devient aussitôt glacial, critique, distant, et il la prive de ses faveurs sexuelles. L'enfant extérieur nous pousse à avoir pitié de la personne qui veut nous aimer.

57. L'enfant extérieur est toxicomane, il est alcoolique, il abuse de vos cartes de crédit et il ne respecte pas vos diètes amaigrissantes.

58. L'enfant extérieur ne respecte pas le règlement. Il se pourrait que les enfants extérieurs de vos amis intimes soient extrêmement contrôlants. Leur révolte est peut-être justement ce qui vous attire le plus.

59. L'enfant extérieur ignore délibérément l'adulte que vous êtes, surtout si vous tentez de lui dire quoi faire. L'enfant extérieur continue de faire exactement ce qui lui plaît.

60. L'enfant extérieur aspire à son autonomie. Sera-t-il un jour assez autonome pour voler de ses propres ailes ? N'y comptez pas !

61. L'enfant extérieur accumule des forces pendant les périodes de dormance. Puis, dès que vous vous sentez vulnérable, il se manifeste et met en péril votre nouvelle relation de couple.

62. L'enfant extérieur s'efforce d'aller à l'encontre du but recherché dans un couple, soit que votre enfant intérieur se lie d'amitié avec celui de votre conjoint. Une relation d'intimité signifie que chaque membre du couple veille sur l'enfant intérieur de l'autre et ne reçoit pas ses frasques comme des offenses personnelles.

63. L'enfant extérieur adore s'acoquiner avec l'enfant extérieur du conjoint. Tous deux s'engagent aussitôt dans des luttes de pouvoir. N'essayez pas l'un et l'autre de dominer l'enfant extérieur de votre conjoint : c'est une entreprise futile. Il vaut mieux leur trouver quelque chose d'autre à faire pour les décourager d'intervenir dans votre relation. Si vous ne parvenez pas à les ignorer, envoyez-les jouer dehors.

64. L'enfant extérieur a assez de vanité et d'orgueil pour oser conquérir un amour potentiellement dangereux, un amour qui pourrait vous rejeter, prendre ses distances et vous abandonner.

65. L'enfant extérieur trouve les personnes inaccessibles très attirantes.

66. L'enfant extérieur est attiré par *le contenant plutôt que par le contenu.*

67. L'enfant extérieur ne veut que ce qu'il veut – des gâteries amoureuses. Mais ce qu'il veut ne convient pas à Petit Soi, car Petit Soi a besoin d'une personne qui puisse l'aimer, veiller sur lui et s'engager à fond dans la relation.

68. L'enfant extérieur recherche la compagnie de gens qui ne lui conviennent pas. Il ne résiste pas à une personne qui refuse l'engagement affectif.

69. L'enfant extérieur ne veut rien apprendre. Il répète toujours les mêmes erreurs.

70. L'enfant extérieur a pris forme lors d'abandons antérieurs, à l'étape de la rage, quand personne n'était là pour apaiser votre souffrance.

71. L'enfant extérieur est le plus puissant quand Petit Soi et Grand Soi ne s'entendent pas.

72. L'enfant extérieur est d'avis que les règlements et les principes moraux ne s'appliquent qu'aux autres.

73. L'enfant extérieur n'obéit que lorsqu'il veut éviter de se faire prendre.

74. L'enfant extérieur peut dire ce qu'il pense mais ne tolère aucune critique.

75. L'enfant extérieur sait être plus catholique que le pape.

76. L'enfant extérieur aime le chocolat et sait vous convaincre que c'est bon pour le cœur.

77. L'enfant extérieur s'attaque à l'enfant extérieur des autres, surtout à celui de votre conjoint.

78. L'enfant extérieur rudoie son propre enfant intérieur.

79. L'enfant extérieur recherche l'estime de soi par procuration en pourchassant quelqu'un de plus haut placé dans l'échelle sociale.

80. L'enfant extérieur peut frapper un coup subtil mais très efficace s'il note une quelconque injustice sociale, fût-elle minime.

81. L'enfant extérieur ne montre pas son visage en public. Certaines personnes sont plus habiles que d'autres à le dissimuler. Il est vrai que certains enfants extérieurs sont aussi plus faciles à cacher.

82. L'enfant extérieur ne peut pas échapper au regard de vos proches : ils *le connaissent*. Voilà en quoi consiste l'intimité : le dévoilement de l'enfant extérieur.

83. L'enfant extérieur peut être passif-agressif. Son déguisement favori est l'obligeance. L'enfant extérieur est complaisant pour faire croire aux autres qu'il ne veut pas tout *contrôler*. Mais ne vous laissez pas berner : le pouvoir est tout ce qui l'intéresse.

84. L'enfant extérieur trouve toujours quelqu'un qu'il peut tenir pour acquis et maltraiter sans craindre d'être rejeté.

85. L'enfant extérieur s'attend à ce que votre conjoint lui apporte une compensation pour les blessures et les trahisons qu'il a subies dans le passé et même dans son enfance.

86. L'enfant extérieur proteste contre tout ce qui lui rappelle le rocher où il est seul.

87. L'enfant extérieur refuse de rester sur son rocher. Contrairement à Petit Soi, l'enfant extérieur descend de son perchoir, s'empare d'une hache et s'engage dans le sentier de la guerre.

88. L'enfant extérieur est un éternel mécontent qui se fait passer pour quelqu'un de sûr de lui.

89. L'enfant extérieur ressemble au frère aîné insupportable qui intervient sans arrêt dans votre vie sous prétexte qu'il veut vous aider.

90. L'enfant extérieur n'observe pas la règle d'or.

91. L'enfant extérieur n'obéit qu'à sa loi : obtenir que l'on vous traite comme vous le souhaitez, mais traiter les autres comme bon vous semble.

92. L'enfant extérieur a besoin de discipline, mais n'allez pas croire que ce sera facile.

93. L'enfant extérieur emploie des moyens subtils pour attiser la colère, puis il reproche aux autres leur violence. Il adore jouer le rôle de la victime innocente.

94. L'enfant extérieur se soumet pour le simple plaisir de fulminer parce qu'on cherche à le dominer.

95. L'enfant extérieur aime poser en défenseur de la rectitude.

96. L'enfant extérieur se débrouille très bien pour que l'autre personne ait l'air coupable.

97. L'enfant extérieur a des comportements qui vont de l'autosabotage anodin à la destruction criminelle.

98. L'enfant extérieur peut s'emparer du pouvoir très tôt, si bien que l'individu n'a pas le temps de ressentir une réelle empathie ou une réelle compassion pour lui-même et pour autrui. Dans les cas extrêmes, l'enfant extérieur est un sociopathe.

99. L'enfant extérieur doit être compris, assumé et évincé grâce à la formidable coalition de l'enfant intérieur et de l'adulte.

100. L'enfant extérieur détient la clé de votre transformation. Il sait où se trouve votre équilibre émotif, mais il ne peut pas changer tout seul. Quand vous le prendrez sur le fait, arrachez-lui des mains la clé de votre transformation et servez-vous-en pour accéder à votre vie future.

LA SÉPARATION DES ÉMOTIONS ET DU COMPORTEMENT

L'enfant extérieur a des intentions secrètes. Pour démasquer ces intentions et les contrecarrer, il n'y a qu'un moyen : consulter et tenir à jour votre inventaire quotidien. Ne laissez pas l'enfant extérieur se confondre à vous et s'emmêler à vos émotions, car il peut ainsi contrôler vos réactions de l'intérieur.

La séparation des émotions et du comportement représente une étape décisive dans le processus de rétablissement. Nos émotions servent trop souvent à justifier des comportements inacceptables.

Ma fille Céline avait l'habitude de hurler et de m'invectiver si je ne répondais pas à tous ses caprices, dit Barbara. Je la laissais faire et je me blâmais de son attitude. Je me disais que je la négligeais beaucoup depuis quelque temps, ou j'attribuais ses sautes d'humeur à d'autres facteurs émotifs : rivalités entre frères et sœurs, pressions scolaires, et ainsi de suite – toutes les excuses qu'elle et moi pouvions inventer étaient bonnes. Mais le fait est que l'enfant extérieur de Céline passait à l'acte.

J'ai compris ensuite que mon propre enfant extérieur réagissait au sien et que c'était la raison pour laquelle je ne parvenais jamais à exercer mon autorité parentale.

En général, les choses se passaient comme ceci : quand Céline répliquait, je me fâchais et je me sentais impuissante. Soit je l'ignorais, soit je criais à mon tour. Habituellement, elle devenait encore plus furieuse et s'en allait en claquant la porte, elle tournait le volume de la radio au maximum, ou elle m'invectivait avec encore plus de passion. Cela décuplait ma colère, ma frustration et mon sentiment d'impuissance.

Barbara réagissait spontanément à ses émotions en enguirlandant sa fille. Son enfant extérieur était emmêlé à l'impuissance et à la colère de son enfant intérieur.

Quand j'ai pris conscience du rôle de mon enfant extérieur, poursuit Barbara, j'ai pu m'arrêter et séparer mes émotions de ma réaction. Je comprenais comment l'enfant extérieur voulait gérer la situation : en criant. Je voyais comment il se sentait : impuissant. Mais maintenant, c'était moi, l'adulte, qui prenait les rênes en main. Je me rendais bien compte que fermer les yeux sur la situation ou enguirlander Céline ne réglerait jamais rien.

J'ai pris le temps d'identifier mes émotions. Pour les débrouiller, j'ai rédigé un dialogue entre Grand Soi et Petit Soi. Petit Soi m'a dit que, lorsque Céline me crie après, il se sent aussi malheureux et impuissant qu'avant, quand c'était ma mère qui me criait après. Petit Soi m'a beaucoup aidée à gérer mes émotions quand Céline me traitait de cette façon.

J'ai pris la décision de ne plus réagir aux agressions de Céline comme je réagissais à celles de ma mère – ou comme ma mère réagissait aux miennes. Il était temps de mettre un terme à ce cercle vicieux, à cesser de me comporter comme une enfant avec ma propre fille! Je suis sa mère. C'est moi l'adulte. J'ai donc commencé à agir autrement.

Après mûre réflexion (l'adulte en moi prenait la situation en main), j'ai mis au point un plan d'action réaliste.

J'ai attendu que Céline se soit complètement calmée et j'ai engagé la conversation. Je lui ai dit que nos prises de bec m'attristaient beaucoup et que je cherchais des façons de remédier à cette situation. Au lieu de la critiquer, je lui ai expliqué que, lorsqu'elle m'invectivait, elle me manquait de respect. J'ai ajouté que je souhaitais l'aider à changer d'attitude envers moi, pour son bien et pour mon bien. Céline a admis qu'elle avait besoin d'aide pour perdre cette vilaine habitude. Ensemble, nous avons mis au point un plan d'action.

Les difficultés que Barbara a connues avec Céline montrent à quel point il importe de séparer les émotions du comportement – l'enfant intérieur de l'enfant extérieur. La prise de conscience des schémas de comportements de l'enfant extérieur nous aide à devenir des adultes plus compétents.

Faites comme Barbara: surveillez votre enfant extérieur. Si vous le gardez dans votre mire, vous pourrez, comme Barbara l'a fait, dominer la situation dans les moments difficiles.

INTÉGREZ L'ENFANT INTÉRIEUR À VOS CONVERSATIONS QUOTIDIENNES

Ainsi que le montre l'expérience de Barbara, vous pouvez le mieux dominer les réactions de défense de l'enfant extérieur en renforçant, par la conversation quotidienne, le lien qui vous unit à l'enfant intérieur. Si vous parlez à Petit Soi chaque jour, quand ça va bien et quand ça va mal, vous répondez à son besoin d'amour et d'attention. Puisque les besoins inassouvis et les émotions négligées nourrissent l'enfant extérieur, si vous ne perdez ni les uns ni les autres de vue, vous lui couperez l'herbe sous le pied.

Plusieurs personnes constatent que le fait d'intégrer l'enfant extérieur à leurs conversations quotidiennes est bénéfique. D'autres obtiennent de meilleurs résultats si Petit Soi et Grand Soi parlent de l'enfant extérieur dans son dos. Voici un extrait du dialogue d'Étienne, à la suite d'un rendez-vous.

Le dialogue d'Étienne

PETIT SOI: *J'ai trouvé Jocelyne très sympathique. Mais je n'ai pas cessé d'avoir peur. Je me sentais très dépendant et j'étais très tendu.*

GRAND SOI: *L'enfant extérieur s'efforçait de cacher ce que tu ressentais.*

PETIT SOI: *C'est à toi de veiller à ce que l'enfant extérieur ne se mêle pas de mes affaires. Il était tendu, raide comme une barre.*

GRAND SOI: *Je suis désolé que ton rendez-vous ait été aussi déplaisant à cause de lui, Petit Soi.*

PETIT SOI: *L'enfant extérieur essayait de me contrôler, Jocelyne n'acceptera jamais de me revoir. Pourtant, elle me plaît. Si au moins tu avais pu empêcher l'enfant extérieur de gâcher ma soirée... Tu n'as pas fait ton travail.*

GRAND SOI: *Comment puis-je t'aider à ne pas avoir peur, Petit Soi ?*

PETIT SOI: *Ne m'abandonne pas.*

GRAND SOI: *Je ne te quitterai pas, Petit Soi. Mais dis-moi, comment puis-je t'aider à te détendre, à avoir moins peur ?*

PETIT SOI: *Tu as honte de moi quand j'ai peur. Je m'en rends compte. Tu ne tiens pas à ce que j'aie peur, parce que cela te met mal à l'aise. Tu ne veux pas que j'éprouve de tels sentiments.*

GRAND SOI: *Je t'accepte tel que tu es, peu importe que tu aies peur. Mais j'aimerais t'aider à te détendre un peu.*

PETIT SOI: *Je pense que tu voudrais que je me détende parce que tu en as marre de me voir ainsi. Tu ne m'aimes pas. Tu ne m'acceptes pas vraiment.*

GRAND SOI: *Si c'était le cas, ce serait fort troublant et cela te rendrait furieux.*

PETIT SOI: *C'est le cas. C'est toi qui laisses l'enfant extérieur mettre son nez dans mes affaires. Tu veux qu'il dissimule mes sentiments et qu'il les fasse disparaître. Tu ne m'acceptes pas tel que je suis, tu veux me transformer. Je t'embête beaucoup trop. Mais je ne peux rien contre ce que je ressens.*

GRAND SOI: *Si je parviens à accepter tes émotions et à t'aimer pour ce que tu es, il se pourrait que l'enfant extérieur n'ait plus besoin de chercher à te dominer.*

PETIT SOI: *C'est toi qui es responsable de l'enfant extérieur, pas moi. Mais je veux que tu sois fier de moi, quels que soient mes sentiments. Je ne veux pas que tu aies honte de*

*moi ou que tu essaies de me cacher, même si je ne suis pas
très sûr de moi.*

GRAND SOI : *La prochaine fois, tout sera différent. Si tu as peur,
je ne te protégerai pas et je ne t'enfermerai pas dans une ca-
misole de force. Tu pourras ressentir tout ce que tu veux.*

Étienne n'a pas su trouver de solutions à tous ses malaises, mais
cet exercice l'a tout de même aidé à prendre conscience de leurs
déclencheurs affectifs et à fouiller davantage ses problèmes. Il s'est
sensibilisé à un sentiment profond de honte.

*Je voyais pour la première fois que le fait de cacher ma vulné-
rabilité, d'avoir honte de ce que je ressentais, était la source même
de mon problème. J'ai décidé d'être plus ouvert, de ne plus masquer
mon insécurité. Si mon côté vulnérable rebute la prochaine femme
que je verrai, je saurai que ce n'est pas une femme pour moi.*

L'identification du comportement de l'enfant extérieur est un
processus, pas un remède miracle. En fait, l'enfant extérieur aime les
fausses résolutions et se cache sans peine sous une maîtrise de soi apparente. De nombreux réchappés de l'abandon qu'anéantit un tourbillon
d'émotions recherchent parfois une gratification immédiate, un soulagement rapide. Il faut du temps pour mater l'enfant extérieur, mais c'est
seulement ainsi que peut s'opérer une réelle transformation.

Pour intégrer l'enfant extérieur au dialogue quotidien, il est aussi
possible de laisser Petit Soi s'adresser à l'enfant extérieur en présence
de Grand Soi. Voici un exemple tiré du journal intime de Marie :

GRAND SOI : *Enfant extérieure, Petit Soi a quelque chose à te
dire, mais tu dois obéir au règlement qui consiste à écouter
gentiment, sans formuler de critiques et sans argumenter.*

ENFANT EXT. : *Mais…*

GRAND SOI : *Il n'y a pas de mais. Il faut que Petit Soi te parle
des conséquences d'un de tes actes.*

ENFANT EXT. : *(Silence.)*

PETIT SOI : *Tu as tout gâché. J'étais triste et bouleversée quand
Philippe a décidé de partir plus tôt. Et il a fallu que tu perdes
les pédales. Tu n'arrêtais pas de crier et de l'enguirlander. Et
maintenant, regarde ce que tu as fait. Philippe m'en veut et
moi, je suis encore plus triste et plus seule qu'avant.*

ENFANT EXT. : *Mais...*

GRAND SOI : *Le règlement, Enfant extérieure...*

ENFANT EXT. : *(Silence.)*

GRAND SOI : *Te souviens-tu de ce que tu as fait, Enfant extérieure, pour que Petit Soi se mette ainsi en colère contre Philippe ?*

ENFANT EXT. : *Je voulais seulement l'aider.*

GRAND SOI : *Je sais que tu voulais protéger Petit Soi, mais parfois, quand tu prends sa défense, tu empires la situation.*

ENFANT EXT. : *Et qu'est-ce que j'aurais dû faire, selon toi ? Philippe est parti tôt. Je me suis sentie rejetée et je n'étais pas du tout contente.*

GRAND SOI : *Te souviens-tu de ce que tu as fait ?*

ENFANT EXT. : *Je l'ai accusé d'être égoïste et de manquer de considération. Ensuite, j'ai pleuré.*

GRAND SOI : *Que s'est-il passé ensuite ?*

ENFANT EXT. : *Philippe s'est fâché et, depuis, je n'ai plus de ses nouvelles.*

GRAND SOI : *Sais-tu comment Petit Soi se sent ?*

ENFANT EXT. : *Ouais...*

GRAND SOI : *Comment se sent-elle ?*

ENFANT EXT. : *Elle se sent seule et triste parce que Philippe lui en veut et parce que j'ai éclaté.*

GRAND SOI : *Très bien. Comprends-tu que tu es en partie responsable ?*

ENFANT EXT. : *Oui, mais j'étais furieuse contre Philippe parce qu'il faisait mine de ne pas m'aimer.*

GRAND SOI : *Ne t'occupe pas de cela, Enfant extérieure. Les émotions, ça me regarde. Toi, tu dois t'occuper à des choses agréables, ne pas t'imposer quand quelque chose ne va pas ou que Petit Soi n'est pas dans son assiette. Ça, c'est ma responsabilité.*

Je répète que les conversations auxquelles participent l'enfant extérieur ne résoudront pas instantanément vos conflits, mais elles vous aideront à distinguer clairement les émotions des actes. Vous devez maintenir cette séparation pour que le soi adulte puisse faire de meilleurs choix, et mieux gérer vos actes au lieu de laisser l'enfant extérieur prendre le dessus.

L'identification des comportements de l'enfant extérieur est également bénéfique pour l'enfant intérieur, car elle vous permet de reporter le blâme de vos comportements inacceptables ou nuisibles sur l'enfant extérieur et d'attribuer à l'enfant intérieur uniquement les émotions *irréprochables et recevables* que vous ressentez. L'amour et le réconfort de votre soi adulte rassurent Petit Soi qui, ainsi, n'assume pas la responsabilité des agissements de l'enfant extérieur.

La création d'un partenariat solide entre Grand Soi et Petit Soi *libère* l'enfant extérieur de son besoin de vous défendre. Votre soi adulte contrôle maintenant l'expression de vos émotions et permet à l'enfant extérieur de consacrer sa formidable énergie à des entreprises beaucoup plus constructives.

INTÉGREZ L'ENFANT EXTÉRIEUR À VOS SÉANCES DE VISUALISATION

Une autre façon encore de tirer parti du concept de l'enfant extérieur consiste à intégrer celui-ci à vos séances de visualisation.

Quand j'ai su identifier mon enfant extérieur, dit Jean, je l'ai tout de suite placé à l'intérieur de ma maison de rêve. J'ai imaginé que Petit Soi y était tranquille et en sécurité et que l'enfant extérieur s'adonnait à toutes sortes d'activités nouvelles et passionnantes. J'ai même transporté ma maison de rêve dans la région du Nord-Ouest du Pacifique, où l'enfant extérieur semblait être libre et heureux. En intégrant l'Enfant extérieur à mes visualisations, j'ai commencé à faire des projets: il y avait plein de choses que je souhaitais faire depuis longtemps sans jamais y parvenir.

Tous ne profitent pas forcément de la participation de l'enfant extérieur aux conversations quotidiennes avec Petit Soi. Plusieurs personnes ne le surveillent qu'en parcourant leur inventaire. Ce rappel rapide et quotidien de son existence leur suffit pour gérer correctement leurs contrariétés et pour remédier à leurs anciens comportements.

La visualisation quotidienne de l'enfant extérieur est le parfait véhicule de votre croissance et de votre développement. Mieux vous le percevez, plus vous exercez votrte libre arbitre, moins vous êtes l'esclave de vos anciens comportements. C'est vous, enfin, qui choisissez la vie que vous souhaitez avoir.

La rage: un résumé

À l'étape de la rage, la tension anormalement élevée peut provoquer des courts-circuits émotifs à différents moments du processus. La rage poursuit un dialogue intérieur autogène qui attise sa propre flamme.

Tant que nous ne reconnaissons pas notre enfant extérieur, nous agissons sans réfléchir et notre colère nous sert à justifier nos actes. Mais il est possible d'utiliser efficacement l'énergie de la rage. La rage créatrice ne détruit rien, ne blesse personne, ne perpétue pas la souffrance. Elle n'use pas de représailles. Elle se transforme en sain dynamisme. Elle devient l'énergie qu'il nous faut pour nous reconstruire et pour rebâtir nos relations.

Reconnaître l'enfant extérieur nous porte à réfléchir avant d'agir au lieu de nous laisser aller à nos réflexes en répétant des schémas de comportement profondément enracinés.

Le démantèlement de l'enfant extérieur est la clé d'un rétablissement authentique.

CHAPITRE SIX

Cinquième étape : le relèvement

Qu'est-ce que le relèvement ?

Le relèvement est un moment d'espoir. Une rémission spontanée.

Il débute lentement et prend de la vitesse. Vous avez grimpé jusqu'au sommet de la colline. Vous voyez derrière vous et devant vous.

Vous vous êtes hissé au-dessus de la rage et de sa turbulence, vous avez vaincu les résistances de l'enfant extérieur et vous avez réussi à échapper à vos comportements autodestructeurs.

Jusqu'à présent, votre rétablissement a été centré sur vos besoins, vos peurs et vos résistances. Pendant le relèvement, vous commencez à soigner vos relations avec les autres.

L'abandon a réveillé l'enfant en vous. Vous l'avez maintenant réconforté, vous avez comblé ses besoins depuis si longtemps inassouvis et vous vous êtes mis à l'écoute de ses émotions. Maintenant libérés de leurs multiples couches protectrices, ces besoins et ces émotions ouvrent la voie à l'amour.

La cinquième étape de l'abandon : le relèvement

LE RELÈVEMENT DE JOSIANE

Josiane a eu un rendez-vous surprise orchestré par une collègue de travail. Elle a appréhendé la tournure des événements. Elle n'était sortie avec personne depuis plus d'un an.

Elle espérait impressionner son compagnon de la soirée par sa maturité et sa gaieté. Elle désirait se montrer autonome. Pas question d'émettre le moindre signal de désespoir. Sa solitude ne serait visible pour personne ce soir-là.

Ils sont d'abord allés au cinéma, ensuite ils sont allés dîner au restaurant. Josiane a parlé de sa vie, de son bénévolat dans un service d'écoute téléphonique. Elle s'est efforcée d'avoir l'air heureuse et comblée. Son compagnon paraissait intéressé, mais elle n'en était pas sûre. Elle s'est demandé soudain ce qu'il pensait d'elle, mais elle a vite repoussé cette idée au cas où il lirait dans ses pensées.

Cela s'était passé le mardi. Aujourd'hui dimanche, il n'avait pas encore appelé.

Elle se leva et enfila un pull en molleton pour aller faire du jogging. Il lui fallait fuir la perspective d'un nouveau rejet.

Quelques kilomètres plus tard, elle arriva à sa destination préférée : une librairie. Elle décida d'acheter un livre et de passer le reste de l'après-midi à lire. Elle serait en pleine forme quand viendrait l'heure d'aller travailler au restaurant.

LE RELÈVEMENT D'ÉTIENNE

À son réveil, Étienne entendit le gazouillis des oiseaux. «Dimanche matin, songea-t-il, est-ce que ça vaut la peine de me lever ? » L'an dernier, à la même époque, il aurait passé la matinée chez le pépiniériste en compagnie de Gabrielle pour choisir de nouveaux plants pour le jardin. Jardiner ne l'intéressait plus, maintenant que Gabrielle n'était plus là. Mais il voulait son journal du dimanche.

«Pourquoi ne pas marcher jusqu'au dépanneur dans l'air frais du printemps ? » se dit-il. Plus tard, il pourrait aussi faire la lessive.

Les fleurs nouvelles explosaient de leurs mille couleurs, et cela le surprit. La beauté éclatante des tulipes lui rappela Gabrielle et il en ressentit un pincement au cœur. Mais bientôt il se laissa séduire par la brise printanière.

En route, il aperçut Josiane – qu'il avait rencontrée dans son groupe d'entraide. Une chose qu'elle avait dite quelques semaines auparavant lui était restée en tête. Il avait eu envie de lui en parler, mais elle s'éclipsait toujours tout de suite dès la fin de la séance ou se plongeait dans une conversation avec quelqu'un d'autre en se dirigeant vers la sortie.

Il glissa le journal sous son bras et traversa la rue pour aller à la rencontre de Josiane.

Lors de notre rencontre subséquente, il me décrit comment il l'avait abordée.

– Josiane, dit-il en l'approchant par-derrière ; comment ça va ?

Elle parut surprise.

– Je suis sorti acheter le journal quand je t'ai vue, et j'ai pensé venir te dire bonjour. Comment va la vie ?

Elle avait les cheveux attachés en une queue de cheval.

– Formidable, dit-elle. Et toi, Étienne, ça va ?

– Pas mal du tout. Il fait beau, n'est-ce pas ?

– Oui, en effet, dit Josiane.

– Qu'est-ce que tu deviens ?

– Eh bien, je suis venue acheter un livre.

Étienne fit une pause avant de poursuivre :

– Tu es allée à ton rendez-vous surprise la semaine dernière ?

– Oui.

– Comment ç'a été ?

– Pas mal, fit-elle, en prenant un livre sur l'étagère.

– Bien, dit Étienne. Est-ce que tu comptes le revoir ?

Pas de réponse.

« Ça ne me regarde pas », songea Étienne.

– Est-ce que tu as quelques minutes ? On pourrait descendre jusqu'à la rivière et bavarder.

– Je ne pense pas, dit Josiane. J'ai plein de trucs à faire aujourd'hui.

– Mais j'aimerais vraiment bavarder avec toi quelques minutes. Nous n'avons jamais eu l'occasion de le faire, et ça me plairait vraiment beaucoup.

– Bon, d'accord.

Ils marchèrent lentement jusqu'au marchand de bagels, deux rues plus loin, et ils s'assirent à une table de la terrasse.

Les mots qui évoquent l'idée d'*ascension* sont ceux qui décrivent le mieux le relèvement. Nous *émergeons* du chagrin pour réintégrer la vie. Nous vivons des moments de *légèreté*, d'*allégement* de nos pensées et de notre humeur même quand est présent le souvenir de notre renoncement. Toute la plénitude de la *vie* commence à nous distraire du deuil et de la blessure subie. Notre chagrin s'est *atténué* et nous nous sommes *délestés* d'un grand nombre de fardeaux émotifs.

Les vibrantes nuances du printemps ont ravivé en Étienne le souvenir de sa perte. Nous constatons qu'il avait commencé à *se délester* de son obsession de Gabrielle et à *se laisser porter* par la vie.

Je donne à cette dernière étape le nom de *relèvement*, mais nous avons connu de brefs moments de légèreté tout au long de notre rétablissement. Ces courts répits s'allongent de fois en fois et perdurent d'abord des heures, et ensuite des journées entières à mesure que nous approchons du but.

Le relèvement de Josiane a exigé un effort délibéré et autogéré. Elle a décidé de se consacrer à des activités créatrices et positives – jogging, lecture et travail – au lieu de laisser sa déception la dominer.

Que notre bonne humeur soit spontanée ou, comme dans le cas de Josiane, le fruit d'un effort délibéré, c'est durant cette phase que nous recommençons à vivre. De temps à autre, nous replongeons dans le malheur ; à d'autres moments, nous sentons qu'un soi *entièrement nouveau* émerge.

Le relèvement, c'est la naissance d'une nouvelle vie, l'exploration d'un nouveau territoire, la conquête d'un monde nouveau. Nous avons été sensibles à d'importants messages intérieurs concernant nos besoins, nos émotions et les enseignements que pouvait nous inculquer l'expérience douloureuse que nous avons vécue. Nous nous créons une nouvelle vision de nous et de l'existence, que nous tissons dans nos nouvelles façons de vivre. Nous voyons clairement notre soi en devenir.

Nous nous délestons de la rage que nous inspire notre abandonneur et *nous nous délestons* aussi de nos anciens comportements. Le passé nous imprègne encore, mais nous voyons bien que l'expérience de l'abandon nous a placés dans une situation plus avantageuse[1].

À ce stade-ci, nous savons que nous serons bientôt prêts à *aimer* à nouveau. Cette prise de conscience débute souvent par un élan d'affection et de gratitude envers les amis et les membres de notre famille qui ont su nous apporter leur soutien quand nous étions en proie au désespoir. Le moment est alors venu pour nous de leur dire à quel point ils sont importants à nos yeux. Parallèlement, notre estime de nous-mêmes est en hausse, nous nous valorisons et nous sommes fiers des progrès accomplis. Nous sommes plus autonomes, conscients de qui nous sommes et en contact avec nos émotions. Nous sentons que prend forme notre capacité d'aimer, maintenant que nous voici ouverts à de nouvelles rencontres.

Nous hisser hors de l'abandon pour entrer dans la vie et l'amour, voilà le but de cette étape, mais il nous faut emporter nos émotions avec nous pendant ce relèvement. Une des embûches les plus courantes consiste à dépasser nos émotions, à les laisser derrière. Il faut éviter de commettre cette erreur qui nuirait à l'intimité d'une prochaine relation.

En vous accompagnant dans cette phase finale de l'abandon, je vous indiquerai comment puiser à l'énergie du relèvement pour accroître votre capacité de vivre et d'aimer. Ce chapitre comporte à la fois des messages de victoire et de prudence. Ainsi, je vous mettrai en garde contre les écueils qui empêchent souvent les réchappés de l'abandon de former un nouveau couple et je décrirai comment il est possible de surmonter ces obstacles. J'examinerai les expériences de l'enfance qui prédisposent au relèvement et je dresserai un inventaire qui vous aidera à cerner les problèmes non résolus qui continuent de vous accabler. Enfin, je vous présenterai le cinquième exercice d'*akeru*, dont le but est de vous aider à rester en contact avec vos émotions tout en créant de nouveaux liens d'attachement.

Le programme émotionnel du relèvement

Voici les termes et expressions qui décrivent le programme émotionnel du relèvement: la *diminution* du stress et des tensions, l'*apprentissage* des *leçons* affectives de l'abandon, l'*identification des traits de caractère* qui prédisposent au relèvement, la *reconquête* des espoirs et des rêves perdus, le *relâchement* de la servitude affective et le *renoncement* aux amours du passé, la *quête* d'amour, la *fin* de la honte et, enfin, la *levée* des obstacles à un nouvel engagement amoureux.

LA DIMINUTION DU STRESS ET DES TENSIONS
Le relèvement, c'est le retour à l'équilibre émotionnel et biochimique.

Au cours des étapes précédentes, il a été question du rôle du système nerveux autonome lors d'une crise émotive. Celui-ci annonce le danger et vous prépare à la dépense d'énergie que nécessite la réaction de combat, de torpeur ou de fuite, soit la réaction réflexe de l'organisme à une menace perçue – dans votre cas, l'abandon. Durant la phase de relèvement, vous ressentez les effets d'un autre élément du système nerveux, le système nerveux parasympathique[2].

La diminution du stress et des tensions
L'apprentissage des leçons affectives de l'abandon
Les écueils du relèvement
Le rôle de la famille dans le relèvement
La découverte de votre moi perdu
Le renoncement au passé
La quête d'amour
La fin de la honte

Le programme émotionnel du relèvement

Le système nerveux parasympathique et le système nerveux sympathique unissent leurs forces pour ramener à la normale différentes fonctions de l'organisme après un état d'alerte, notamment la fréquence cardiaque et la fréquence respiratoire. Ce nouvel équilibre physiologique permet au corps de retrouver son flux vital. Il s'agit d'un des instruments d'autorégénération de l'organisme.

Le cas de Josiane illustre certains des choix que nous pouvons faire pour faciliter ce nouvel équilibre. Josiane n'était pas consciente du processus biochimique qui avait lieu, mais sa séance de jogging a vraisemblablement augmenté sa production d'endorphines, l'opiacé naturel dont il a été question au chapitre trois. À environ trente minutes du début de leur course, les coureurs qui frappent le mur atteignent un état euphorique et ressentent alors les effets analgésiques et agréables de cet opiacé naturel qui circule dans leurs veines[3].

De nombreuses personnes disent avoir développé une dépendance à l'exercice physique. Entre les séances d'entraînement, elles éprouvent des symptômes proches du sevrage d'une dépendance à la morphine ou à l'héroïne. La suppression brutale des endorphines les pousse à courir à nouveau et les incite par conséquent à respecter un programme d'exercice régulier.

J'aimerais souligner un intéressant parallèle. Nous avons déjà dit qu'un certain nombre d'opiacés naturels interviennent dans les toutes premières relations mère-enfant. Selon les recherches de Jaak Panksepp sur la neurochimie de l'attachement, les opiacés les plus puissants du cerveau atteignent une teneur maximale avant la naissance du bébé. Après l'accouchement, des opiacés plus faibles remplacent graduellement les précédents, sans doute pour motiver l'enfant à rechercher son plaisir dans la fusion avec sa mère. Idéalement, cet attachement du bébé à la mère se substitue immédiatement à son sevrage aux opiacés. La fusion mère-enfant apaise les symptômes du sevrage et le nourrisson libère différentes quantités d'opiacés à mesure que se renforce le lien. Panksepp laisse aussi entendre que la création d'un lien adulte augmente la production des opiacés naturels, tandis qu'une rupture la fait décroître[4]. Il est possible que le manque ressenti au moment de la perte d'un amour nous motive à lui trouver un remplacement.

Bien entendu, nous ne sommes pas esclaves de nos processus biochimiques. Rien ne nous oblige à trouver sur-le-champ un amour substitut. Par ailleurs, compte tenu du sevrage aux opiacés qui intervient durant le deuil, il n'y a pas lieu de s'étonner si tant de réchappés de l'abandon cherchent un soulagement dans des activités qui demandent un grand déploiement d'énergie. Comme dans le cas de Josiane, ces activités augmentent la libération des endorphines.

J'ai expliqué dans le dernier chapitre comment le système nerveux sympathique nous prépare non seulement à nous défendre, mais aussi à entreprendre toutes sortes d'activités qui demandent un effort mental ou physique, par exemple l'alpinisme, le sexe ou la résolution d'un problème informatique. Quand Josiane s'est préparée à faire du jogging, son système nerveux sympathique s'est montré à la hauteur des circonstances : il a rehaussé son agilité mentale et physiologique et augmenté son énergie, facteurs dont Josiane a tiré parti dans sa course rapide. Compte tenu de son passé (enfant trouvée ayant connu plusieurs expériences de deuils et d'abandons traumatisants), les souvenirs émotionnels de Josiane sont sans aucun doute régulièrement réactivés dès l'instant où, dans sa vie adulte, elle est consciente d'un renoncement ou d'un rejet probables. Lorsqu'elle pratique un exercice physique ou une activité qui demande une grande dépense d'énergie, elle rétablit l'équilibre de sa vie, le plus souvent à son insu.

Tout comme Josiane, de nombreux réchappés de l'abandon ont constaté que les activités physiques ou intellectuelles très exigeantes contribuaient à diminuer les effets des hormones de stress, les symptômes du sevrage aux endorphines, ainsi que d'autres processus biologiques qui interviennent dans les périodes de crise émotive. Selon le psychiatre Frederic Flach, qui traite de la dépression dans ses écrits, « l'exercice physique stimule l'absorption du calcium par les os et l'empêche de se déposer dans les tissus mous (où il n'a pas sa place) ». Le métabolisme du calcium subit les effets néfastes du stress et est associé aux changements biochimiques de l'anxiété et de la dépression. Une plus grande concentration de calcium dans les os rehausse le bien-être psychologique.

Flach ajoute ceci : « Des vitamines telles que le complexe vitaminique B, et plus particulièrement la vitamine B6, ainsi que des minéraux comme le calcium, le magnésium et le zinc contribuent de façon importante à l'aptitude de l'organisme à gérer le stress. La lumière du soleil active la vitamine D et favorise la rétention du calcium dans les os. C'est curieux, n'est-ce pas, quand on sait que bon nombre d'individus souffrent de dépression à la suite d'une exposition insuffisante à la lumière du soleil. » On peut donc supposer que la prise de suppléments vitaminiques et la pratique d'activités qui nous exposent au soleil favorisent notre rétablissement biophysiologique après une crise émotive.

Le but du relèvement est de vous permettre d'atteindre un nouvel équilibre et d'arriver à une nouvelle valeur de consigne en cultivant de nouveaux champs d'intérêt et en pratiquant de nouvelles activités.

L'APPRENTISSAGE DES LEÇONS AFFECTIVES DE L'ABANDON

Pendant le relèvement, vous constatez votre victoire. Vous avez vécu une expérience très intense qui a déclenché en vous de profonds changements. La crise que vous avez traversée vous a apporté des bienfaits remarquables. Elle vous a mis en contact avec vos émotions. Vous en avez atteint le cœur parce qu'elle ne s'est pas limitée au départ de l'être aimé. Elle a aussi rouvert une ancienne blessure – une blessure faite de blessures en chaîne, celles de toutes vos déceptions et de tous vos deuils passés et qu'accompagnent les peurs primordiales de l'espèce humaine tout entière. Il y a eu fusion entre cette nouvelle blessure, vos vieux traumatismes et les maux de l'humanité.

Vous ne tenez pas à perdre cette sagesse affective toute neuve. Elle vous aidera à éviter les déceptions de vos futures relations. Si vous gardez le contact avec vos émotions, vous serez plus accessible aux autres, plus attachant, plus disponible.

Le relèvement vous donne l'occasion de faire le point sur vos émotions, de passer en revue les sentiments que vous avez éprouvés au long des quatre étapes précédentes. La peur et la confiance ébranlée lors de la *dévastation*; le sentiment de vide et de manque à l'étape du *sevrage*; l'autoaccusation et l'atteinte à l'estime de soi durant le processus d'*intériorisation*; enfin, la colère et les résistances de l'enfant extérieur que vous avez pu identifier à l'étape de la *rage*. À chacune de ces phases, vos émotions vous ont rappelé vos deuils et vos abandons passés, elles ont ravivé de vieux souvenirs. Vous avez examiné de près le bagage affectif que vous traîniez comme un boulet depuis des années.

En dépit de la souffrance et des bouleversements qu'il a provoqués, ce parcours vous a fait prendre conscience de vos émotions refoulées. Vous savez maintenant ce qui déclenche vos réactions affectives et vous avez pu cerner vos besoins les plus importants. Votre rétablissement dépend de la manière dont vous gérerez ces émotions profondément enfouies. Elles vous ont beaucoup saboté dans le passé; vous ne tenez pas à vous en distancer à nouveau.

Pendant le relèvement, votre tâche principale consiste à accueillir et accepter vos émotions.

LES ÉCUEILS DU RELÈVEMENT

Les personnes qui émergent du deuil d'une rupture ont hâte de se délester de leurs mauvais souvenirs. Il n'est pas rare qu'elles veuillent fuir leurs problèmes affectifs non résolus plutôt que d'y faire face. Elles ne comprennent sans doute pas que le fait de concentrer leur attention sur ce qu'elles ressentent peut leur être bénéfique, si bien qu'elles se hissent au-dessus de leur souffrance intense et des émotions nouvelles et inattendues qu'elles éprouvent.

En vous *hissant au-dessus de vos émotions*, vous vous délestez non seulement de votre relation détruite, mais aussi de vos besoins les plus anciens, les plus profonds et les plus fondamentaux. Ce relèvement exagéré indique que vous avez recours à une ou plusieurs formes de résistance : vous fermez les yeux sur vos émotions, vous les soignez vous-même, vous niez leur existence, vous fuyez les situations qui risquent de les déclencher, ou vous vous occupez au point de ne plus avoir le temps de les ressentir[5].

La vérité toute simple est qu'il est impossible de laisser nos émotions derrière nous. À l'étape du relèvement, toutes vos transformations, que vous en soyez ou non conscient, se sont intégrées à vos émotions. Ignorer ces émotions équivaut à ajouter un rang de briques supplémentaires au mur qui sépare votre soi intérieur de votre soi extérieur – votre Petit Soi et votre Grand Soi. Sur le plan émotionnel, vous redevenez inconscient.

Si l'abandon vous plonge un couteau dans le cœur, le relèvement représente la dernière phase de la guérison, quand des tissus neufs viennent cicatriser la plaie. Lors de la *dévastation*, la douleur ressentie au moment où la lame tranchait le tissu dense de l'attachement a été subite et violente. Durant votre *sevrage*, la sensibilité douloureuse de la plaie ouverte, toute fraîche, vous a tourmenté. À l'étape de l'*intériorisation*, votre blessure, très susceptible à l'infection, a menacé de porter gravement atteinte à votre estime de vous-même. À l'étape de la *rage*, les chairs raidies et enflammées ont commencé à se refermer. Enfin, vous voici parvenu au *relèvement*, quand de nouvelles couches de tissus recouvrent votre lésion et la guérissent. À cette étape, il y a danger de formation de tissus cicatriciels qui vous isoleraient du monde extérieur. Un tel cal affectif s'accompagnerait d'*insensibilité*.

Quand vous vous hissez *au-dessus* de vos émotions au lieu de remonter *avec elles*, vous courez le risque de devenir indifférent à vous-même et aux autres. Vous devez empêcher ces cicatrices, à défaut de quoi elles formeront un écran invisible qui vous rendra très difficile d'approche. Les personnes qui voudront faire partie de votre vie se verront refuser l'accès à vos émotions les plus fondamentales, c'est-à-dire aux émotions qui créent l'assise d'un rapport affectif profond.

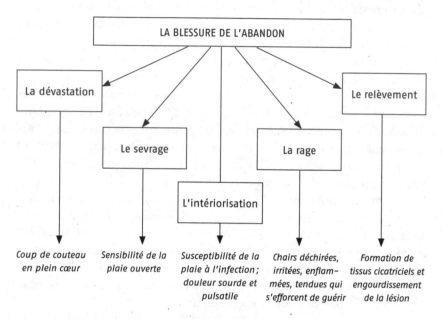

La blessure de l'abandon

Nous connaissons tous des êtres qu'une rupture amoureuse intense a perturbés profondément, mais qui, curieusement, semblent s'être détachés d'eux-mêmes et de leurs émotions. Ils sont inaccessibles sur le plan affectif et plus difficiles à toucher que jamais. On ne peut qu'imaginer quelles émotions non résolues couvent en eux et sapent leur énergie. Ils se sont *hissés au-dessus* de leurs émotions, ils vivent une demi-vie affective. Sans le dire, ils ont cessé de se valoriser, mais continuent d'agir comme si de rien n'était. Extérieurement, tout semble normal, mais ils se sont fermés à toute émotion. Certes, ils ont surmonté la souffrance aiguë de l'abandon, mais ils ont perdu en cours de route une part importante d'eux-mêmes.

C'est la manière dont nous gérons notre fragilité persistante qui détermine si le départ de l'être aimé nous transformera pour le mieux, ou si, en nous distançant et en nous isolant, nous serons moins susceptibles de nous engager à nouveau dans une relation de couple.

Les traits de caractère prédisposant au relèvement exagéré

Enfant, Pauline a subi une chirurgie cardiaque ayant nécessité une longue et difficile convalescence. Elle se languissait au lit en regardant par la fenêtre jouer les autres enfants et elle en a conclu qu'elle n'était pas aussi spéciale ni aussi méritante qu'eux. Après son divorce, elle est restée de nombreuses années loin au-dessus de ses émotions.

– Je suis tombée de cheval une fois et je ne suis jamais remontée en selle. Mon mari a eu une aventure il y a plus de dix ans. Cela m'a dévastée, et nous avons divorcé. Un point, c'est tout. Je suis seule depuis ce temps.

«Je suis sortie une fois ou deux avec des hommes, mais aucun ne s'est intéressé à moi, et aucun ne m'a intéressée. Je ne voulais pas courir le risque de souffrir encore. Qui a besoin de souffrir! Tant que j'allais travailler, j'étais bien toute seule. Mais quand j'ai été forcée d'utiliser mes jours de vacances accumulés, c'est devenu un problème. Je n'avais pas envie d'aller nulle part. Je n'avais pas envie de voyager seule.»

Le fait est que nous avons tous effectué les deux types de relèvements : le relèvement *qui garde intactes nos émotions*, et le relèvement *qui nous hisse au-dessus de nos émotions*. Il peut arriver que le relèvement exagéré soit une bonne façon d'affronter une période de crise intense. Aux yeux de la famille et des amis, nous avons *du ressort*. Nous savons tous nous hisser au-dessus d'émotions trop pénibles ou d'émotions que nous voulions cacher aux autres. Tôt ou tard, nous avons appris à encaisser et à faire semblant d'être forts quand en réalité nous avions peur, à rire quand nous voulions pleurer. Ces mécanismes nous ont aidés à traverser les hauts et les bas de la vie.

Le ressort moral de l'enfant est une excellente chose. C'est grâce à lui que la force vitale le prend à bras-le-corps pour le pousser à aller de l'avant. Mais si, comme Josiane, Étienne et Pauline, votre enfance a été marquée par de nombreux bouleversements affectifs, vous avez dû vous relever souvent. Si, pour cette raison, vous vous êtes hissé trop souvent *au-dessus* de vos peines et de vos peurs, il se peut que vous ayez perdu tout contact conscient avec vos émotions profondes. Le relèvement exagéré était peut-être déjà un réflexe au stress quand vous êtes entré dans l'âge adulte. Dans certains cas, les personnes sujettes aux relèvements exagérés se méfient de ce qu'elles ressentent, elles sont distantes, obsédées par le succès ou la réussite matérielle, et elles se ferment aux relations intimes. Dans les cas extrêmes, on assiste à un comportement antisocial marqué et à une totale indifférence du sujet à ses émotions et à celles des autres[6].

Mais la plupart du temps, les personnes sujettes aux relèvements exagérés sont des gens ordinaires pour qui la vie continue en dépit de leurs expériences douloureuses. Ni eux ni les personnes qui tentent de les approcher ne sont sans doute conscients de la gravité de leur détachement affectif.

Quels sont les traits de caractère propres aux gens qui se détachent systématiquement de leurs émotions?

Si vous répondez par l'affirmative à la majorité des questions suivantes, vous êtes peut-être porté à vous *hisser au-dessus* de vos émotions. Il se pourrait aussi que vous reconnaissiez à ces signes quelqu'un qui compte beaucoup pour vous (sans doute même votre abandonneur). Le fait de connaître les traits de caractère d'une personne sujette aux relèvements exagérés vous aidera à reprendre contact avec vos émotions.

Le questionnaire du relèvement

Quand vous étiez enfant:

Étiez-vous le boute-en-train de la classe à l'école?

Vous efforciez-vous de cacher vos sentiments déplaisants à vos amis?

Cherchiez-vous à vous rendre invisible?

Recouriez-vous à des tactiques de diversion pour masquer votre embarras ou votre humiliation?

Quand vous vous débattiez avec un problème, restiez-vous à l'écart de votre famille ou de vos amis?

Quand vous jugiez avoir été exagérément puni, refusiez-vous stoïquement de pleurer?

Étiez-vous parfois anxieux et furieux contre votre entourage, tout en dissimulant ou niant vos sentiments, quels qu'ils aient été?

Dans vos fréquentations, sentiez-vous le besoin de voiler vos insécurités?

À l'âge adulte:

Feignez-vous d'être jovial en public, même quand vous êtes déçu de vous-même ou inquiet devant la vie?

Croyez-vous parfois que les autres ressentent des émotions que vous-même êtes incapable de ressentir?

Est-ce que vos amis et vos connaissances se confient à d'autres personnes, sauf à vous ?

Avez-vous l'impression que l'émotion au cœur d'une expérience humaine vous échappe ?

Êtes-vous plus souvent un «faire humain» qu'un «être humain» ?

Êtes-vous toujours sur la brèche ? un bourreau de travail ?

Vivez-vous dans votre tête ? Êtes-vous trop appliqué, fermé à la vie qui vous entoure et aux autres ?

Êtes-vous facilement distrait ? en proie à une torpeur affective qui vous rend indifférent à ce qui se passe autour de vous ?

Étiez-vous un enfant hyperactif ? hypersensible ? Ou, au contraire, étiez-vous un enfant passif et sous-performant pour ne pas succomber à des émotions dérangeantes ?

Avez-vous parfois l'impression d'être détaché, déconnecté de votre entourage ?

Évitez-vous d'exprimer ouvertement toute émotion intense, même positive, de peur d'avoir la voix qui tremble ou pour ne pas pleurer ?

Avez-vous du mal à extérioriser votre affection ? votre tendresse ? votre sexualité ?

L'écho d'anciens états – insécurité, solitude, anxiété, chagrin du deuil – fondus ensemble en une sorte de soupe primordiale émotive se prolonge-t-il en vous ? Avez-vous du mal à formuler ce que vous ressentez, à trouver la source de vos émotions ?

Vous réveillez-vous parfois avec une gueule de bois psychologique ? La gueule de bois psychologique ressemble à la gueule de bois due à un excès d'alcool, sauf que vous vous sentez vidé de toute votre énergie, mort spirituellement, incapable d'extraire une émotion de toutes celles qui vous hantent.

Vos relations les plus importantes souffrent-elles d'un manque d'interaction affective et d'intimité ?

Votre conjoint est-il distant, fermé sur le plan affectif ? Dans l'affirmative, se peut-il que son comportement reflète votre propre tendance à vous hisser au-dessus de vos émotions ?

Vos amis intimes ou l'être aimé se laissent-ils difficilement atteindre dans leurs sensibilités ? Dans l'affirmative, laissez-vous votre entourage s'occuper à votre place de votre relèvement ?

LE RÔLE DE LA FAMILLE DANS LE RELÈVEMENT

Qu'est-ce qui prédispose un être à se hisser au-dessus de ses émotions ? Pourquoi certaines personnes s'agrippent-elles à ce qui les fait souffrir tandis que d'autres refoulent leur souffrance ?

À peu près tous les contextes familiaux et toutes les premières expériences de la vie peuvent favoriser le développement d'un réflexe défensif de relèvement exagéré. Dans les chapitres précédents, j'ai décrit quelques-unes des circonstances au cours desquelles les enfants accumulent un bagage émotionnel : les *dévastations* que représentent la mort d'un parent ou l'abus sexuel ; les scénarios de *sevrage* où les enfants subissent des carences prolongées auprès de parents affectivement inaccessibles ; les scénarios d'*intériorisation* où les enfants sont les objets de critiques continuelles et les boucs émissaires des adultes, ou carrément rejetés ; et les scénarios *qui provoquent la rage*, quand les enfants sont surcontrôlés, exploités, ou encore violentés psychologiquement ou physiquement.

Je présente ci-après quelques exemples de situations qui peuvent conduire l'enfant à se défendre d'instinct en se hissant au-dessus de ses problèmes. Certains de ces exemples vous rappelleront votre propre famille. D'autres vous feront songer à la famille de personnes de votre entourage.

Les personnes portées à un relèvement exagéré proviennent de familles où l'on vivait l'une ou l'autre des situations suivantes :

• Les adultes étaient distants sur le plan affectif et vous imitiez leur comportement. Puisque les émotions n'avaient aucune importance, personne n'en tenait jamais compte.

• Les parents s'entêtaient à garder rancune à d'autres membres de la famille, formulant ainsi le message implicite suivant : on ne se dégage pas de ses sentiments.

• Les parents ou autres modèles familiaux de comportement avaient des réponses émotionnelles excessives, une personnalité histrionique, et ils étaient portés à la dramatisation. Vous vous distanciez d'eux afin de protéger votre propre espace émotionnel.

• Les parents ne toléraient absolument pas la colère. La colère était pour eux synonyme de manque de respect. Vous deviez par conséquent étouffer vos émotions les plus vives.

• Les parents étaient très contrôlants sur le plan affectif et se préoccupaient exagérément de ce que vous ressentiez. Ils voulaient tout régler pour vous – en d'autres termes, effacer vos émotions. Ils rejetaient sommairement vos déceptions et vos appréhensions, et ils vous dictaient ce que vous *deviez* et *ne deviez pas* ressentir. Vous en avez conclu que les émotions désagréables sont interdites.

• Le climat familial était autoritaire. L'obéissance et la réussite l'emportaient sur les sentiments.

• Les adultes étaient perfectionnistes et exigeants. Vous étiez forcé de négliger vos émotions pour satisfaire à leurs attentes irréalistes.

• Les parents et les autres adultes de la famille avaient un soi public qui cachait leur vrai soi. Ils cachaient leurs sentiments et faisaient comme si tout allait toujours bien.

• Les adultes ne montraient ni empathie ni sensibilité. Pour se libérer des tensions accumulées, les enfants se querellaient sans cesse.

• Le chaos régnait. Les déceptions et les bouleversements continuels faisaient naître des émotions intenses. Les adultes s'emportaient à tout propos ou se distançaient affectivement des enfants.

• Les adultes tenaient rarement leurs promesses aux enfants, sans doute à cause de leur alcoolisme ou d'autres maladies. Vous avez appris à modérer vos attentes et à ne pas trop espérer de vos relations pour ne pas être déçu.

• Vos parents vous humiliaient quand vous vous extériorisiez, ils vous reprochaient de pleurer et se moquaient de vos peurs. Vous avez appris à cacher vos émotions et à les refouler.

• Il n'y avait guère d'intimité entre les parents ou, au contraire, leur intimité n'allait pas au-delà de leur couple. Vous en étiez exclu, témoin passif relégué à la périphérie.

Il ne faut pas perdre de vue que, dans l'ensemble, les parents font de leur mieux pour répondre aux besoins de leurs enfants. Mais, curieusement, presque tous transfèrent bien malgré eux sur leur progéniture leurs traumatismes affectifs. Cet héritage se mue ensuite en comportements divers, en attitudes et en traits de caractère qui se transmettent parfois de génération en génération. Il ne sert à rien d'accuser nos parents de tous nos maux. Il faudrait reculer de plusieurs générations, soit jusqu'aux circonstances historiques qui ont façonné la vie de nos ancêtres, pour aller au fond des choses[7].

Quand nous nous efforçons de comprendre quelle influence nos expériences d'enfant ont eue sur nos comportements adultes, nous devons faire en sorte de ne jamais porter de jugements de valeur et de ne jamais blâmer personne. Ce que nous voulons, c'est prendre la responsabilité de notre propre vie et analyser notre bagage affectif. Nous commettons tous des erreurs, comme l'ont fait nos parents. Nul ne peut dire qu'il n'a jamais imposé d'entraves à ses relations affectives.

Un message à l'intention des parents

En tant que parents, nous voulons éviter de porter atteinte à l'estime de soi de nos enfants. Les enfants se sentent facilement impuissants et insignifiants. On peut sans peine leur faire comprendre qu'ils font partie intégrante de notre vie. Nous devons renforcer leur autonomie et non pas les écraser avec nos propres besoins. Sachez les écouter et encourager leur curiosité, leurs espoirs et leurs rêves. Aidez-les à développer leurs aptitudes et leur confiance en soi pour qu'ils sachent occuper le rang qui leur revient à la maison et dans leur vie sociale[8].

LA DÉCOUVERTE DE VOTRE MOI PERDU[9]

Tous, nous avons nourri des aspirations auxquelles nous n'avons pas donné suite, des rêves qui ne se sont jamais réalisés.

Enfant, chez sa grand-mère à qui il rendait visite les fins de semaine, Jean aimait écouter des concerts classiques à la radio. Il y apprit seul à jouer du piano et il se mit à composer des chansons – la musique d'abord, et ensuite les textes. Il supplia ses parents de lui offrir des leçons de piano, mais ceux-ci lui répondirent qu'ils n'en avaient pas les moyens et ils l'incitèrent plutôt à pratiquer un sport. Jean n'avait rien d'un athlète, mais il fit de son mieux dans la petite ligue de baseball.

À la mort de sa grand-mère, Jean, qui était alors un adolescent, tenta de persuader ses parents de lui donner son vieux piano, mais ils lui répondirent que leur appartement était trop exigu. Finalement, Jean renonça à son rêve et nourrit son amour de la musique en écoutant la radio et en s'offrant de temps en temps des disques avec l'argent qu'il gagnait à livrer des journaux.

À l'âge adulte, la passion de Jean pour la musique s'estompa. Les symphonies qu'il adorait auparavant le plongeaient maintenant dans la mélancolie. Il s'est tourné vers d'autres champs d'intérêt.

À la suite d'une crise émotive, il a cherché ce qui pourrait l'aider à habiter le moment. Il s'est rendu au bord de la mer, il a synthonisé la radio de la voiture à une station de musique classique et il a regardé les vagues déferler sur le sable. Puis, fermant les yeux, il s'est laissé bercer par une symphonie de Beethoven.

Certaines parts de vous ont peut-être été oblitérées ou perdues. Ces négligences cumulées ont créé un vide en vous, une faim que vous tentez depuis d'assouvir. Comme Jean, sans doute, le fait d'habiter le moment vous a aidé à redécouvrir certains de vos anciens champs d'intérêt. Peut-être avez-vous redécouvert des rêves oubliés dans vos conversations avec votre soi intérieur. Maintenant que vous voilà devenu un adulte pleinement conscient, vous pouvez revisiter ces fragments perdus de votre être et les ramener à la vie.

Il est souhaitable que vous ayez pris conscience des besoins qui s'affirment en vous et que vous sachiez davantage comment votre passé vous a amené à gérer vos émotions. Plus vous serez conscient de vos émotions, mieux vous pourrez façonner votre vie future.

À l'étape du relèvement, il vous faut avant tout vous délester des relations qui vous ont fait souffrir et surmonter votre chagrin *tout en gardant intactes vos émotions.*

LE RENONCEMENT AU PASSÉ

La fonction la plus importante de cette dernière étape du deuil est de relâcher les liens affectifs[10] qui vous attachaient à l'être aimé perdu. Durant cette phase, dans les mots d'Herbert Weiner, «vous réinvestissez ailleurs votre capital affectif». Il est temps de restructurer et de réorganiser votre vie.

Durant le relèvement, vos responsabilités affectives diffèrent quelque peu de celles des veufs ou des veuves. La différence réside dans le genre de bagage affectif que vous transportez, à savoir les sentiments de méfiance et de honte qui ne se sont pas encore résorbés.

Cette honte n'est cependant pas le propre de l'abandon. Sur certains plans, tous les deuils comportent une part de honte. Quiconque vit depuis longtemps une grande souffrance émotionnelle éprouve une certaine honte à ne pas pouvoir la contrôler, quelles que soient son intensité et sa durée. La société nous impose d'atténuer nos souffrances affectives, voire de les effacer complètement. Parce qu'on nous a inculqué la certitude de pouvoir le faire, nous pensons manquer de force d'âme si nous ne parvenons pas à surmonter notre peine aussi vite que voulu. D'où la honte de notre faiblesse[11].

J'ai tellement souffert après que mon mari a fait une crise cardiaque, dit Lise, que j'en suis venue à garder ma souffrance pour moi seule. Qui comprendrait pourquoi, deux ans plus tard, je voulais encore et toujours mourir ? Même moi je pensais avoir perdu l'esprit ; je me disais que je souffrais d'une forme d'extrémisme affectif.

La veuve et le réchappé de l'abandon ont honte tous les deux de dépendre d'autrui pour leur survie. Mais le réchappé de l'abandon doit aussi composer avec une humiliation supplémentaire, celle d'avoir été rejeté.

Perdre Laurent m'a pratiquement tuée, dit Marie. Il me manquait terriblement. Mais qu'il me prive ainsi de son amour a représenté pour moi un tout autre genre de torture. Je me suis sentie assassinée émotivement, violée et humiliée par mon meilleur ami.

L'impression d'avoir été stigmatisé n'est pas unique à l'abandon. Elle marque à la fois ceux dont le conjoint leur a été ravi par la mort et ceux qui ont vu l'être aimé les quitter en refermant la porte derrière lui.

J'ai eu l'impression que la maladie du cœur qui avait emporté mon mari m'avait prise à partie. Pourquoi une telle tragédie avait-elle frappé ma famille à moi ? Pourquoi pas celle de quelqu'un d'autre ? Qu'avais-je donc fait pour mériter cela ?

Tandis que la veuve s'efforce de continuer à vivre, elle est sous le choc, fortement troublée à l'idée d'avoir été marquée par le sort et d'être destinée à des deuils profonds. Quand nous tentons de revivre après avoir été abandonnés, nous sommes aux prises avec la même épouvante.

Et si quelqu'un d'autre décidait de me rejeter ? se demande Michel. Suis-je si minable que personne ne m'acceptera tel que je suis ? que personne ne voudra de moi ? Comment pourrai-je jamais faire confiance à quelqu'un ou croire à une relation ?

La veuve doute encore un peu d'elle-même, elle éprouve encore quelque regret, elle en veut sans doute encore à la mort de l'avoir plongée dans la solitude, mais à moins que son mari ne se soit suicidé (l'abandon suprême), elle risque peu d'interpréter sa mort comme une insulte à sa personne. Elle sait que personne ne peut contrôler la mort. La notion de mort occupe son esprit beaucoup plus que le *doute de soi*.

Le processus de guérison de la veuve consiste avant tout à combler un vide affectif. Elle cherche de nouvelles raisons de vivre. Si les réchappés de l'abandon ont aussi un vide affectif à combler, celui-ci ressemble à une punition. Ils cherchent le baume qui apaisera leurs blessures narcissiques et qui remédiera au doute de soi qui a infecté leur sentiment de valeur personnelle.

La veuve qui a fait à quelques reprises dans le passé l'expérience de l'abandon doute aussi d'elle-même quand elle émerge de son deuil, surtout si la mort de l'être aimé a réveillé en elle des appréhensions et des insécurités nées de ruptures et de rejets antérieurs. Pour guérir ses plaies et recommencer sa vie, il lui faudra renforcer son sentiment de valeur personnelle. Mais pour la veuve exempte d'un tel passé, la tâche est simplifiée : il lui suffit de s'habituer à vivre seule. Sans doute ne ressent-elle pas le besoin de trouver tout de suite un remplaçant ; elle n'a pas à réparer d'écorchure à sa fierté puisqu'elle ne craint pas qu'on ne veuille pas d'elle.

Quand nous émergeons du chagrin, nous voulons nous venger d'avoir été dépouillé de notre estime de soi. Nous voulons apaiser notre moi blessé.

Ces désirs influencent nos décisions quand nous nous relevons de l'abandon pour tendre vers un nouvel amour.

LA QUÊTE D'AMOUR

Même si, dans le passé, vous n'aviez aucune difficulté à faire de nouvelles rencontres, aujourd'hui l'amour vous effraie peut-être. Serez-vous aussi heureux qu'auparavant ? Êtes-vous destiné à être seul ? Pour répondre à ces interrogations, il vous faut chercher de nouveaux modes de vie et de nouvelles relations.

Certains réchappés de l'abandon se terrent pendant des années comme des animaux blessés pour lécher leurs plaies.

Je ne suis toujours pas prêt, explique Michel. J'ai besoin d'être seul quelque temps, jusqu'à ce que j'aie retrouvé le courage de risquer – d'avoir confiance en quelqu'un d'autre.

D'autres décident de rester seuls parce qu'ils aiment leur nouvelle indépendance affective. Ils ont pu découvrir les avantages du célibat et ils refusent d'y renoncer.

Carole dit: «J'étais heureuse de me débarrasser de l'éternelle agitation, des montagnes russes d'une relation que l'on tente de sauver. J'aime le calme, la sérénité que me procure ma solitude, et je veux continuer à en profiter indéfiniment. Je suis libre, enfin.»

Pour sa part, Marie a ressenti le besoin de trouver un substitut à son conjoint dès la première année, ce qui signifiait apprendre à admettre qu'elle avait besoin d'être aimée.

Je n'ai pas voulu me l'avouer au début, dit-elle, mais après avoir été seule quelque temps, j'ai découvert que je suis de ces personnes qui sont à leur meilleur dans une relation de couple.

J'ai d'abord combattu cette idée. Je me disais que je devrais être capable de vivre seule. Et, de toute façon, je ne tenais pas à souffrir encore. Mais il manquait à ma vie quelque chose de très important, et j'en étais consciente. J'ai fini par porter attention à ce que mes émotions essayaient de me dire.

C'est alors que j'ai fait la connaissance de Philippe. Au début, nous étions bons amis, c'est tout. Je le trouvais très dévoué, non seulement à moi, mais aussi à ses enfants et à tout son entourage. Il était capable de parler spontanément de ce qu'il ressentait – bonheur, colère, inquiétude, insécurité... Et il comprenait très bien mes insécurités et mes émotions. Il avait vécu un deuil similaire de nombreuses années auparavant, et il savait exactement ce que j'étais en train de traverser. Son affection pour moi me faisait beaucoup de bien; elle effaçait une bonne partie de ma souffrance.

Mais je me retenais de m'attacher amoureusement. Mes amis me disaient aussi de ne pas m'engager trop vite avec quelqu'un d'autre. «Tu n'es pas prête, disaient-ils. C'est encore trop tôt. Tu ne devrais pas compter sur quelqu'un d'autre pour être heureuse», répétaient-ils.

J'étais à l'écoute des besoins de Petit Soi. C'est ce qui m'a le plus aidée à prendre une décision, dit Marie. Dès que je lui ai porté attention, je n'ai pas pu ignorer ses besoins. J'ai compris qu'il n'y avait pas de honte à admettre qu'il me fallait une autre présence dans ma vie.

Beaucoup de mes clients ont compris que, compte tenu de leur passé et de l'importance de leur blessure affective récente, il serait à leur avantage de former un nouveau couple aussitôt que possible. Ils ont aussi compris qu'ils devraient absolument trouver une personne capable de les aimer sincèrement, une personne responsable sur le plan affectif et peu susceptible de renoncer à une relation harmonieuse[12].

LA FIN DE LA HONTE

Savoir qu'on a besoin d'être en couple est une chose, trouver une personne compatible, voilà qui est un grand défi. Même les gens les plus affectueux, les plus attirants et les plus loyaux ont du mal à se forger une relation fondamentale.

La plupart d'entre eux savent qu'ils ont encore des peurs irrésolues, mais il ne leur est pas toujours facile de discerner la manière dont celles-ci font obstacle à leur nouvelle relation. Ils essaient de rencontrer des gens, mais ils se laissent gagner par la frustration et la confusion quand ces rencontres ne débouchent sur rien de plus important.

Pourquoi ne puis-je trouver quelqu'un à aimer ?

Qu'est-ce que j'ai qui ne va pas ?

Qu'est-ce qui m'empêche d'établir des rapports étroits avec quelqu'un ?

Les relations vides nous ramènent au problème de la honte. De par sa nature même, la honte est l'un des sentiments dont les gens cherchent le plus à s'affranchir[13]. Ils s'efforcent d'enterrer en même temps leur *honte* et les indices qui, croient-ils, révèlent au grand jour leurs insécurités et leurs inaptitudes.

Compte tenu des séparations nombreuses et prolongées qui l'ont affectée dans son enfance, Josiane est exemplaire de ce qui risque d'avoir lieu quand on se hisse *exagérément* au-dessus du sentiment de honte. Josiane nous montre à la fois comment la honte secrète peut faire obstacle à de nouvelles relations et comment le fait de la démasquer peut donner lieu à des transformations.

Mon problème, avoue Josiane, est que, peu importe combien j'avais besoin d'être avec quelqu'un, personne ne voulait de moi. Toute ma vie j'avais essayé, et toute ma vie j'avais échoué.

On sait déjà que Josiane n'était pas responsable des abandons qui ont empoisonné son enfance. Ses parents naturels ont décidé de l'abandonner et, plus tard, ses parents adoptifs l'ont rejetée d'autres façons. Pourtant, Josiane était minée par un sentiment profond d'échec personnel. Elle se sentait coupable et honteuse, comme si tout avait été de sa faute.

J'en suis venue à croire que personne ne voulait de moi parce que je ne méritais pas leur amour. Je ne faisais aucun cas de mes parents naturels. Si j'avais été aussi spéciale que d'autres, ils ne m'auraient pas repoussée. J'étais certaine qu'il me manquait quelque chose pour qu'on puisse m'aimer, j'étais certaine que quelque chose en moi n'allait pas du tout.

Josiane a pu surmonter ses doutes et ses peurs, mais à chacune de ses ruptures le sentiment de rejet poursuivait insidieusement son travail de sape. Elle a ainsi accumulé systématiquement des preuves de sa défaillance et s'est accusée de ne pas être à la hauteur. Elle en est venue à avoir honte de ses émotions. Elle souhaitait les cacher à son entourage de peur d'attirer l'attention sur les défauts dont elle se croyait affligée. Elle s'est aussi persuadée que la plus petite indication de rejet prouvait hors de tout doute qu'elle était indigne d'amour.

À l'adolescence, Josiane était un véritable caméléon capable de masquer tous les signes extérieurs de son supposé démérite. Intérieurement suintait une blessure secrète; extérieurement, tout semblait aller pour le mieux. Mais dissimuler ses sentiments ne signifiait pas qu'elle pouvait empêcher qu'ils lui nuisent. Au contraire, en les refoulant, elle s'en éloignait et se privait d'une riche vie affective. Elle semblait souvent *théâtraliser* ses réactions. Les gens de son entourage devinaient parfois le vide que cachait son apparente gaieté.

Nous avons eu la preuve de cela quand Étienne s'est enquis de sa soirée et qu'elle a tout simplement choisi de ne pas lui répondre. De même, lors de son rendez-vous surprise, elle a joué un rôle afin de ne pas laisser transparaître sa profonde solitude.

Le besoin d'isoler l'un de l'autre le soi intérieur et le soi extérieur est courant chez les gens qui ont vécu des séparations traumatisantes dans leur enfance, surtout lorsque ces expériences ont donné lieu à l'âge adulte à des rejets répétés. Quiconque a souffert de ne pas trouver un compagnon de vie sait ce que signifie l'impression de « ne pas être à la hauteur ». Ces gens-là savent par expérience que leur dépendance risque de rebuter sur-le-champ leur interlocuteur, si bien qu'ils apprennent à cacher celles de leurs émotions les plus en mal d'être reconnues.

Curieusement, c'est en niant leurs émotions, non pas en les affichant, que ces personnes nuisent aux rapports qu'elles souhaiteraient établir avec d'autres. Pour qu'une relation authentique puisse se former, il faut une disponibilité affective de part et d'autre. Quand vous masquez vos désirs profonds, vous n'êtes pas affectivement disponible. La tromperie est un obstacle invisible à l'intimité.

La honte place de nombreuses personnes dans une double impasse : celle de vouloir se rapprocher de l'autre tout en refusant de lui dévoiler ses besoins réels.

Josiane m'a dit pourquoi elle avait décidé de faire le saut et de se confier sincèrement à Étienne en ce dimanche après-midi, au café.

Être seule, c'est une impasse, un problème insoluble, avoua-t-elle. Je ne pourrais jamais dire à un homme que je fréquente à quel point je manque d'assurance, à quel point j'ai l'impression que ma vie est un échec et que je ne vaux rien. Il me trouverait trop dépendante, un cas pathétique, et il prendrait ses jambes à son cou !

En dissimulant sa vulnérabilité, Josiane ne se livrait pas suffisamment pour que l'autre personne ait envie de s'approcher d'elle. En refusant ou en étant incapable de s'ouvrir sincèrement à l'autre, elle laissait derrière elle *sa vraie nature*. En jugeant ses émotions inintéressantes, elle *abandonnait* une très importante partie d'elle-même – son centre émotionnel.

Cette situation était devenue un cercle vicieux. La honte incitait Josiane au secret, le secret l'isolait, l'isolement la plongeait dans la solitude, et elle avait honte de sa solitude. Quand elle cachait ses sentiments, sa blessure invisible devenait un obstacle invisible à toute nouvelle relation.

N'oubliez pas : ce ne sont pas les émotions elles-mêmes, mais le secret dont vous les entourez qui pose problème. Le secret nourrit la honte. Le secret, c'est ce qui crée la tromperie qui à son tour creuse l'écart entre vous et la personne dont vous aimeriez vous rapprocher.

Josiane a dit avoir été déçue par la réaction initiale d'Étienne à ses confidences.

– Pourquoi ne pas être franche avec le type que tu as vu la semaine dernière ? fit-il. Dis-lui ce que tu as vécu et parle-lui de ce que tu ressens vraiment.

– Franchement..., dit-elle. Tu n'es pas un peu fou ?

– Non, je t'assure. Mets cartes sur table. Qu'est-ce que tu as à perdre ? Tu verras bien.

– Autant porter une enseigne au néon qui dirait «marchandise jetable», dit-elle à Étienne. Il remarquerait tout de suite ma cicatrice et à quel point je ne vaux rien, et tout et tout.

– *Eh bien, moi, je n'ai jamais rien remarqué de tel.*

Les gens qui ont vécu des échecs amoureux répétés croient qu'en se confiant ils attirent l'attention sur leurs défaillances : quand on remarquera ce signal d'alarme, on les rejettera.

L'image que Josiane avait d'elle-même était extrêmement négative : elle a pensé qu'Étienne voulait seulement lui remonter le moral.

– *Comment se fait-il que tu puisses me parler de tes insécurités sans que cela me refroidisse ? répliqua Étienne.*

– *Parce que nous ne sortons pas ensemble, fit Josiane. Si c'était le cas, tu fuirais déjà à toutes jambes.*

– *Pas du tout, dit Étienne. Ça ne me ressemblerait pas. En fait, je me sens encore plus à l'aise en ta compagnie depuis que tu t'es confiée à moi.*

– *Tu ne comprends pas... Si nous étions en train de jauger notre potentiel amoureux, toutes mes insécurités ressortiraient. Mes immenses ventouses affectives deviendraient visibles. Il te suffirait de les remarquer pour prendre la poudre d'escampette.*

– *Je n'ai pas bougé de ma place, dit Étienne.*

– *C'est seulement parce que je ne te montre pas ce côté-là de moi, protesta-t-elle. Et c'est parce que je ne cherche pas à sortir avec toi.*

– *J'imagine que tu veux dire que je ne suis pas un bon parti. Et si je te donnais ma version des choses ? Si je te disais pourquoi je ne suis pas un bon parti à tes yeux ?*

– *Vas-y, fit Josiane.*

– *Bien. On parle de moi. Pas de toi. J'aimerais te connaître mieux, mais je ne me sens pas à la hauteur. Vrai ou faux, je me sens inférieur, pas aussi instruit que toi et sans doute pas aussi intelligent. Tu me sembles plus raffinée. Tu as voyagé beaucoup plus que moi. Je ne peux pas t'offrir tout ce que tu mérites.*

« *C'est ce que je ressens, poursuivit Étienne. Ce sont mes sentiments. Ils sont peut-être justes, peut-être faux. Mais quoi qu'il en soit, c'est ce que je pense. Est-ce que ce que je viens de dire te donne envie de me fuir ?* »

– *Pas vraiment, dit Josiane.*

– *Alors que penses-tu, toi, de ce que je viens de dire ?*

– *Eh bien, je... je ne suis pas d'accord avec... peut-être que... en tout cas, ça m'a plu, marmonna-t-elle. Je veux dire, ta sincérité. Je suis flattée que tu aies confiance en moi.*

– *Flattée, bon, d'accord. Mais est-ce que je te déçois ?*

– Je t'estime encore plus.

Josiane et Étienne m'ont tous les deux relaté cet incident, chacun de son point de vue. Josiane était surprise de constater à quel point ses confidences lui avaient fait du bien et combien celles d'Étienne, quand il lui parlait de sa vulnérabilité, l'avaient rapprochée de lui. Étienne fut profondément soulagé de pouvoir être sincère avec quelqu'un, et heureux de sentir qu'un contact s'établissait avec Josiane. En démasquant leur honte secrète, ils contribuaient au démantèlement de leurs barrières invisibles, du moins l'un avec l'autre – une étape importante dans la résolution de leurs difficultés relationnelles.

Levez les obstacles à vos relations

Plusieurs de mes clients sont très déçus non pas de ne pouvoir faire de nouvelles rencontres, mais de ne pouvoir maintenir des relations harmonieuses qui pourraient alors croître au même rythme qu'eux. Quand une nouvelle relation se désagrège, on se retrouve à la case de départ : seul.

L'humiliation et une *peur accrue de l'abandon* incitent parfois à des choix qui vont à l'encontre du but recherché, qui est de former des liens durables[11].

Voici quelques-uns des écueils qui guettent les personnes ayant vécu des rejets multiples.

LA QUÊTE D'ESTIME DE SOI PAR PROCURATION

Dans un désir de panser un sentiment écorché de valeur personnelle, il n'est pas rare qu'on cherche un parti enviable qui puisse compenser notre manque d'estime de soi. Il n'y a rien de mal à fréquenter une personne dont on admire la réussite. Le danger est que, en cherchant exclusivement l'être apparemment idéal, on soit complètement aveugle à quelqu'un de potentiellement aimant et de réellement disponible. N'oubliez pas que vous recherchez une relation d'intimité, et non pas un prolongement narcissique de vous-même qui réparera votre moi blessé.

Un trophée pour le moi

J'avais un tel besoin de me prouver que je valais quelque chose, dit Étienne, que je ne parvenais pas à revenir sur terre et à accepter quelqu'un qui soit mon égal sur le plan affectif. Je recherchais un trophée pour mon moi. Je voulais seulement montrer que j'étais quelqu'un. Les femmes avec qui j'étais bien, celles auprès de qui je me sentais en sécurité, avaient les mêmes faiblesses que moi, si bien qu'elles ne pouvaient que me renvoyer un reflet pathétique de moi-même. Elles ne m'intéressaient pas. Je n'étais attiré que par celles qui avaient un énorme ego. Si j'arrivais à me faire aimer d'une femme comme ça, d'une femme à ce point enivrée d'elle-même, elle pourrait me faire sentir que j'étais quelqu'un moi aussi.

La flatterie

Quand Henri est parti, dit Barbara, je ne pensais pas valoir grand-chose sur le plan sexuel. Je veux dire, ma féminité avait pris un sacré coup. Il fallait à tout prix que je sache si un homme me trouverait désirable. Je n'étais pas prête encore à m'engager dans une relation, mais j'avais besoin de l'attention d'un homme, j'avais besoin d'être revalorisée.

La valeur personnelle par association

Quand j'ai enfin terminé mes études au collège, dit Josiane, mon frère cadet était déjà chirurgien. Or, comme si je n'avais pas déjà assez de problèmes, j'ai décidé que je ne fréquenterais que des médecins. C'était le moyen que j'avais trouvé d'être bien par association. Seuls les grands médecins m'intéressaient. Un médecin de rien du tout m'aurait donné l'impression que je ne comblais pas les attentes de ma famille.

À cette époque, j'étais indifférente à la chaleur humaine et au vrai compagnonnage et je ne les voyais pas même s'ils me pendaient au bout du nez. Je ne savais faire qu'une chose : tenter de me faire aimer de grands médecins prospères. C'est comme ça que j'ai pris l'habitude de faire les premiers pas, d'être celle qui séduit et jamais celle que l'on cherche à conquérir.

CHOISIR UNE RELATION HIÉRARCHIQUE
PLUTÔT QU'UNE RELATION D'ÉGAL À ÉGAL

De nombreux réchappés de l'abandon sont attirés par des personnes inaccessibles sur le plan affectif. Vous rencontrez une personne dont le rang social correspond au vôtre, mais qui ne vous convient pas sur le plan affectif. Ses besoins diffèrent sans doute des vôtres, elle appréhende moins d'être abandonnée, elle a une plus grande estime de soi, ou elle est moins vulnérable au rejet. Ces incompatibilités affectives peuvent faire naître une hiérarchie au sein du couple, qui vous incite à vous subordonner à votre conjoint. Cette dynamique intensifie votre peur de l'abandon et réveille votre manque de confiance en vous-même.

Le choix d'une personnalité dominante

Je pense que c'est la personnalité dominante d'Henri qui m'a le plus attirée au début, avoue Barbara. Il n'avait aucune de mes insécurités. En fait, il n'avait peur de rien. Personne ne l'avait jamais quitté, tandis que j'avais eu maintes fois le cœur brisé à l'adolescence et durant mes études collégiales. Henri savait que j'avais peur de le perdre. Puisque j'avais beaucoup plus peur que lui d'une rupture, il était très sûr de moi et il me dominait totalement. Il se comportait comme s'il avait pu me trouver une remplaçante en deux temps, trois mouvements. Et c'est justement parce qu'il n'avait peur de rien que je cédais toujours, que je faisais l'impossible pour empêcher notre couple d'éclater. Je ne pense pas qu'Henri ait agi de propos délibéré, mais ma peur du rejet lui servait d'excuse pour me dominer – et moi, je le laissais faire !

Le choix de l'infériorité

J'ai fini par prendre conscience d'un schéma de comportement, dit Michel. J'ai toujours été attiré par des gens au moi beaucoup plus solide que le mien. Des gens qui ont une plus grande confiance en eux, qui sont moins sensibles à la critique. Mais cela m'a toujours placé dans une position d'infériorité. Affectivement parlant. Mes réussites professionnelles et financières n'entrent pas en ligne de compte. J'ai toujours été affamé d'amour. Je comprends que je dois m'affranchir de cet esclavage et rechercher quelqu'un qui soit mon égal sur le plan des émotions. Il faudra dorénavant que les règles du jeu soient équitables. Je ne serai plus un subalterne affectif. Je vais chercher quelqu'un dont les appréhensions et les besoins correspondent aux miens. Pourquoi perdrais-je mon temps avec des gens qui n'ont aucun point commun avec moi ?

Le changement de trophée

Avec le recul, dit Roberte, je vois que c'est mon manque de confiance en moi qui a fait que je me suis retrouvée avec un homme comme Serge – le grand maestro lui-même. Il a sans doute rehaussé mon image de moi, mais il n'était pas du tout la personne qu'il fallait à Petit Soi. J'ai dû museler Petit Soi, puisque je n'avais aucune idée de mes besoins les plus élémentaires – ni du type d'homme qu'était Serge sur le plan affectif.

Tout le temps que nous avons été ensemble, je me suis débattue pour atteindre à un certain équilibre avec lui. Mais émotionnellement, il avait toujours le dessus. Je suis sûre que Petit Soi me chuchotait des mises en garde, mais je ne l'écoutais pas. J'étais trop occupée à vouloir transformer Serge, à essayer de métamorphoser mon trophée en vraie personne, trop occupée à le pousser à devenir l'homme affectueux et tendre dont j'avais besoin pour que fondent mes insécurités. Le fait que nous étions parfaitement incompatibles ne m'effleurait même pas. J'avais des attentes irréalistes. Serge était Serge, un point c'est tout. Aujourd'hui, je le vois tel qu'il est. Mais j'ai tout fait pour qu'il change au lieu de prendre en main mes propres émotions.

Le choix de quelqu'un qui a ce que je n'ai pas
Chaque fois qu'une personne m'attirait, dit Claude, c'était parce qu'elle possédait ce que je voulais. Elle était toujours plus instruite ou plus riche, ou elle avait davantage de charisme et beaucoup plus d'amis, et ainsi de suite… Bref, elle avait toujours quelque chose de plus que moi, quelque chose que je voulais, que je n'avais pas et que j'essayais d'obtenir par procuration. Mais d'être avec une telle personne, je me sentais encore plus inapte et je me demandais sans cesse si j'étais à sa hauteur. Donc, je recherchais des êtres auprès de qui je me sentais nul. Quelle perte d'énergie !

Le choix de quelqu'un qui ne me ressemble pas
Seuls les hommes qui avaient la capacité éprouvée de séduire m'attiraient, dit Josiane. Tout le contraire de moi, qui n'avais aucune aptitude en ce domaine. Si c'était eux qui d'habitude rompaient, ils m'attiraient plus que jamais. Je les trouvais séduisants parce que les femmes les désiraient, et ils le savaient parfaitement. Si, au contraire, ils me semblaient être comme moi des perdants qui ne s'aimaient pas, cela me refroidissait tout à fait parce qu'ils me rappelaient trop qui j'étais. Jamais je n'aurais voulu mieux connaître un homme avec des défauts évidents, surtout pas des défauts visibles. S'ils étaient trop gros, s'ils avaient les genoux cagneux ou un tempérament capricieux, je ne voulais rien savoir d'eux. Je n'aurais pas eu le courage de voir en eux le reflet de mes propres imperfections. S'ils manquaient autant que moi d'estime d'eux-mêmes, il n'était

pas question pour moi de m'approcher d'eux. Si bien que je me suis demandé si je ne repoussais pas tout simplement des hommes qui avaient les mêmes problèmes que moi. Ce faisant, est-ce que je ne repoussais pas aussi la personne que j'étais moi-même ?

UN CHOIX AFFECTIF FONDÉ SUR LE PASSÉ

Vous êtes séduit par des personnes qui ne vous conviennent pas mais qui vous attirent quand même. Un détail – souvent peu flatteur – vous rappelle votre père ou votre mère. Cette personne a peut-être tendance à vous rejeter ou à vous critiquer, à vous contrôler ou à vous dominer, à se montrer distante ou à être inaccessible. Quand vous faites la connaissance d'une telle personne à l'âge adulte, elle réveille le sentiment de privation et l'insécurité qui marquaient vos rapports avec l'un de vos parents – ce manque affectif que vous en êtes venu à confondre avec l'amour.

Je suis tombée follement amoureuse de Serge, dit Roberte, parce qu'il était si sûr de lui et si imposant. Mais j'ai vite vu qu'il était comme mon père : autoritaire... pis encore, tyrannique, égocentrique. Il me privait de son affection et il me rejetait. Mais je voulais tant me faire aimer de mon père que j'ai reporté tous mes efforts sur Serge.

Ainsi que le démontre Roberte, quand vous entrez en contact avec un être qui vous rappelle un personnage marquant de votre passé, votre mémoire émotionnelle, contrôlée par l'amygdale, se déclenche et réveille vos désirs les plus enfouis : le désir d'être aimé, celui d'être accepté et celui d'être protégé[15].

Les êtres capables de provoquer ce profond sentiment de manque jouent avec vos émotions, ils s'amusent avec vos points de bascule affectifs, en place depuis l'enfance et vos premières relations. Il n'est pas indispensable d'être conscient de ces rapports physiologiques pour rechercher cette personne comme vous recherchiez autrefois votre père ou votre mère. Vous en êtes venu à confondre ce processus complexe avec un attrait réel. Vous vous élancez par conséquent à la poursuite de ceux qui réveillent en vous les souvenirs dont la charge affective est la plus négative, bref, ceux qui ravivent les émotions qui vous font croire à des *atomes crochus*.

Le remède consiste à prendre conscience de ce schéma de comportement et à éviter de recréer le passé. Vous devez rechercher plutôt des relations affectives enrichissantes.

Le schéma affectif connu[16]

Dès le premier jour, ma femme m'a repoussé, dit Richard. Elle n'a jamais eu pour moi un mot gentil ou encourageant. Elle était exactement comme ma mère, si bien que je n'ai pas su que pouvait exister un autre genre de relation. Je n'ai jamais soupçonné que mon mariage ne me procurait pas le soutien affectif auquel j'aurais été en droit de m'attendre.

Je pense que c'est sa froideur qui m'a d'abord attiré. J'étais si occupé à lui faire plaisir que je n'avais pas le temps de me demander si par hasard je ne mériterais pas mieux. Ce schéma affectif m'était connu. L'ennui est que je courais ainsi au désastre : un jour, elle m'a fichu à la porte – à la porte de ma propre maison ! Elle avait besoin d'espace. Tu parles d'un rejet ! Maintenant que j'ai surmonté le choc initial, je commence à me demander pourquoi j'ai toléré ça pendant si longtemps.

Le choix d'une personne qui me dénigre

Je ne me rendais pas compte que les esprits dénigreurs m'attiraient et me séduisaient, avoue Thomas, et il a fallu que je l'apprenne à mes dépens, en fréquentant des femmes qui me traitaient comme un pou. Elles renforçaient parfaitement l'idée que je me faisais de moi-même, moi qui toute ma vie avais été l'objet du mépris de mon père. Plus elles me maltraitaient, plus je recherchais leur approbation. En fin de compte, elles me laissaient tomber. C'est le fait d'avoir été largué une fois de trop qui m'a enfin forcé à prendre conscience de ce scénario usé. Maintenant, je sais que le monde est rempli de femmes sensibles, aimantes et solidaires. Il faut que je m'habitue à croire que j'ai le droit d'être l'objet de leur estime et de leur respect.

LES RELATIONS FONDÉES SUR L'ATTIRANCE PHYSIQUE

L'attirance physique est impérieuse. Il arrive que des gens nous attirent pour des tas de mauvaises raisons : parce qu'ils attisent nos insécurités et notre soif d'amour, et parce qu'ils nous maintiennent dans un état de manque affectif. D'autres personnes nous attirent pour les bonnes raisons : elles nous procurent le soutien et les soins dont nous avons besoin. Cette attirance aide à la création d'un lien apte à se muer en relation durable. Au bout d'un certain temps, le désir ou l'infatuation perdent de leur intensité et font place à un lien affectif solide. C'est un dénouement heureux fréquent, dans la mesure où les personnes concernées ont fait un bon choix dès le départ. Mais, ainsi que nous avons pu le constater, l'attirance physique ne donne pas forcément lieu à une relation solide.

Certains d'entre nous ne sont attirés que par des êtres qui refusent de se rendre disponibles sur le plan affectif. La peur est le plus souvent à l'origine de ce scénario. Quand l'objet de notre désir est inaccessible, nous évitons toute forme d'intimité.

Que vous appréhendiez ou non de vous engager dans une vraie relation, ce paradoxe de l'attirance physique est très répandu. Si vous refusez de voir que l'inconstance de vos penchants vous conduit toujours dans une impasse, vous restez prisonnier de ce cercle vicieux.

Voilà qui nous ramène au thème du conditionnement affectif. Les traumatismes du passé ont créé en vous des réactions instinctives au moindre signe de danger. Votre passé vous a sans doute conditionné à associer insécurité et attirance. Vous en êtes venu à confondre la montée d'adrénaline que provoque la *peur de l'abandon* avec un ardent désir amoureux. L'amour et le manque d'affection sont pour vous une seule et même chose.

Une mauvaise interprétation des signaux affectifs

En ne fréquentant personne pendant cinq ans, dit Joan, sans m'en apercevoir j'ai laissé couver des tas d'émotions non résolues. Puis, j'ai rencontré une femme qui a attiré mon attention. La première fois que je lui ai parlé, j'en ai eu la chair de poule. J'en ai déduit qu'elle en valait la peine. Je me suis dit: «Enfin, je ressens quelque chose. C'est quelqu'un de spécial. C'est une femme pour moi.» Je ne comprenais pas qu'elle me faisait cet effet parce que cette rencontre avait quelque chose de risqué. J'ai mal interprété les signaux.

Cette femme était extrêmement sûre d'elle. Je m'efforçais de l'imiter, d'être à la hauteur, mais elle semblait indifférente à l'admiration que j'avais pour elle. Je ne sais pourquoi, j'en ai déduit qu'elle était vraiment unique, alors que j'aurais plutôt dû me dire que je ne l'intéressais pas. «Bon sang, me suis-je dit, elle me fait rudement réagir. Je ressens vraiment quelque chose.» Mais elle ne m'a jamais rappelé. Je me suis senti rejeté, inférieur, un rien du tout.

Maintenant que je commence enfin à connaître mes besoins réels, je ne pense pas qu'une femme comme elle m'intéresserait. Elle n'était ni assez disponible ni assez vulnérable. Elle ne pourrait pas comprendre où j'en étais dans mes émotions. Je ne le lui reproche pas ; seulement, nous n'étions pas au même niveau affectif. La prochaine fois que j'aurai la chair de poule, je saurai que ça veut dire : « Danger ! », non pas : « Voici la bonne personne ! »

La quête du danger affectif

Si je ne sentais pas que j'étais au bord de la rupture, dit Jacqueline, je n'avais pas l'impression d'être amoureuse. Il fallait que je sois en manque absolu d'amour ou en danger d'être larguée pour être allumée. Quand j'étais bien avec un type, cela voulait dire que nous étions seulement de bons amis. S'il était facile à séduire, je n'avais pas peur, donc je ne ressentais rien et si je ne ressentais rien, je supposais qu'il ne serait pour moi jamais rien d'autre qu'un copain. Pour qu'un homme m'attire, il fallait que je me sente en danger avec lui.

Il faut une grande passion

J'ai connu une femme, dit Justin, et nous étions très attirés l'un par l'autre, mais il se trouve qu'elle était le contraire de ce qu'il me fallait. Je ne pouvais absolument pas compter sur elle. Pendant qu'on se fréquentait, elle s'est mise à voir un autre homme en cachette. Elle couchait avec nous deux. Quand je l'ai su, j'en ai été dévasté. Pourtant, je me suis accroché à elle. Je l'ai pourchassée encore plus.

Je pense qu'au départ j'ai été attiré par le défi qu'elle représentait. J'étais la plupart du temps si peu sûr de moi que je suis devenu son esclave. Le seul bon côté de toute cette histoire, c'est qu'elle m'a permis d'oublier Charlotte pendant quelque temps.

Mais pourquoi est-ce que j'ai eu besoin, pour tomber amoureux, d'une femme qui ne méritait pas ma confiance ? J'ai compris que tout me ramenait à ma mère. J'avais onze ans quand elle s'est enfuie de la maison avec un autre homme. Elle n'est jamais revenue. J'ai beaucoup pensé à elle à l'adolescence, et je me demandais comment ce serait de vivre avec elle. Je n'ai pas pu retrouver sa trace avant de me marier. Maintenant que je suis divorcé et que je suis à nouveau à la recherche d'une compagne, je me rends compte que les femmes qui m'attirent sont celles qui, comme ma mère, n'hésiteraient pas à me larguer. Il m'a fallu encaisser beaucoup de coups durs pour comprendre enfin mon penchant, mon attirance pour des femmes qui ne me conviennent pas.

La séduction des sans-cœur

Avant aujourd'hui, dit Aline, je ne savais pas que je court-circuitais ma vie amoureuse. Si c'était un sale type, s'il était manifestement infidèle ou s'il avait l'habitude de partir sans donner son reste, il m'attirait comme la flamme attire la phalène. Si c'était un bon gars, je ne ressentais rien. Pendant des années, j'ai fui les braves types et je me suis jetée dans les bras de ceux qui refusaient de s'engager. Mais j'ai appris ma leçon : si un homme m'attire, cela veut sans doute dire que c'est un salaud. Au lieu d'écouter mon cœur – comme le disent les romans d'amour –, j'ai appris à aller dans la direction opposée, au pas de course !

Ensuite, il va falloir que j'apprenne à ne plus fuir les bons gars, ceux qui peuvent m'apporter ce dont j'ai besoin. Je sais que j'ai peur de souffrir, mais je ne ressens pas cela comme une peur. Ça ressemble plutôt à un manque d'attirance. Je vais devoir être plus disponible, plus ouverte. J'ai enfin compris que, consciemment ou à mon insu, c'est la peur d'être abandonnée qui me pousse à refouler mes émotions.

Renoncez aux grignoteries

En amour, j'ai appris à renoncer aux grignoteries, dit Josiane. Il me faut quelque chose de consistant. Sinon, je ne sortirai jamais de l'impasse où je ne suis attirée que par des hommes inaccessibles ! La seule chose à faire, c'est d'apprendre à connaître des gens qui me ressemblent sur le plan des émotions, qui sont sur le même plan que moi, des hommes qui peuvent comprendre ce que j'ai vécu, qui m'acceptent telle que je suis et qui veulent être avec moi.

Je suis maintenant à l'écoute de mes besoins et non pas de mon besoin de me faire valoir, dit Étienne. Je pense que je suis prêt à revenir sur terre et à connaître une femme avec qui je pourrais être vraiment sincère. En tout cas, c'est mon intention. Je ne veux pas d'une relation basée sur l'attirance, mais d'une relation fondée sur la confiance et l'affection. Et aussi sur l'acceptation et la tolérance mutuelle. Chacun de nous saurait respecter les émotions de l'autre.

L'ENGOUEMENT TOXIQUE

Quand vous finissez par admettre que votre relation est destructrice, vous vous êtes déjà entiché de l'autre personne, si bien qu'il devient très difficile de mettre fin à ce cercle vicieux.

Cet engouement toxique est en réalité un état psychobiologique. Vous êtes si gravement intoxiqué par les opiacés et les autres substances neurochimiques que libère l'engouement que vos inhibitions habituelles se sont effacées.

L'engouement toxique peut vous pousser à prendre des décisions qui risquent à long terme de nuire à votre équilibre affectif. Sous son influence, vous êtes susceptible de prendre certains risques émotionnels et physiques (par exemple en ayant des relations sexuelles non protégées). Vous ne remarquez pas les défauts de l'être aimé, vous êtes trop enivré par l'amour pour peser les conséquences de vos décisions.

La biochimie de l'amour romantique libère la pulsion sexuelle qui, on le sait, contribue de façon importante à la survie de l'espèce[17]. L'engouement toxique facilite le rapprochement physique entre deux individus qui se connaissent à peine, mais il peut également masquer les dangers émotionnels de la relation.

La quête d'euphorie amoureuse

Pendant des années j'ai eu une dépendance à l'euphorie amoureuse, avoue Géraldine. Dès que mes rapports amoureux perdaient de leur intensité et que je redescendais de mon «high», je passais à autre chose. Je savais que cette euphorie amoureuse n'était qu'une folie passagère, mais j'en avais profondément besoin. L'ennui est que, dès que j'étais sûre de l'amour que me portait mon amoureux, mon désir physique s'estompait. Du jour au lendemain, il me laissait indifférente.

Je n'étais pas prête à assumer la responsabilité d'une relation, poursuit-elle. Dès qu'un homme s'attachait sincèrement à moi, je le fuyais à toutes jambes et je cherchais quelqu'un d'autre qui puisse m'attirer, quelqu'un qui ne se laisserait pas séduire aussi facilement et qui, par conséquent, me procurerait le «high» amoureux dont j'avais tant besoin.

J'avais deux personnalités très différentes. Quand j'étais éprise, j'aurais tout fait pour l'homme que j'aimais. Je me serais coupé un bras ou une jambe, j'aurais escaladé le mont Everest pour lui faire plaisir. Mais dès que l'euphorie diminuait, je devenais irritable, impatiente, méchante – comme un toxicomane en manque. Je l'en blâmais, naturellement, comme si c'était de sa faute si mon désir de lui s'était éteint.

Quand j'ai fini par comprendre ce que je faisais, j'ai appuyé tout de suite sur la pédale de frein. Mais changer d'attitude, c'était comme me sevrer d'une drogue. Il était temps que je construise une relation où je me sentirais bien à long terme au lieu de rechercher toujours les brefs moments d'euphorie amoureuse dont j'étais devenue dépendante.

LA QUÊTE DE SÉCURITÉ AFFECTIVE

De nombreux réchappés de l'abandon qui cherchent un rapport affectif consistant trouvent des conjoints qui conviennent à leur enfant intérieur, mais qui ne conviennent pas à leur moi adulte. Ces conjoints sont pour Petit Soi, pas pour Grand Soi.

La quête du pari sans risque

J'ai connu les deux extrêmes, dit Justin. Après avoir aimé des femmes qui me trompaient et qui me crachaient dessus, j'ai fréquenté une femme aux antipodes des précédentes. Elle m'était exagérément dévouée. Peu sûre d'elle, elle nourrissait des attentes affectives encore plus grandes que les miennes. Je lui étais supérieur en tout : instruction, argent, aptitudes sociales, n'importe quoi.

Mais elle était pour moi un pari sans risque. Sur le plan affectif, elle me paraissait sans danger. En fait, elle me traitait comme si j'avais été un cadeau du ciel. Quoi qu'il en soit, Petit Justin en a été très heureux pendant quelque temps. Mais au bout d'un moment, nos dissemblances ont commencé à nous peser. Nous ne pouvions pas nous donner ce dont nous avions besoin – une relation d'égal à égal. Nous en avons discuté à fond et, un beau jour, nous avons décidé de nous quitter. Maintenant, nous sommes de bons amis.

Certaines personnes ont la chance de trouver un compromis affectif qui satisfasse à la fois le soi adulte et le soi enfant. Cela exige beaucoup de concessions mutuelles et force à remettre en question les valeurs de chacun. Pour vous faire une idée plus exacte de la personne qui vous irait comme un gant, vous devrez puiser à une sagesse émotive durement gagnée.

Apprendre à aimer se sentir en sécurité[18]

Guillaume et moi étions ensemble depuis fort longtemps, dit Virginie. Mais j'ai rompu parce que j'estimais qu'il n'avait pas grand-chose à m'offrir. Il y a plusieurs années de cela. Quand je l'ai revu par hasard il y a quelques mois, je me suis tout de suite sentie à l'aise en sa compagnie. Mais dans le temps, c'était justement ça, le problème. Notre relation manquait d'intensité. Je n'avais pas assez de maturité pour me rendre compte qu'avoir une bonne relation, cela ne veut pas forcément dire toujours être sur la corde raide.

Je me souviens que Guillaume m'inspirait beaucoup confiance et que je me sentais toujours très en sécurité avec lui. Je ne voyais pas l'importance de cela dans le temps, mais aujourd'hui, c'est ce qu'il me faut – une personne stable, affectivement forte. J'ai tenu Guillaume pour acquis tout le temps que nous avons été ensemble parce que je n'étais pas encore prête à admettre mes propres besoins. Le rang social des gens, leur image, voilà ce qui m'intéressait. Guillaume n'avait pas assez de panache, ni rien de ce que je jugeais important. Je n'accordais pas de valeur à son honnêteté et à sa loyauté. Depuis, j'ai appris mes leçons. J'ai fait mes classes. J'ai vécu tant de ruptures, tant d'abandons, je suis tombée amoureuse de tant d'hommes dont l'équilibre affectif laissait à désirer... Guillaume et moi avons recommencé à nous voir et maintenant, je l'estime beaucoup.

L'accommodement

On pourrait penser que Virginie, en décidant de revoir Guillaume, a choisi de se contenter de ce qu'elle a, mais elle n'est pas de cet avis.

Le fait d'admettre mon besoin d'amour et de sécurité ne signifie pas que je m'accommode d'une situation imparfaite. Je pensais que je n'étais pas normale parce que j'avais besoin de sécurité. Mais maintenant, pour faire changement, je suis avec un homme qui m'inspire confiance et sur qui je peux compter. Si je préfère la compagnie d'un homme consistant mais sans panache, ce n'est pas un accommodement ; c'est l'occasion qui m'est donnée de construire une relation durable.

Le rétablissement de l'abandon n'a pas pour but de vous pousser à vous contenter de quelqu'un qui grugera plus tard votre énergie affective. L'important est de savoir qu'il y a dans le monde une multitude d'êtres capables d'amour et d'engagement qui ne correspondent pas forcément à vos anciennes attentes ni à la notion de bon parti que vous dicte la société. Ils ne vous rendront sans doute pas euphorique, ils ne vous rendront peut-être pas fou de désir, ils ne vous hisseront pas forcément dans l'échelle sociale. Le conjoint parfait n'existe pas. Ce qui existe, c'est l'amour, l'affection et le respect qui circulent entre vous et une personne capable de vous aimer[19].

Cinquième exercice d'*akeru*

Pendant le relèvement, vous renouez avec d'anciens champs d'intérêt et de vieilles aspirations, vous vous rapprochez des personnes de votre entourage, vous partez à la recherche d'un nouveau compagnon. Cette énergie relationnelle est une force vitale procréative. Elle relie les êtres les uns aux autres et au monde qui les entoure.

Quand je me suis relevée de l'abandon que j'ai vécu, j'ai su que j'étais plus consciente que jamais de mes besoins et de mes désirs. J'avais fait la connaissance d'un homme auprès de qui je me sentais bien. J'ai compris ce que cela signifiait quand il s'est confié à moi. Il m'a fait cadeau de sa confiance. J'ai percé le sens de la crise que j'avais traversée grâce à cet échange libre et honnête. J'ai trouvé le germe que je cherchais. Une disponibilité affective constante est au centre d'une relation durable. Mon expérience m'a fait comprendre les avantages qu'il y avait à rester en contact avec mes émotions, même quand celles-ci me font souffrir.

Je me suis mise à songer au jour où ma mère m'avait dit comment elle et mon père m'avaient laissée à l'hôpital. Elle m'avait courageusement confié un secret qui la culpabilisait sans doute beaucoup afin de partager avec moi une importante vérité. Je me suis demandé quels autres témoignages du courage et de la générosité de ma mère échappaient à ma connaissance. Elle est morte peu de temps après que mon conjoint m'eut laissée et je me suis demandé si sa vie ne cachait pas encore des tas de secrets que je n'avais pas vraiment compris. J'ai pensé aux autres personnes de mon entourage. Que se passait-il dans leur tête et dans leur cœur? Quels fragments de leurs émotions rendaient-ils accessibles? Que cachaient-ils? Par quels moyens nouveaux pourrais-je maintenant les rejoindre?

Munie de ces interrogations et de ces réflexions, j'ai compris que mes expériences les plus fortes m'avaient beaucoup enrichie. Elles m'ont appris que le rapprochement entre les êtres est la clé de la vie. Seul compte l'amour.

J'avais toujours été consciente de l'importance de l'amour, mais je le comprenais maintenant sur un tout autre plan, et ma vie en était transformée. Survivre à l'abandon avait eu sa raison d'être. Si pénible qu'ait été cette expérience, elle m'a aidée à comprendre que *le cadeau suprême que nous fait l'abandon est d'apprendre à élargir notre capacité d'aimer.*

Cette capacité existe en chacun de nous et nous pouvons la renforcer quotidiennement si nous continuons de grandir[20]. On dit que nous n'utilisons qu'un faible pourcentage de nos facultés cérébrales. Je crois aussi que nous n'utilisons qu'une fraction minime de notre capacité à exprimer et à vivre l'amour.

En tant que société, nous laissons peu de place à l'amour. L'expérience de l'abandon élargit notre capacité d'aimer, car elle nous met en contact avec nos émotions. Elle nous force à admettre le pouvoir de l'attachement. Elle nous enseigne que la vulnérabilité est un état humain.

Si nous ne le laissons pas former de mauvaises cicatrices, l'abandon nous fait prendre conscience des besoins d'autrui, il fait de nous des êtres plus responsables et plus aptes à franchir les obstacles qui nous séparent d'un rapprochement véritable. En effet, de nombreux humanistes disent que l'expérience de l'abandon a fait naître leur vocation. Par exemple, Oprah Winfrey puise à cet héritage affectif quand elle s'efforce de venir en aide à son prochain. On voit clairement qu'elle ne s'est pas coupée de ses émotions. En fait, celles-ci lui sont immédiatement accessibles et l'aident à créer un contact personnel avec les personnes à qui elle s'adresse dans chacune de ses émissions. La sagesse de l'amour est au cœur de toute personne animée d'une forte conscience sociale[21].

Tant de gens qui me consultent me disent souffrir d'un grand vide affectif – d'une grande absence d'amour. L'amour auquel ils font allusion est celui qu'ils espèrent trouver dans les bras de la personne idéale. Dans certains cas, c'est effectivement ce qui se produit. Mais il y a mille et une autres façons de trouver l'amour. Ce puissant lien humain est beaucoup plus qu'une émotion bouleversante. L'amour peut être le fruit de notre création.

Nous pouvons presque tous nous remémorer un moment de notre vie où l'amour nous a submergés. Mais la vraie vérité, c'est que chacun de nous peut faire naître un tel amour en lui, même dans une profonde solitude. L'amour est un acte, une attitude, un processus créateur. Il s'enrichit de la sagesse et repose souvent sur le sens de l'initiative et l'autodiscipline. Engagez-vous à faire ce qu'il faut pour le trouver.

Vous devez vivre votre vie de telle façon que votre capacité d'aimer l'emportera peu à peu sur vos anciens idéaux. Les ambitions amoureuses de beaucoup de mes clients reposent sur le besoin de remédier à leurs insécurités. À mesure que leur capacité d'aimer prend de l'expansion, elle efface le besoin de gratification narcissique. La clé consiste à toujours rester sensible à vos émotions et, sur le plan affectif, à toujours communiquer honnêtement avec votre entourage.

Le moment est venu de vous parler du cinquième exercice d'*akeru*. Les outils de votre croissance ont été intégrés aux quatre premiers exercices – habiter le moment, dialoguer avec votre soi intérieur, visualiser votre maison de rêve et inventorier les attributs de votre enfant extérieur. Ici, nous ajoutons un élément, *l'amour*, aux quatre exercices précédents.

Quand vous faites de l'amour le but de ces exercices, vous les fondez en un tout : votre plan de vie. L'amour est le substrat qui unifie tout ce que vous avez retenu jusqu'à présent.

L'AJOUT DE L'AMOUR À L'EXERCICE D'HABITER LE MOMENT

Vous comprenez déjà toute l'importance qu'il y a à *habiter le moment*. C'est dans le moment que se trouve votre force et votre capacité à vivre par vos cinq sens. En habitant le moment, vous êtes en contact immédiat avec les images et les sons de votre univers intérieur et du monde qui vous entoure. Maintenant, quand vous habitez le moment, munissez-vous de votre capacité d'aimer. Au moins une fois par jour, efforcez-vous en toute connaissance de cause d'être conscient et disponible en compagnie d'une autre personne, qu'il s'agisse d'un inconnu, d'un parent, d'un ami, d'un enfant ou de l'être aimé.

Ma première « victime » a été une serveuse de la cantine, dit Charles. Quand elle m'a servi un café, j'ai fait en sorte d'être totalement présent, de mettre tout mon bagage personnel au service de ce moment présent, de cette extraordinaire rencontre. Non que j'aie voulu qu'elle remarque quoi que ce soit d'inhabituel. Je l'ai regardée dans les yeux et je me suis enquis très sincèrement de sa journée. C'est tout.

Tandis qu'elle me versait du café, j'ignorais tout de sa vie, je ne savais pas si elle était heureuse ou déçue de sa journée. Mais chaque fois qu'elle me resservait du café, j'étais totalement ouvert à sa présence et je lui envoyais des pensées positives et des vœux de bonheur. J'ai mis toute mon affection dans ces moments d'interaction avec elle. Elle ne l'a jamais su, mais elle a reçu en ces instants tout l'amour dont j'étais capable.

Vous pouvez aussi habiter le moment avec une personne que vous connaissez.

Je déjeunais avec ma meilleure amie, dit Roberte. Nous mangions une salade quand je me suis soudainement rendu compte que c'était là une occasion rêvée d'habiter le moment avec elle. J'ai tout simplement fixé toute mon attention sur ce qui l'entourait et sur l'impression que cela me faisait d'être en sa compagnie ici et maintenant. Qu'elle s'en soit ou non rendu compte, je lui ai consacré en ces instants toute mon attention, sans doute plus d'attention que jamais auparavant.

Vous constaterez sans doute qu'une telle intensité ne saurait être maintenue bien longtemps. Il est très facile de se laisser distraire par des pensées accessoires ou de se concentrer à tel point sur la conversation qu'on en oublie le processus en cours. Il ne dure parfois que quelques minutes, mais il vous donne l'occasion de vous ouvrir à vos émotions et à celles de votre interlocuteur.

Comme Roberte, vous constatez que vous êtes capable d'aimer – aimer dans le sens d'*être présent*.

Vous pouvez aussi habiter le moment avec l'objet de votre amour. Au lieu de vous laisser dominer par vos besoins affectifs ou de vous laisser distraire par ce qui se passe tout autour, reportez toute votre capacité d'aimer sur cet être. Imaginez ce qui se passerait si vous pratiquiez tous les deux en même temps le même exercice, si chacun de vous se concentrait uniquement sur l'autre et sur le moment que vous partagez.

L'AJOUT DE L'AMOUR AU DIALOGUE AVEC PETIT SOI

Pour intégrer l'amour à votre conversation quotidienne, il vous suffit de poser une des questions suivantes à Petit Soi: «Qu'attends-tu des personnes qui t'entourent?» «Y a-t-il assez d'amour dans ta vie?» «Comment puis-je déverser plus d'amour dans ta vie?» «Qu'aimerais-tu ressentir avec une personne qui compte beaucoup pour toi?» «Quel genre de personnes affectueuses te procureraient un sentiment de sécurité?»

L'amour peut facilement devenir le ferment des dialogues entre Petit Soi et Grand Soi, multiplier les intuitions éclairantes et vous motiver à agir.

J'ai abordé la question de l'amour avec Petit Soi, dit Roberte, et elle s'est mise à me demander de me rapprocher d'un homme que j'avais rencontré récemment au travail. Je savais qu'il ne me convenait pas, alors j'ai dit :

GRAND SOI : *Il est du genre inaccessible sur le plan affectif, Petit Soi.*

PETIT SOI : *Ça ne fait rien. Je le veux. Il me plaît.*

GRAND SOI : *Mais il ne nous convient pas du tout. Il te rendra triste et dépendante. Je croyais que tu voulais être aimée et acceptée pour ce que tu es.*

PETIT SOI : *Mais oui.*

GRAND SOI : *Dans ce cas, il nous faut trouver quelqu'un d'autre.*

PETIT SOI : *Je veux seulement sentir qu'on m'aime. Ça doit être l'enfant extérieur qui a envie de ce type.*

GRAND SOI : *Tu as raison. Je suis bien contente que l'une de nous s'en soit rendu compte. Parce que ce type nous ferait perdre notre temps. Il ravivrait nos vieilles soifs, nos vieux manques. Te souviens-tu comment c'était ?*

PETIT SOI : *Va vite nous trouver quelqu'un qui me fasse du bien, Grand Soi ! Et fais en sorte que l'enfant extérieur ne se mêle pas de ça !*

L'enfant extérieur est en effet le parfait bouc émissaire, responsable des comportements autodestructeurs auxquels vous tentez de mettre un terme. Le remède consiste à écouter plus attentivement ce que Petit Soi cherche à vous dire.

N'oubliez pas que Petit Soi a avant tout besoin d'être estimé, accepté, soigné et aimé – *non pas* d'être abandonné. Faites un pacte avec lui, promettez-lui que vous ferez tout en votre pouvoir pour lui procurer l'amour qu'il lui faut. Vous devrez le consulter chaque jour. Une complicité aussi étroite avec Petit Soi viendra à bout du penchant de l'enfant extérieur pour le danger et renforcera votre aptitude à prendre des décisions affectives responsables.

L'AJOUT DE L'AMOUR À LA CONSTRUCTION DE VOTRE MAISON DE RÊVE

Vous pouvez inclure l'amour dans votre visualisation en songeant que votre maison de rêve renferme déjà tout l'amour dont vous avez besoin. Imaginez cette maison telle qu'elle sera dans deux ans, imaginez que toutes les relations que vous désirez en font partie et que vous y êtes heureux et en sécurité. Vous et Petit Soi êtes parfaitement en paix puisque vous avez maintenant tout l'amour qu'il vous faut. Vous avez extériorisé, pardonné et oublié la souffrance et la rage ressenties envers votre conjoint. Cette tâche est lourde et importante, mais dans votre visualisation elle est déjà derrière vous. Tout ce dont vous avez besoin est à portée de la main : engagement, sécurité, intimité, affection, tendresse, communication, respect, confiance, admiration et présence.

Imaginez que, dans votre maison de rêve, la certitude que la qualité de votre vie ne peut que s'améliorer vous porte aux nues. Votre aptitude à engendrer l'amour a créé un faisceau de chaleur humaine si puissant qu'il rejoint et touche de façon très spéciale toutes les personnes qui font partie de votre vie.

L'un des bienfaits de cette visualisation est qu'elle vous donne quelques indices sur la façon de surmonter les obstacles réels qui encombrent votre existence. Puisque vous repoussez mentalement ces images à deux ans plus tard et que vous imaginez posséder déjà l'amour qui les imprègne, vous pouvez compter sur ce recul pour répondre à des questions telles que celles-ci : « Quelles barrières intérieures ai-je dû abattre pour parvenir à ce lieu rempli d'amour ? » « Qu'ai-je fait pour pouvoir les franchir ? » La plupart du temps, les réponses que l'on trouve sont étonnamment utiles puisqu'elles sont issues d'une perspective temporelle future.

Imaginez maintenant que vous disposez de pouvoirs magiques. Quels dons d'amour et d'affection donneriez-vous en partage aux autres personnes de votre vie ? Si vous jouissiez d'un pouvoir illimité et d'une capacité d'amour infinie, quels bienfaits et quelles ressources vos pouvoirs magiques procureraient-ils à la collectivité qui vous entoure ? Quels cadeaux précieux offririez-vous à l'humanité présente et aux générations futures ?

Demandez-vous maintenant quelles pièces de votre maison de rêve sont les plus propices à une telle réflexion. Devez-vous effectuer des rénovations structurales afin de créer un environnement plus favorable à l'amour ? Faites toutes les transformations de dimension et d'emplacement qui vous aideront à intégrer à votre vie cet élément d'amour. Placez les personnes qui comptent pour vous dans cette maison en qualité de visiteurs ou de compagnons d'existence.

J'ai déménagé ma maison de rêve dans un quartier rempli d'enfants et riche d'activités communautaires de toutes sortes, dit Barbara. Je suppose que j'étais préoccupée par les besoins de mes enfants et que j'étais prête à voisiner, à tendre la main.

Maintenant que vous avez effectué toutes les rénovations, les agrandissements et les démolitions nécessaires, votre visualisation renferme un élément essentiel, *l'amour*, que vous pouvez renforcer quotidiennement en évoquant son image. Votre aptitude à accroître votre capacité d'aimer est incorporée dans la structure et le décor de votre maison de rêve. Cet exercice fait appel aux ressources de votre imagination pour vous aider à concentrer votre énergie sur vos objectifs. Tandis que vous poursuivez les rénovations de votre maison de rêve pour l'adapter à vos besoins en constante évolution, vous apprenez à mieux connaître vos droits et vous renforcez votre confiance en vous.

COMMENT SURMONTER LES OBSTACLES À L'AMOUR CHEZ VOTRE ENFANT EXTÉRIEUR

L'enfant extérieur est le plus souvent en conflit avec votre aptitude à accroître votre capacité d'aimer. En fait, l'enfant extérieur sabote vos relations intimes. Vous devez trouver les comportements et les attitudes de l'enfant extérieur qui nuisent aux efforts que vous déployez pour faire entrer l'amour dans votre vie.

Votre enfant extérieur peut être très gênant au début d'une nouvelle relation, quand vous êtes particulièrement vulnérable. Tandis que vous pesez le pour et le contre d'une nouvelle rencontre, il testera la patience de l'autre personne – parfois jusqu'à son extrême limite – en ayant des réactions exagérées, en tenant sa langue ou en se cramponnant quand vous constatez que ce n'est pas une personne pour vous.

Souvent, les personnes qui viennent chercher de l'aide auprès de moi me disent combien il leur est difficile de tolérer l'ambivalence affective qui est le propre de toute nouvelle relation.

Je sais qu'il est normal d'hésiter à s'engager avec quelqu'un de nouveau, dit Marie, mais j'ai eu du mal à vivre avec ces incertitudes. Même si je n'étais pas certaine que cette relation réussirait, je me sentais abandonnée – abandonnée par mes propres émotions. Pendant tout le temps que j'apprenais à connaître Philippe, j'avais l'impression de perdre le contrôle.

Quand j'ai voulu recommencer à sortir, dit Roberte, mon insécurité m'a rappelé ce que j'avais vécu avec Serge. Ça a réveillé des tas d'émotions difficiles, si bien que j'étais parfaitement nulle chaque fois que je m'efforçais de connaître quelqu'un. L'enfant extérieur occupait toujours l'avant de la scène. J'ai dû me retirer pendant quelque temps pour apprendre à me dominer et pour être capable de redevenir vulnérable.

En effet, toute nouvelle relation peut ranimer de vieux souvenirs et provoquer des angoisses désagréables. L'enfant extérieur réagit spontanément et rapidement pour protéger votre vulnérabilité exacerbée. Tout ce qui rappelle l'enfant sur le rocher à l'enfant extérieur peut déclencher ses réflexes de défense. Vous ne dominez pas toujours cette part de vous assez vite pour l'empêcher de prendre le dessus.

Le meilleur moyen à votre disposition pour contrer cette interférence consiste à inventorier quotidiennement les agissements de l'enfant extérieur. Gardez-le dans votre mire. Efforcez-vous de prévoir ce qu'il fera. Cette conscience de soi accrue vous confère un plus grand contrôle sur la situation. Laissez l'adulte en vous décider comment gérer les circonstances. Quand l'enfant extérieur vous empêche de goûter la sécurité d'une relation amoureuse stable, vous devez assumer la responsabilité de ses comportements. Faites amende honorable auprès de toute personne que vous auriez pu blesser, y compris vous-même. (C'est ce que demande la *dixième étape* du programme de Douze Étapes des Alcooliques anonymes : avouez immédiatement vos torts et réparez-les.) Ainsi, c'est vous – non pas l'enfant extérieur – qui prenez toutes les décisions concernant vos relations affectives et votre vie.

AUGMENTEZ VOTRE CAPACITÉ D'AIMER

En intégrant l'amour aux quatre exercices précédents, vous les unifiez en un tout, en un plan de vie qui a pour but d'accroître votre capacité d'aimer. Cette capacité augmente de plusieurs façons : par votre aptitude à habiter le moment, à comprendre les besoins et les sentiments de Petit Soi, à visualiser vos objectifs à long terme et à vaincre les comportements autodestructeurs de l'enfant extérieur.

Notez quotidiennement dans un journal les progrès que vous réalisez : cela vous motivera à faire vos exercices chaque jour. Quelques minutes suffisent. Vous vous concentrerez plus facilement sur vos objectifs et vous intégrerez des actions positives à votre programme de la journée.

Il suffit de quelques moments de tranquillité pour rédiger vos impressions. Notez les fois où vous parvenez à habiter le moment en compagnie d'une autre personne. Félicitez-vous d'avoir pu combler le besoin d'amour de Petit Soi. Dites ce que vous comptez faire ce jour-là pour lui venir en aide. Faites le compte rendu de vos progrès à mesure que votre vie réelle se rapproche de celle dont votre maison de rêve est le décor. Énumérez les manifestations de l'enfant extérieur, en particulier celles où il sabote vos relations. Planifiez de changer d'attitude ce jour-là et de prendre votre vie en main.

Voici ce à quoi peut ressembler votre carnet de notes :

Mes progrès quotidiens

1. Ai-je été capable d'habiter le moment avec une autre personne ?

_____

Ce que je compte faire aujourd'hui pour habiter le moment :

_____

2. Ai-je répondu aux vrais besoins de Petit Soi ?

_____

Ce que je compte faire aujourd'hui pour lui venir en aide :

_____
_____

3. Suis-je capable de visualiser l'amour qui se déploie dans ma maison de rêve ?

Les rénovations d'aujourd'hui : _____

_____

4. Ai-je pu identifier mon enfant extérieur ? Ai-je repris la situation en main ? _____

_____

Plan d'action pour aujourd'hui : _____

_____

5. Aimer est-il un de mes objectifs de ce jour ? _____

_____

À force d'intégrer ces exercices à votre quotidien, leur structure s'assouplira, ils feront partie de votre vie à tout moment et ils se fondront à vos actions et à vos pensées. Vous serez de plus en plus capable d'habiter le moment, de répondre à vos besoins les plus importants et de tenir compte de vos émotions, de viser de nouveaux objectifs et d'interagir avec les autres en adulte. Vous grandirez, et votre capacité d'aimer grandira en même temps que vous.

Le relèvement : un résumé

Le relèvement apaise nos insécurités, nos manques et notre chagrin. C'est le moment de réfléchir aux vérités affectives que l'abandon nous a révélées et de faire l'inventaire du bagage émotif que nous traînons derrière nous depuis longtemps. Ce savoir est précieux et riche de sagesse personnelle.

À l'étape du relèvement, le moment est venu d'accueillir nos émotions. Si nous gardons le contact avec notre centre émotionnel, celui-ci engendrera sa propre énergie et il sera le moteur d'une guérison continuelle et d'une croissance personnelle sans fin.

CHAPITRE SEPT

Une nouvelle relation de couple

Un plan d'action en cinq points

Nous avons parcouru ensemble les cinq étapes de l'abandon. Les expériences que nous avons vécues en cours de route nous ont souvent rappelé le passé. Quand nous avons appris à mieux connaître nos émotions les plus anciennes et les plus fondamentales, nous nous sommes sensibilisés à notre nature. L'abandon nous a ouverts à nos réalités émotionnelles et nous a mis en contact avec des forces vitales universelles. Cette expérience a été intense et émouvante parce que nous l'avions déjà vécue. L'abandon reflète les différentes phases de notre croissance, de l'enfance au départ du domicile familial et à notre entrée dans le monde.

Première étape: À l'étape de la *dévastation*, vous avez été forcé de survivre à la rupture d'une relation primordiale et de réintégrer la vie dans un état de violente désunion. De même, les bébés doivent survivre au traumatisme de la naissance, à l'arrachement du ventre de leur mère. Durant cette phase initiale, tant le réchappé de l'abandon que le nouveau-né doivent apprendre à survivre en tant qu'être individuel.

Deuxième étape: Durant la deuxième phase de sa croissance, le bébé fusionne avec la personne qui prend soin de lui afin de recevoir les soins indispensables à sa survie. À la deuxième étape de l'abandon, vous avez ressenti le même désir de fusion; mais l'objet de votre attachement n'étant plus disponible, ce besoin n'a pu être comblé, ce qui a provoqué en vous de violents symptômes de *sevrage*. Durant la deuxième phase, les nouveau-nés et les réchappés de l'abandon ressentent un besoin intense de fusion que stimulent les opiacés naturels de l'organisme.

Troisième étape : À la troisième étape de leur croissance, les enfants *intériorisent* le sentiment de sécurité que leur procure la relation avec leurs parents. Ils reportent cette sensation de sécurité, cette confiance et cette assurance sur leur tout nouveau sens du soi. À la troisième étape de l'abandon, vous *intériorisez* aussi vos émotions, mais les sentiments que vous assimilez de la sorte vous répètent que vous n'êtes pas digne d'amour. Comme un tout jeune enfant, vous transférez sur le *soi* les émotions issues d'une relation primordiale.

Quatrième étape : À la quatrième étape de la croissance humaine, les enfants et les adolescents qui jouissent de l'amour et du soutien de leur famille sont suffisamment sûrs d'eux pour assumer leur place dans le monde. Durant la quatrième phase de l'abandon, celle de la *rage*, vous réintégrez la vie mais en affirmant les besoins de votre soi blessé. À la quatrième étape, tant les enfants que les adultes en voie de guérison cherchent à combler leurs besoins affectifs à l'extérieur de leur cocon.

Cinquième étape : Durant la dernière phase de la croissance humaine, l'adulte en devenir cherche à créer des liens primordiaux. À l'étape ultime de l'abandon, le *relèvement*, vous ressentez sans doute aussi le même désir de contact. Mais vous devez vous protéger de toute blessure éventuelle. À la cinquième étape, les jeunes adultes et les personnes qui se relèvent du renoncement à un amour aspirent à un lien profond. Les réchappés de l'abandon ont appris à mieux comprendre la nature du bagage affectif qu'ils transportent avec eux dans ces nouvelles relations.

L'abandon nous fait revivre les étapes de notre venue au monde et nous fait parcourir de nouveau chacune des phases de notre développement. Nous passons une fois de plus de l'enfance à l'âge adulte, cette fois en toute connaissance de cause. On crée un nouveau soi et on engage parfois sa vie dans une voie nouvelle. On fait de la douleur de l'abandon la pierre de touche d'une métamorphose personnelle.

Les enseignements que vous tirez de cette expérience sont précieux.

La *dévastation* vous apprend à devenir autonome. Vous surmontez les difficultés de la solitude. Vous faites face à l'anxiété qui vous enlisait dans de vieux schémas de comportements. Vous constatez que vous êtes capable de gérer les émotions issues d'un empilement de traumatismes, d'abandons passés et présents. Vous apprenez à vous servir de la force de vos sens pour *habiter le moment*.

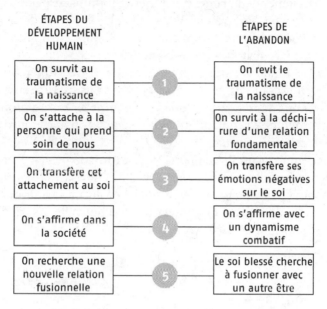

ÉTAPES DU DÉVELOPPEMENT HUMAIN — ÉTAPES DE L'ABANDON

Étapes du développement humain		Étapes de l'abandon
On survit au traumatisme de la naissance	1	On revit le traumatisme de la naissance
On s'attache à la personne qui prend soin de nous	2	On survit à la déchirure d'une relation fondamentale
On transfère cet attachement au soi	3	On transfère ses émotions négatives sur le soi
On s'affirme dans la société	4	On s'affirme avec un dynamisme combatif
On recherche une nouvelle relation fusionnelle	5	Le soi blessé cherche à fusionner avec un autre être

Les étapes de l'abandon et du développement humain sont les mêmes

Le *sevrage* vous permet de connaître vos émotions profondes. Vous cernez les problèmes non résolus qu'ont occasionnés vos blessures affectives – ces privations qui ont déclenché votre soif d'amour et qui vous ont peut-être amené à combler ce besoin de façon malsaine. Vous apprenez à profiter de votre sagesse nouvelle en vous engageant chaque jour dans un dialogue avec vos émotions. Au bout du compte, vous répondez sans détour à vos besoins affectifs les plus élémentaires au lieu d'y remédier par l'alcool ou les drogues, les conquêtes, les idées fixes ou les comportements compulsifs.

L'*intériorisation* fait de vous une personne intègre, capable de formuler ses aspirations, ses valeurs et ses objectifs les plus profonds. Vous associez les sentiments issus des blessures passées à votre soi. Vous apprenez à vous servir de votre imagination comme d'un instrument de guérison. Vous cultivez votre estime de vous-même, vous élargissez vos horizons et vous définissez clairement vos objectifs.

La *rage* vous apprend à faire de votre colère le moteur d'un dynamisme fortement équilibré. Vous cernez les émotions auxquelles des frustrations passées ont donné naissance. Vous exposez au grand jour les agissements de l'enfant extérieur, qui nuisait jusqu'à présent à vos relations et à votre vie. Vous êtes plus à l'affût de ses manigances et vous apprenez à affirmer vos besoins en dominant plus efficacement vos attitudes et vos comportements.

Le *relèvement* vous apprend à accepter votre vulnérabilité et à aspirer à un amour supérieur. Vous ranimez vos espoirs et vos rêves perdus et vous reprenez le contact affectif avec votre entourage et avec vous-même. Vous planifiez votre vie de façon à accroître chaque jour votre capacité d'aimer.

Ainsi, après avoir été emporté par la tornade des cinq étapes de l'abandon – la dévastation, le sevrage, l'intériorisation, la rage et le relèvement –, vous émergez de ce nuage en forme d'entonnoir avec plus de force, de sagesse et d'intégrité, une nouvelle vision de l'avenir et une plus grande capacité d'aimer.

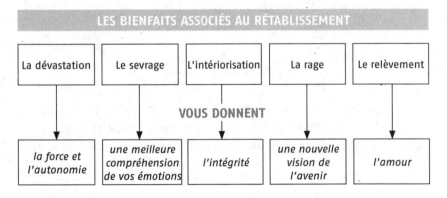

LES BIENFAITS ASSOCIÉS AU RÉTABLISSEMENT

La dévastation	Le sevrage	L'intériorisation	La rage	Le relèvement

VOUS DONNENT

la force et l'autonomie	une meilleure compréhension de vos émotions	l'intégrité	une nouvelle vision de l'avenir	l'amour

Les bienfaits du rétablissement

Un plan d'action en cinq points pour créer une nouvelle relation de couple

Ce qui suit n'est qu'un canevas de base où les changements proposés pourront s'inscrire.

Premier point : Débordez du cadre habituel de vos amitiés, explorez de nouvelles activités et assumez des rôles inédits.

Deuxième point: Allez au-devant d'au moins dix personnes inconnues et explorez divers aspects de votre personnalité qui n'ont sans doute jamais pu s'exprimer auparavant.

Troisième point: Parlez franchement à au moins trois de ces personnes des émotions et de la culpabilité que vous inspirent vos échecs passés.

Quatrième point: Accédez à votre moi supérieur.

Cinquième point: Partagez ce moi supérieur avec les êtres que vous aimez.

PREMIER POINT: DÉBORDEZ DE VOTRE CADRE HABITUEL

Explorez de nouveaux territoires au-delà de votre cercle d'amis et de vos habitudes afin de découvrir des facettes cachées de votre personnalité. Vous vous découvrirez de nouveaux champs d'intérêt, de nouvelles forces et des aptitudes dont vous ignoriez sans doute l'existence. Cet élargissement de vos horizons vous offre de nombreuses occasions de changement constructif. Voici comment certains de mes clients ont su profiter de cette ouverture:

- Ayant redécouvert sa passion pour le piano, Jean a décidé d'acheter un instrument. Pour ce faire, il a dû emménager dans un appartement plus spacieux. Sa passion renouvelée pour la musique l'a incité à se procurer des billets pour le concert – et ainsi d'y inviter Roberte.
- Roberte s'est inscrite à un cours de pilotage et fait maintenant partie d'un club de lecture de poésie.
- Josiane fait partie d'un club de cyclisme et se prépare à parcourir la France et l'Italie à vélo.
- Étienne a suivi des cours du soir à l'université. Son premier cours portait sur le cinéma moderne. Il compte rejoindre Josiane durant ses deux semaines de vacances en août.
- Richard s'est inscrit à une agence de rencontres.
- Justin s'adonne maintenant au jogging, il fait du bénévolat pour un groupe d'aide et il s'est acheté une maison de vacances au bord de la mer.
- Barbara a suivi des cours de cuisine macrobiotique et elle a lancé une petite entreprise de traiteur.
- Marie a terminé ses classes de voile. Elle poursuit sa relation avec Philippe. Ils ont acheté un voilier et ils envisagent de longer la côte Est des États-Unis.

- Michel a trouvé un nouvel emploi et il joue au racketball.
- Charles a acheté une maison coloniale et il en a entrepris la restauration. Il a eu besoin de beaucoup d'aide, et il s'est aperçu qu'il avait l'appui des gens du lieu. Il assume maintenant des fonctions importantes au sein de l'association des citoyens de sa ville.

Il suffit de s'ouvrir à de nouvelles expériences pour transformer sa vie. Même de petits changements à la routine quotidienne peuvent vous aider à découvrir la personne que vous êtes en train de devenir.

Je m'étais enlisé trop longtemps dans mon travail, dit Claude. Mes collègues ne se comportaient pas avec moi comme je l'aurais voulu. Même quand je changeais radicalement certaines façons de faire, ces transformations passaient inaperçues. Alors j'ai trouvé un autre boulot. Cela a exigé de moi un effort considérable. Je passais tous mes temps libres à visualiser mon nouvel emploi, puis à reformuler mon CV et à passer des entrevues. Mais j'ai fini par trouver. Les règles du jeu étaient soudain totalement différentes.

Je suis parti du bon pied et je me suis créé une tout autre image. Le fait que personne ne me connaissait a joué en ma faveur, car cela m'a permis de tout recommencer exactement comme je le voulais. Mes nouveaux collègues n'y ont vu que du feu. Puisqu'ils n'avaient pas envers moi d'idées préconçues, j'ai pu transformer ma façon d'interagir avec les autres beaucoup plus facilement.

Le fait d'apporter des changements à votre vie vous ouvre de nouveaux horizons et favorise votre croissance. Cela permet aux transformations *intérieures* de s'enraciner dans un terreau nouveau. Vous devez donc sortir, faire de nouvelles expériences, vous joindre à des groupes, modifier votre routine quotidienne. Chaque fois, laissez les choses vous révéler petit à petit leurs côtés positifs.

DEUXIÈME POINT: FAITES DE NOUVELLES RENCONTRES

Si vous allez au-devant de gens que vous ne connaissez pas, vous pouvez explorer des facettes de votre personnalité qui ne sont pas toujours évidentes à vos yeux et aux yeux des autres[1]. Entendons-nous: il ne s'agit pas de tromper qui que ce soit en feignant d'être ce que vous n'êtes pas. Seulement, ces nouvelles circonstances vous font découvrir des champs d'intérêt que vous n'aviez pas explorés. Vous aviez peut-être des dons que vous ignoriez ou que vous n'aviez pas encore pu parfaire. Vous n'aviez peut-être pas encore connu des gens qui partageaient vos goûts. Beaucoup de personnes voient dans ces nouvelles facettes d'elles-mêmes leur *alter ego*[2].

Vos nouvelles activités, vos nouveaux amis, l'agence de rencontres ou le hasard, tout cela vous ouvrira des portes. Vous découvrirez des aspects nouveaux de votre personnalité en devenir et vous pourrez mieux orienter votre vie.

J'ignorais qu'une relation de vrai partage était possible, dit Jeannette. Je m'étais chamaillée et querellée pendant tant d'années avec mon mari! Ç'a été une révélation pour moi de découvrir que je pouvais être une femme plaisante et d'agréable compagnie simplement parce que quelqu'un me rencontrait à mi-chemin.

En sortant des confins habituels de votre groupe social, ne repoussez pas d'emblée quelqu'un parce qu'il ne vous attire pas sur-le-champ. Votre objectif n'est pas le coup de foudre, mais bien, par la fréquentation d'une variété de gens, la découverte de vos forces émergentes.

J'ignorais tout à fait mon côté femme fatale, dit Barbara. Mais je suis sortie quelquefois avec des hommes et au moins un ou deux d'entre eux ont été complètement séduits. Ils n'étaient pas des types pour moi, et, du reste, je n'étais pas tout à fait prête. Mais cela m'a très agréablement surprise et m'a aidée à prendre conscience de ce que j'avais à offrir.

Allez vers des gens qui pourraient partager vos goûts, mais aussi vers des gens dont les goûts diffèrent des vôtres. Qu'importe si l'amour n'est pas au rendez-vous? Vous pourriez trouver là des amis, des contacts professionnels, ou simplement faire une rencontre intéressante dont vous garderez un bon souvenir.

Une amie que j'ai rencontrée récemment possède un vaste sens de l'humour et elle rit à tout ce que je dis, relate Étienne. Pratiquement tout ce qui sort de ma bouche la fait rire, si bien que j'en deviens encore plus amusant. J'ai découvert qu'un de mes alter ego était un monologuiste comique. Mais à vrai dire, c'est dans le dialogue que j'excelle.

Mise en garde: en allant vers les autres, vous vous rendrez compte que votre enfant intérieur s'impatientera peut-être et sera très dépendant. Il pourrait vous inciter à vous agripper au premier venu. Évitez à tout prix de vous accrocher. Contentez-vous de rencontrer le plus de gens possible et de multiplier les occasions de connaître votre nouveau soi.

TROISIÈME POINT: FAITES DES AVEUX

Pour faire des aveux, il vous faut trouver quelqu'un à qui vous pouvez vous confier en toute sincérité, quelqu'un à qui vous pouvez parler de vos émotions, de votre rupture et, surtout, de la façon dont vous avez contribué à l'échec de votre couple.

Cet exercice a pour but, d'une part, de vous faire assumer vos responsabilités dans les problèmes auxquels vous êtes confronté et, d'autre part, de vous faire découvrir qu'une relation humaine est aussi faite de tolérance.

On me demande souvent: «Et si je ne trouve personne en qui je peux avoir confiance?»

Beaucoup de gens sont dignes de confiance et, si vous le leur demandez, ils vous écouteront sans porter de jugement, sans essayer de résoudre vos problèmes à votre place et sans vous inonder de conseils. En fait, beaucoup de gens vous rendront la pareille en vous confiant leurs propres bobos. Essayez de vous confier à un vieil ami, à un nouvel ami ou à la personne que vous fréquentez actuellement.

Il n'y a personne autour de vous en qui vous pouvez avoir confiance? Votre tâche du moment consiste justement à trouver quelqu'un. Cette personne-là existe.

Quand vous faites des aveux, vous franchissez le mur de la honte, vous dévoilez vos peurs et vos insécurités les plus profondes.

Un jour, Josiane s'est confiée à son groupe d'entraide.

J'ignorais ce que je faisais de travers, mais je ne parvenais pas à m'engager dans une relation. Jusqu'à présent, j'ai eu très honte d'admettre que j'avais un problème. Maintenant, je constate que toute personne qui a connu une crise comme celle que j'ai traversée serait confrontée aux mêmes difficultés. Je me disais que je n'étais pas normale puisqu'on me fuyait. Maintenant je sais que ça n'a rien à voir avec le fait que je suis digne ou non d'être aimée. Je ne suis pas personnellement en cause; c'est ce qui m'est arrivé qui est en cause. Seule ou pas, je suis digne d'amour. J'ai beaucoup d'amour à donner et c'est ce qui me rend attachante.

Les aveux de Josiane l'ont aidée à jeter le masque qu'elle portait depuis tant d'années. En avouant sincèrement ses peurs, elle a trouvé son véritable soi. Elle a renoncé à sa jovialité apparente au profit de sa vulnérabilité et de la profondeur de ses sentiments.

La première fois que j'ai parlé à quelqu'un de ce que je ressentais, dit Étienne, j'étais extrêmement vulnérable, mais quand j'ai vu que l'autre personne m'acceptait, ç'a été une libération. On aurait dit que, jusque-là, j'avais mené une double vie. Et voilà qu'on m'acceptait enfin tel que j'étais, avec tous mes défauts.

Si vous avez fait l'inventaire des agissements de votre enfant extérieur, vous avez une assez bonne idée de la manière dont il a nui à vos relations. Ce travail a facilité les choses pour beaucoup de gens.

Quand je mentionne les traits de caractère de mon enfant extérieur, dit Claude, cela amuse les gens. Ils comprennent vite de quoi il s'agit et ils se mettent à leur tour à décrire le leur. Cela donne lieu à des échanges très intéressants.

Quand vous faites connaître aux autres votre enfant extérieur, votre *enfant intérieur* s'exprime plus facilement. Affranchi de vos résistances externes, vous êtes plus présent et plus honnête sur le plan affectif. Au fur et à mesure de vos aveux, l'enfant abandonné se libère de l'esclavage du secret. Les groupes d'entraide vous permettent de faire vos aveux en toute sécurité. Mais pour que cet exercice vous procure de réels bienfaits, essayez de vous confier à trois personnes, au moins, qui ne font pas partie de votre groupe de soutien.

En vous confiant à trois personnes, vous vous assurez de révéler différents aspects de votre honnêteté affective et d'obtenir tout un éventail de réponses. Si vous vous limitez à un seul interlocuteur, vous risquez de faire de ce «nettoyage» un événement unique et ponctuel au lieu de prendre la saine habitude de toujours mettre vos émotions à nu en toute franchise.

En étant rigoureusement honnête avec vous-même et avec quelques personnes choisies, vous désinfectez votre blessure d'abandon. Quand vous parvenez à franchir le mur secret de la honte, une guérison beaucoup plus profonde peut commencer.

QUATRIÈME POINT : FUSIONNEZ VOTRE ALTER EGO ET VOTRE MOI : ACCÉDEZ À VOTRE MOI SUPÉRIEUR

J'ai découvert que mon moi supérieur était en réalité affectueux et bon, dit Justin. J'apprenais à connaître une femme qui faisait partie de mon groupe d'entreprise. Son médecin venait de lui dire qu'elle souffrait d'une affection osseuse dégénérative. Avec trois enfants, il lui était de plus en plus difficile de fonctionner normalement. Un sacré coup de malchance pour une personne aussi formidable.

Je me suis décarcassé pour lui venir en aide. Je me suis battu avec sa compagnie d'assurances pour qu'on lui verse des prestations. J'ai même aidé son mari à trouver un meilleur emploi. Dans la plupart des cas, elle n'a pas su que j'étais intervenu. En aidant cette femme, j'ai découvert un tout nouveau Justin.

En poursuivant votre exploration de nouvelles activités et en continuant à vous confier ouvertement et en toute sincérité, vous pourrez grandir sur plusieurs plans. Puisque vous posséderez une meilleure connaissance de vos aptitudes et de vos besoins, vous pourrez établir de nouvelles normes pour vous-même et pour vos relations futures. Vous deviendrez votre moi supérieur.

Quand mon plus vieux a rompu avec sa petite amie, poursuit Justin, c'est là que j'ai vraiment su que j'étais en train de changer. Mon fils était très déprimé, mais il n'avait pas l'habitude de se confier à moi. L'ancien Justin n'aurait pas su comment réagir. Mais le nouveau Justin était bien décidé à faire parler son fils. J'avais beaucoup de peine pour lui, je voulais qu'il le sache et je voulais l'aider. Voilà ! J'étais soudainement un père aimant ! J'aurais aimé que quelqu'un soit là pour moi quand j'avais toutes sortes de problèmes à son âge, ou quand Charlotte et moi nous sommes quittés. Mais je pouvais au moins être présent pour mon fils. J'aimerais bien mettre le Justin que je suis devenu à l'épreuve avec une femme. Je pense que je suis prêt pour une vraie relation.

CINQUIÈME POINT : PARTAGEZ VOTRE MOI SUPÉRIEUR AVEC LES AUTRES

Pour ceux d'entre vous qui se sont donné pour premier objectif de trouver quelqu'un à aimer, il est très important d'éviter les personnes qui risquent de vous faire reprendre vos vieilles habitudes.

J'ai rencontré un type absolument spectaculaire, fait Roberte. Il était propriétaire d'un port de plaisance et il vivait à bord d'une péniche qu'il avait décorée lui-même. Il avait un goût exquis et beaucoup d'argent pour l'exprimer. Après cinq ou six rendez-vous, j'ai constaté que je m'en remettais à lui et que je m'efforçais de lui plaire. C'était voué à l'échec. J'avais besoin de me sentir à l'aise, pas impressionnée en permanence – suffisamment à l'aise pour m'impressionner moi-même, pour changer. Je me suis dit: «Si seulement je pouvais trouver quelqu'un avec qui je suis bien comme je suis bien avec Jean.» Ça m'a fait penser à Jean d'une tout autre façon.

Comme Roberte, vous voulez une relation fondée sur une base affective solide, c'est-à-dire sur la confiance et le confort, plutôt que sur une euphorie passagère qui rehausse par extension votre estime de vous-même. Vous recherchez quelqu'un qui puisse prolonger la sensibilité et les principes qui sont devenus les vôtres.

J'ai dit à Roberte que mes sentiments pour elle étaient très forts, dit Jean. J'ai admis qu'il me semblait parfois tendre à nouveau vers un amour qui échappait à ma portée, que je retombais dans mes vieux schémas de comportements. Mais je l'aimais et je tenais quand même à le lui dire. Je savais veiller sur moi-même. «Je te demande seulement de me laisser t'aimer», lui ai-je dit. «Sans conditions. Si tu m'aimes aussi, tant mieux. Sinon, je peux veiller sur moi quand même. Je te demande de laisser le temps faire les choses.»

Donnez une chance à l'amour. C'est la leçon du cinquième point. Pour ce faire, vous devez vous affranchir de vos deuils passés. Acceptez-vous tel que vous êtes. Vous possédez en vous une immense richesse de sentiments et de dons. Nul n'a le droit de vous juger ou de diriger votre vie. Vous devez respecter ce que vous êtes, et habiter le moment muni de tout ce qui fait que vous êtes vous. Vous n'avez rien à gagner à repousser votre vulnérabilité, à souhaiter qu'elle n'existe pas, ou à vous en vouloir pour vos faiblesses. Ces faiblesses, ainsi que le doute de soi et la honte issus de votre passé font autant partie de votre réalité personnelle que vos talents et vos réussites. Ils méritent d'être connus et ils sont sans doute la raison pour laquelle un nouvel être aimé se sent bien auprès de vous.

Le genre de relation que vous cherchez vous permet d'afficher ouvertement votre vulnérabilité, sans en avoir honte. N'oubliez pas non plus de toujours accueillir généreusement les peurs, les besoins et les faiblesses fondamentales de votre nouveau conjoint.

J'ai décidé cette fois de tenir le coup, dit Roberte. Ça facilite les choses que Jean prenne l'entière responsabilité de ses sentiments. Il avoue même qu'il est sans doute mauvais pour lui de s'intéresser à une femme qui ne partage pas son amour. Mais j'aime Jean en tant que personne. Je respecte son honnêteté. Il connaît pour ainsi dire toutes mes faiblesses, et je connais aussi les siennes. Nous sommes très à l'aise en compagnie l'un de l'autre. Mes valeurs sont en train de changer. J'attends autre chose de la vie maintenant. Je sais ce qu'est l'amour. Mais je me demande ceci : est-ce que l'amour m'a déjà trouvée sans que je puisse le reconnaître ? J'ai décidé d'attendre pour trouver la réponse à ma question.

L'amour est sous nos yeux presque à chaque instant. Plusieurs d'entre nous pensons même l'avoir déjà trouvé. Mais que nous soyons ou non en couple, les relations que nous nourrissons par ailleurs et celles que nous sommes en train de créer ont encore plus d'amour à nous donner.

Pour être heureux dans un nouveau couple, sachez apprécier le cadeau précieux que l'abandon vous a fait et acceptez votre vulnérabilité et les faiblesses d'autrui. Le rapprochement affectif soutenu est le secret d'une relation authentique.

Coda : un théâtre de l'absurde

Q *ue pourrait être l'opposé du secret et du silence de l'abandon ?*
Pourquoi pas un défilé ?

Le défilé annuel de la journée de l'abandon

Ce défilé imaginaire ne rassemblerait que des réchappés de l'abandon. Tous arboreraient l'insigne des blessés.

On croirait d'abord apercevoir une populace bigarrée descendre la rue Principale. Mais parmi ces milliers de personnes, il y aurait des individus manifestement courageux, d'une tenue parfaite et vêtus avec un goût exquis. Tous respireraient la dignité et le triomphe, surtout les plus éclopés d'entre eux, porteurs de drapeaux. Ils sont les héros du défilé. L'incroyable sincérité des marcheurs, leur profondeur et leur humanité arracheraient des larmes à la foule des spectateurs.

Le Grand Maréchal des Grands Blessés, muni de son bâton, ouvre le cortège des estropiés en fauteuil roulant. Leurs expériences affectives les ont à ce point handicapés qu'ils éprouvent d'énormes difficultés à créer une relation de première importance. Un grand nombre d'entre eux passent le reste de leur vie dans la solitude. Leurs blessures ne sont pas visibles, mais ils ont été décorés de la Médaille de la Vaillance pour leur courage dans l'abandon.

Les abandonnés de date récente les suivent de près. Leur souffrance est telle qu'ils sont incapables de marcher ; ce sont des chars allégoriques qui les transportent. Ils sont ainsi des milliers à défiler, le cœur brisé, sous le regard respectueux et admiratif des spectateurs.

Derrière eux, d'autres affluent à pied, parfois sur des béquilles ou en se soutenant les uns les autres. Ce sont les réchappés de l'abandon dans l'enfance, ceux dont la vie adulte est marquée au fer de la *peur de l'abandon*. Beaucoup d'entre eux s'appuient sur des gens qui ne leur conviennent pas, car ils ont trop peur de perdre le peu de sécurité dont ils jouissent. D'autres ont été ballottés par les remous de relations amoureuses successives.

La plupart des spectateurs qui regardent ce défilé ne savent pas exactement pourquoi ils applaudissent et encouragent les marcheurs, mais le courage de ces derniers leur arrache des larmes. Quelques-uns ont envie de se joindre au défilé pour célébrer leurs propres meurtrissures. D'autres sont plus réticents à établir ce contact; ils ne sont pas prêts à extérioriser leur souffrance. Ils doivent d'abord apprendre que la blessure la plus profonde est aussi le lieu de la plus grande guérison.

Certains spectateurs sont déchirés. Ils ont conscience de leur souffrance, mais ils veulent demeurer libres d'être ceux qui quittent l'autre. Ils ne sont pas prêts à prendre position contre l'abandon, à affirmer que le rejet est inacceptable. Certains d'entre eux peuvent encore changer. Peut-être participeront-ils au défilé l'an prochain ?

Loin des regards, il y a les abandonneurs. Plusieurs d'entre eux se sont arrêtés quelques instants pour regarder le défilé de loin : ils ont l'air de se dire que quelque chose leur échappe sans doute – ce quelque chose dont semblent être imbus les marcheurs. D'autres se demandent un bref instant s'ils ne seraient pas anormaux de faire tant de mal aux autres.

Les abandonneurs *chroniques* évitent quant à eux le défilé et vont leur petit bonhomme de chemin, indifférents à la souffrance qu'ils ont infligée à ceux qui les aimaient. Paradoxalement, plusieurs d'entre eux ont été abandonnés eux-mêmes, mais cette expérience, loin d'éveiller leur compassion, a fait d'eux des êtres sans pitié, anesthésiés, impitoyables.

À la ligne d'arrivée, les maîtres de cérémonie et les porte-drapeaux échangent et bavardent jusque tard dans la nuit. Les grands blessés font connaissance. Des couples durables se forment. Les participants découvrent que tous sont dignes d'amour et ne laissent pas les cicatrices les impressionner. On jure et on promet de s'entraider et de guérir dans une relation aimante. Tous sont capables d'un engagement profond et d'une grande loyauté, et ils sont bien décidés à ne jamais s'abandonner l'un l'autre. Voilà le plus grand cadeau d'amour que l'on puisse offrir à l'être aimé : la libération de la peur.

Nous venons de découvrir ensemble le seul vrai remède à l'abandon : c'est l'engagement envers l'amour.

Notes

Les passages de ce livre qui ont trait à la neurobiologie doivent beaucoup aux travaux de Robert Sapolsky, Joseph LeDoux, Myron Hofer, Jaak Panskepp et Daniel Goleman. J'ai intégré leurs explications et leurs perceptions éclairées dans mon texte sans leur en donner chaque fois le crédit. J'ai préféré reconnaître ici leur contribution plus en détail, de même que celle des nombreux chercheurs qui se sont penchés sur la structure sous-jacente de l'expérience humaine.

(Avertissement : les références complètes aux textes mentionnés dans les notes se retrouvent dans la bibliographie.)

Chapitre un : les cinq étapes de l'abandon

1. L'auteur de cette expression est Peter Yelton, travailleur social agréé, collègue, ami et gourou de l'abandon.

Chapitre deux : la dévastation

1. Anecdote à propos d'Albert : avec la permission de Peter Yelton.
2. Pour d'excellentes descriptions des réponses du système nerveux sympathique, voir Larry J. Seiver et William Frucht, *The New View of Self*, p. 35. Consulter également Robert M. Sapolsky, *Why Zebras Don't Get Ulcers*, chap. 2 et 3 ; et Daniel Goleman, *L'Intelligence émotionnelle*, chap. 5 et app. C.
3. Myron Hofer signale que c'est le développement des circuits neuraux du système limbique qui rendent possible l'anxiété de

séparation chez le nourrisson. Dans l'échelle évolutive, l'anxiété de séparation représente le premier état anxieux inné. Étant adaptative, elle peut éloigner la menace de la séparation d'avec la mère. Certaines études animales ont montré que les rats réagissent à leur toute première expérience de séparation. Voir Myron Hofer, « An Evolutionary Perspective on Anxiety », dans *Anxiety as Symptom and Signal*, p. 25-27.

Nos premières expériences émotives (notamment l'anxiété de séparation) sont inscrites dans le cerveau et peuvent revenir, ainsi que le décrit Daniel Goleman, sous la forme de « canevas sans paroles [...] de souvenirs affectifs puissants remontant aux cinq premières années de vie entre le nourrisson et la personne qui s'en occupe ». Il dit que, puisque ces souvenirs se sont formés avant que le néocortex et l'hippocampe n'aient atteint leur plein développement, la vague sensation de réveil des anxiétés de l'enfance ne correspond à « aucun ensemble cohérent d'idées ».

4. Les recherches d'Anthony DeCasper ont montré que les bébés préfèrent les sons qu'ils ont déjà perçus avant leur naissance, soit la voix et les battements du cœur de leur mère. Voir Decasper et Fif, « Of Human Bonding », *Science*, n° 208, 1980. Les recherches de William Smotherman montrent que le conditionnement a lieu avant la naissance et qu'il faut par conséquent en tenir compte dans les soins aux bébés nés prématurément. Les fœtus de rats peuvent être conditionnés à éviter les odeurs désagréables auxquelles ils ont été exposés avant la naissance. Voir William P. Smotherman et Scott R. Robinson, « The Development of Behavior Before Birth », *Developmental Psychology*, n° 32, mai 1996, p. 425-234.

5. Jaak Panksepp se penche sur la façon dont les opiacés endogènes de l'organisme sont des médiateurs du rapprochement entre les êtres. Les opiacés contribuent à apaiser la détresse de l'isolement. Voir Panksepp, Siviy et Normansell, « Brain Opioids and Social Emotions », dans *The Psychobiology of Attachment and Separation*. Selon Myron Hofer, qui s'intéresse aussi à ce domaine, le contact physique (par exemple la maman rate qui lèche son bébé en détresse) réconforte parce qu'il stimule la libération des opiacés. Voir Hofer, « Hidden Regulators ».

6. La crise émotive due à l'expérience de l'abandon est souvent assez grave pour présenter des symptômes similaires à ceux du trouble de la personnalité *borderline*. Un des indices de cette régression

temporaire est la tendance à avoir des idées contradictoires – à se faire une idée de soi et des autres qui est en alternance très positive et très négative. Freud explore cette ambivalence au sujet de soi et d'autrui. Kohut, Kernberg, Masterson et d'autres ont décrit le phénomène du «dédoublement». Pour une hypothèse de traitement, voir Jerome Kroll, *PTSD/Borderlines in Therapy*.

7. Hofer apporte une connotation nouvelle au terme «symbiose» quand il suggère que de nombreux processus physiologiques et psychologiques interviennent dans la «régulation mutuelle» entre la mère et le nourrisson. La mère et l'enfant sont l'un pour l'autre des régulateurs externes. Voir Hofer, «Hidden Regulators», p. 29.

8. La régression symbiotique est un autre indice de personnalité *borderline* temporaire.

9. Les recherches de Baumeister soulignent le fait que le sentiment d'appartenance atténue le stress de la séparation. Voir Roy Baumeister et Mark R. Leary, «The Need to Belong», dans *Psychological Bulletin*, 1995, p. 509. Les recherches de Hofer étayent cette affirmation d'un point de vue neurochimique – la compagnie des autres réconforte en stimulant la libération des opiacés. Voir Hofer, «Hidden Regulators».

10. Voir Joseph LeDoux, «Emotions, Memory and the Brain», *Scientific American*, juin 1994, p. 50-57.

11. Voir Goleman, *L'Intelligence émotionnelle*. Voir aussi Edward Wilson, *Consilience, The Unity of Knowledge*, p. 113-114.

12. Selon Steven Maier et d'autres chercheurs, le stress est immunosuppresseur. Différents facteurs stressants, par exemple l'«échec social» ou la «séparation d'avec la mère», donnent lieu à différentes combinaisons d'hormones et d'activités du système nerveux autonome. Voir Steven F. Maier, Linda R. Watkins, Monika Fleshner, «Psychoneuroimmunology: The Interface Between Behavior, Brain and Immunity», *American Psychologist*, vol. 49, décembre 1994, p. 1004-1017. Herbert Weiner fait ressortir que le système immunitaire est contrôlé par la composante sympathique du système nerveux autonome, dont l'action s'exerce sur la moelle osseuse, le thymus, la rate, le tube digestif et les ganglions lymphatiques. Voir Herbert Weiner, *Perturbing the Organism: The Biology of Stressful Experience*, p. 204. Voir aussi J. K. Kiecolt-Glaser et autres, «Marital Quality, Marital Disruption and Immune Function», *Psychosomatic Medicine*, 49, n° 1, 1987, p. 13-34.

13. Voir Sapolsky, *Why Zebras*.

14. Roy Wise explique pourquoi certaines personnes qui traversent la difficile expérience de l'abandon sont portées à s'automédicamenter en consommant de l'alcool et d'autres drogues. Il affirme ceci : «Les drogues pouvant entraîner une surconsommation ont un effet direct et central sur les mécanismes de renforcement du cerveau. [...] Leur effet est probablement beaucoup plus intense que celui de stimuli sensoriels comme la nourriture, l'eau ou la beauté renforçatrice de la nature, de l'art ou de la musique.» Voir Roy A. Wise, «The Neurobiology of Craving: Implications for the Understanding and Treatment of Addiction», *Journal of Abnormal Psychology*, 97, n° 2, 1988, p. 127. Les personnes qui surconsomment beaucoup risquent d'aggraver à leur insu la dépression et le désespoir reliés à l'expérience de l'abandon. William McKinney a découvert que l'alcool apaisait quelque peu le désespoir des singes rhésus, mais qu'à doses plus fortes il l'exacerbait. Voir William T. McKinney, «Separation and Depression: Biological Markers», dans *The Psychology of Attachment and Separation*, p. 215.

15. Ronald Ruden se penche sur la psychobiologie des impulsions qui entraînent une dépendance («il faut que je boive un verre») – forte libération de dopamine dans le noyau accumbens, faible teneur en sérotonine. Voir Ruden et Myalick, *The Craving Brain: The Biobalance Approach to Controlling Addiction*, p. 5-6.

16. Pour un débat sur l'hypothétique origine psychologique de la honte, lire Melanie Klein, *L'Amour et la haine, le besoin de réparation : étude psychanalytique*, et Helen Block Lewis, *Shame and Guilt in Neurosis*. Pour une approche psychobiologique, voir Alan Schore, *Affect Regulation and Origin of Self: The Neurobiology of Emotional Development*, p. 348-354, 415-430.

17. Pour une approche axée sur le point de vue des hommes, voir Terrence Real, *I Don't Want to Talk About It*. Il aborde la tendance des hommes ayant été socialisés dans un milieu occidental à avoir honte de leur vulnérabilité, de leur chagrin et de leurs besoins affectifs. La guérison commence quand les hommes s'affranchissent de la réaction de défense machiste qui consiste à refouler leur chagrin, et qu'ils commencent à explorer leurs réalités affectives et à exprimer leurs émotions.

18. Jerome Kagan suggère que le fait d'associer la *souffrance* à la *faiblesse* ne date pas d'hier. Il cite Pierre Janet : «La tristesse est toujours un signe de faiblesse et parfois de mollesse.» Voir

Jerome Kagan, *The Nature of a Child*. Voir aussi Michael Lewis, *Shame: The Exposed Self*, et Helen Block Lewis, *Shame and Guilt in Neurosis*. Pour un ouvrage de croissance personnelle sur la honte, lire John Bradshaw, *S'affranchir de la honte*.

19. Sur l'état de choc émotionnel et l'engourdissement psychologique, voir D. D. Kelly, « Stress-induced Analgesia », *Annals of the New York Academy of Sciences*, 1986.

20. Bessel A. van der Kolk, Alexander C. McFarlane et Lars Weisaeth ont publié les résultats de recherches exhaustives sur le stress post-traumatique dans *Traumatic Stress: The Effects of Overwhelming Experience on Mind, Body, and Society*. Voir aussi Judith Lewis Herman, *Trauma and Recovery*.

21. Hofer a découvert que les enfants plus âgés et les rats plus âgés qui avaient fait antérieurement l'expérience de la séparation réagissaient à la menace d'une séparation imminente sans même que soit nécessaire l'actualisation de cette menace. Il a constaté que ce « conditionnement » a des répercussions profondes – ce qui est un indice de réaction « post-traumatique ». Voir Hofer, « Hidden Regulators », p. 211. Dans *L'Intelligence émotionnelle*, Daniel Goleman associe le SSPT à un trouble limbique, à un état d'appréhension acquise et à l'abaissement de la valeur de consigne nerveuse. Il dit que, si un enfant a subi un traumatisme dans sa première enfance, l'amygdale est sensibilisée à débusquer des dangers par la suite ; le seuil d'activation du système nerveux sympathique est abaissé. Alan Schore parle de « dépression consécutive à l'abandon » et met en évidence ses répercussions sur le développement des structures cérébrales (les lobes orbito-frontaux et leur effet sur les circuits limbiques de l'aire tegmento-ventrale) dans *Affect Regulation*, p. 416-422.

22. J'ai déduit plusieurs de ces particularités de celles que définissent van der Kolk, McFarlane et Weisaeth dans *Traumatic Stress*, p. 203, 259.

23. Van der Kolk suggère que, chez de nombreuses personnes souffrant de stress post-traumatique, il n'est pas rare que les émotions donnent lieu directement à des actes sans que ceux-ci soient soumis à un processus linéaire de rationalisation destiné à en éviter les conséquences négatives. *Op. cit.*, p. 188.

24. Les accès de colère en tant qu'indice de traumatisme de séparation sont bien documentés. Virginia Colin écrit que l'une des réactions post-traumatiques à la séparation est l'agressivité. Elle

cite en guise d'exemple une étude montrant une forte incidence des impulsions agressives chez soixante sujets de race blanche issus de la classe moyenne qui étaient en instance de divorce. Dans certains cas, «toute rationalité était mise de côté – les sujets recourant au vol par effraction, à l'empoisonnement des animaux de compagnie, à l'enlèvement et aux armes pour se venger de leur ex-conjoint». Virginia A. Colin, *Human Attachment*, p. 340.

25. Jerome Kagan fait état de certaines recherches qui suggèrent que la variation génétique jouerait un rôle dans les facteurs prédisposant à l'apparition du SSPT. Il se pourrait que les enfants inhibés aient hérité différents seuils d'excitabilité, celle-ci étant associée à des concentrations plus élevées de noradrénaline ou à une plus grande intervention des récepteurs de noradrénaline du locus cœruleus. Jerome Kagan, *La Part de l'inné : tempérament et nature humaine*. Susan Vaughan décrit la manière dont l'ensemble du cortex semble porter l'empreinte des noyaux cérébraux profonds. Elle suggère que «l'absence ou la présence d'êtres chers dans la première enfance affecte peut-être directement les noyaux cérébraux profonds [...], ce qui pourrait entraîner plus tard le développement de symptômes dépressifs». Voir Susan Vaughan, *The Talking Cure: The Science Behind Psychotherapy*, p. 141-143. Consulter également Myron Hofer, «An Evolutionary Perspective on Anxiety», dans *Anxiety as Symptom and Signal*, p. 17-38.

26. L'expérience de l'abandon est indubitablement traumatisante et donne lieu à une crise émotive durable, qu'elle mène ou non à l'apparition du syndrome de stress post-traumatique. Les sciences neurologiques mentionnent le rôle d'un neurotransmetteur, la noradrénaline (norépinéphrine), dans le développement de l'anxiété persistante, faisant ainsi allusion à un dérèglement de la noradrénaline dans le locus cœruleus, une des structures du cerveau émotionnel ou système limbique. Dans *L'Intelligence émotionnelle*, Goleman écrit que les symptômes de SSPT suivants sont associés à un dérèglement de la noradrénaline : anxiété, peur, hypervigilance, irritabilité, excitabilité, disposition à la réaction de combat ou de fuite, encodage irrémédiable de souvenirs émotifs intenses. Pour en savoir plus sur le rôle de la noradrénaline, voir Seiver et Frucht, *New View*, p. 35. Ils écrivent que la peur dirige l'attention sur un objet extérieur à soi, ce qui

se traduit par une plus grande libération de noradrénaline; au contraire, quand l'attention se tourne vers l'intérieur, il s'ensuit une diminution de la noradrénaline. C'est sans doute la raison pour laquelle la crise émotive consécutive à l'abandon nous pousse à fixer notre attention sur la relation détruite. Nous sommes en proie à des obsessions et à une hypervigilance persistantes.

Le stress post-traumatique déclenche aussi l'augmentation d'une hormone de stress, le CRF (*corticotropic releasing factor* ou corticolibérine). La sécrétion accrue de CRF provoque, dans les premiers bouleversements de l'abandon, des sudations, des frissons, des tremblements, des rappels éclair et un réflexe de sursaut. Les opiacés naturels entrent également en ligne de compte, et produisent chez le sujet une indifférence généralisée à ce qui se passe autour de lui, des symptômes de sevrage, un état anhédonique et une dissociation des émotions. Les avantages à court terme des changements biochimiques consécutifs à un traumatisme incluent la vigilance, l'éveil, la disposition à agir, l'insensibilité à la douleur, la préparation à des exigences physiques soutenues et l'indifférence aux événements sans rapport avec cette expérience.

27. Van der Kolk, McFarlane et Wisaeth mentionnent un aspect intéressant de l'engourdissement psychologique provoqué par le choc dans *Traumatic Stress*, p. 227: «Vingt ans après le traumatisme original, on a constaté chez des personnes souffrant de SSPT l'apparition d'une analgésie à médiation opioïde en réaction à un stimulus semblable au traumatisme d'origine, analgésie que nous avons corrélée à une sécrétion d'opiacés endogènes équivalant à 8 mg de morphine.» Le rôle médiateur du système opioïde endogène dans l'engourdissement psychologique associé au deuil et à d'autres traumatismes est abordé par Panksepp, Sivyi et Normansell: «Brain Opioids», p. 5-7; David Benton et Paul F. Brain: «The Role of Opioid Mechanisms in Social Interaction and Attachment», dans *Behavioral Processes*, 1988, p. 219-220; et Myron Hofer, «An Evolutionary Perspective», p. 222-223. Voir également Kelly, «Stress-induced Analgesia».

28. On trouve une étude approfondie du sentiment de détachement de soi et de la dissociation de la réalité dans Herman, *Trauma and Recovery*. Voir aussi van der Kolk, McFarlane et Weisacth, *op. cit.*, p. 51-73, 303-330.

29. Eric Fromm affirme que l'anxiété de séparation sous-tend tous les déséquilibres et toutes les détresses psychologiques, dans *The Art of Loving*. Pour une définition plus générale de l'anxiété qui semble entériner la thèse de l'anxiété de séparation, voici ce que dit Hofer : «[...] un état comportemental qui se manifeste apparemment en réaction à des signaux de danger et qui fait appel à un ensemble particulier de réflexes ayant abouti, à certains moments du développement de l'organisme en question et de l'évolution de l'espèce, à l'évitement de menaces similaires.» Voir Hofer, «An Evolutionary Perspective», p. 36.

30. La distorsion de la réalité si courante dans la crise émotive de l'abandon est expliquée d'un point de vue neuroscientifique, par exemple dans Candace B. Pert, *Molecules of Emotion*, p. 143.

31. Voir van der Kolk, McFarlane et Weisaeth, *op. cit.*, p. 189.

32. De nombreux toxicomanes, y compris des héroïnomanes, disent avoir vécu dans leur enfance des expériences traumatisantes d'abandon. Les chercheurs ont constaté que, chez les rats de laboratoire en détresse, l'inhibition de la vocalisation de l'angoisse (les cris du bébé rat que l'on sépare de sa mère) est *particulièrement* sensible aux opiacés. Selon Benton et Brain, dans «Opioid Mechanism», p. 221 : «L'impression générale qui se dégage de plusieurs champs d'études est que les opiacés exercent une influence spécifique sur l'anxiété de séparation chez les sujets bébés des espèces que nous avons étudiées à ce jour.» Voir aussi Wise, «Neurobiology of Craving», et Ruden et Myalick, *The Craving Brain*.

33. Voir van der Kolk, McFarlane et Weisaeth, *op. cit*, p. 217.

34. À mon point de vue, le phénomène de la sélection naturelle au cours de l'évolution de l'espèce a perçu dans l'abandon/séparation une menace à la survie humaine. Les mêmes mécanismes qui nous permettent de réagir automatiquement (de manière inconsciente) à d'autres formes de danger semblent favoriser la sauvegarde du besoin qu'a l'humain de s'attacher, besoin dont dépendait notre survie à l'origine et qui rend notre espèce apte à la procréation. Lorsque ce lien est menacé, nous sommes conditionnés à réagir : le cerveau émotionnel nous *avise* spontanément de toute menace imminente à nos liens fondamentaux, il nous inflige l'angoisse pour *nous punir* d'avoir permis la rupture de ces liens ou un abandon, et il libère des opiacés endogènes *en guise de récompense* quand nous parvenons à préserver des liens durables qui embellissent la vie.

L'ensemble de réactions lourdes de conséquences qui porte le nom de *syndrome de stress post-traumatique* (SSPT) est le résultat d'un conditionnement primitif – l'aptitude que possède l'organisme à apprendre par l'expérience. Tout au long de ce processus, nous assimilons les réflexes d'approche et d'évitement qui nous semblent indispensables à notre survie. En ce qui a trait à l'abandon, on peut dire que les anxiétés et les inhibitions dérangeantes consécutives au traumatisme représentent un moyen pour l'organisme de protéger les liens d'attachement humain qui sont le fondement de la survie de l'espèce. Bien entendu, l'abandon ne représente qu'une des nombreuses menaces potentielles à la survie. Il y a aussi les serpents, les ennemis, la chute au fond d'un gouffre – bref, tous les dangers que traite la neuroanatomie du conditionnement et qui suscitent des « réflexes conditionnés » parfois extrêmes (d'emblée reconnus comme symptômes de SSPT); mais la « peur de l'abandon » est un état naturel consécutif à une séparation qui représente le niveau opérant de la réactivité émotive, une sorte de canevas affectif propre à chaque individu où viendront se greffer les événements traumatisants futurs – rencontre avec un ours grizzli, accident de voiture, viol, séparation d'avec les parents, ruptures amoureuses. En d'autres termes, nos premières anxiétés de séparation colorent nos expériences futures.

35. Ces expériences affectives façonnent le cerveau; il s'agit d'un domaine abondamment étudié de la neuroscience qui en est encore au stade de la théorie. Les chercheurs constatent que les expériences de l'enfance contribuent chez l'enfant à modeler la structure du cerveau en cours de développement. Les rats qu'on sépare de leur mère sont plus anxieux lors de la deuxième séparation. La séparation affecte le développement du cerveau et des fonctions biochimiques chez le rat. Lors du traumatisme de la séparation, l'organisme libère du cortisol, une hormone de stress dont un des effets connus est de provoquer une baisse des hormones de croissance. L'on suppose que cet effet ralentit le développement d'une importante jonction cérébrale qui entre en jeu dans la régulation de l'expérience (circuits cortico-limbiques). Lorsque l'enfant est plus vieux, les jonctions du nerf vague – un secteur du cerveau qui prépare le corps à la réaction de combat ou de fuite – sont affectées. La réactivité du cerveau est alors réglée à un niveau d'intensité élevé, ce qui entraîne l'apparition de troubles de l'anxiété à l'adolescence ou à l'âge adulte. On sait que le stress affecte également le processus d'apprentissage de

l'enfant. Ce qui précède devrait pouvoir aider les parents et autres adultes à comprendre combien il est important d'atténuer autant que faire se peut les répercussions de l'abandon chez les enfants.

Pour d'autres études exhaustives, consulter Allan Schore, *Affect Regulation*, et John Madden (dir.), *Neurobiology of Learning, Emotions and Affect*, 1991. Pour une vue d'ensemble, voir Hara Estroff Marano, «Depression: Beyond Serotonin», *Psychology Today*, vol. 32, avril 1999, p. 30-76.

36. Les travaux de Joseph LeDoux sur l'amygdale et le système limbique nous amènent à reformuler notre compréhension de l'expérience humaine. Voir LeDoux, *Le Cerveau des émotions*, 2005. Voir aussi la description que Kagan fait des projections du noyau central de l'amygdale sur d'autres cibles dans *La Part de l'inné: tempérament et nature humaine*.

37. L'étude classique sur le réflexe conditionné reste encore celle d'I. P. Pavlov, *Conditioned Reflexes*, 1922. Pour une réflexion sur la façon dont le système immunitaire peut être soumis à un réflexe pavlovien, voir Maier, Watkins et Fletcher, «Psychoneuroimmunology», p. 1007. Consulter aussi le rapport de Sandra Blakeslee sur l'effet placebo qui obéit à un modèle de conditionnement pavlovien: «Placebo Prove So Powerful Even Experts are Surprised», *New York Times*, section *Science Time*, 13 octobre 1998.

38. À mon avis, l'anxiété de séparation et la peur de l'abandon représentent les causes les plus courantes de conditionnement émotif gouverné par l'amygdale. Les émotions intenses associées à l'abandon sont uniques pour chacun. Panksepp laisse entendre que différents systèmes neurobiologiques interviennent dans l'anxiété de séparation, donnant lieu ainsi à des réactions émotives différentes (qui partagent néanmoins une bonne part de leurs constituants neurochimiques avec d'autres états émotifs). Voir Panksepp, *Advances in Biological Psychiatry*, p. 269.

J'ai constaté que des circonstances exceptionnelles ne sont pas indispensables à l'activation de cet état émotif. Bien au contraire, la «peur de l'abandon» est commune à toute l'espèce humaine; elle semble se développer même dans les rapports les plus banals entre le nourrisson et la personne qui s'en occupe et être une conséquence naturelle de la dépendance du bébé à une source nourricière. Le caractère universel de cette réaction permet de penser que parmi les modes d'évitement du cerveau, celui de l'abandon/séparation est l'un des premiers pour lesquels il a été programmé. Pour cette raison, les travaux de LeDoux et de van der Kolk dans leur domaine respectif nous renseignent beaucoup sur la question de l'abandon; ils peuvent nous aider à comprendre pourquoi cette expérience universelle remonte à nos toutes premières peurs et représente une crise émotive authentique dont la gravité rappelle (provisoirement du moins) quelques-unes des formes les plus sévères de dysfonctionnement psychiatrique telles que la psychose ou la dépression majeure.

39. En suggérant l'existence d'un rapport entre l'angoisse de la mort et la peur de la solitude ou de la séparation, Baumeister et Leary nous ont permis de mieux saisir l'intensité de la peur de l'abandon. Voir Baumeister et Leary, « Need to Belong », p. 507.

40. Je mentionne encore une fois ma dette envers LeDoux, *Le Cerveau des émotions*.

41. LeDoux explique ceci: « L'amygdale a beau stocker des données primaires, nous ne devons pas considérer qu'elle est notre seul centre d'apprentissage. L'instauration des souvenirs est une fonction du réseau cérébral tout entier. » Voir LeDoux, « Emotion, Memory », p. 56. Antonio Damasio nous met lui aussi en garde contre une vision simpliste ou mécanique du cerveau humain en nous incitant à reconnaître les interactions dynamiques des divers niveaux de l'expérience – neurologique et contextuel. Voir Damasio, *L'Erreur de Descartes – la raison des émotions*.

42. Herbert Weiner affirme ceci: « La séparation [...] est parfois particulièrement pénible pour un adulte si elle reproduit une perte subie dans l'enfance. [...] Les patients à risque pour des troubles dépressifs majeurs (non dus à des facteurs génétiques) incluent ceux qui ont été séparés de leur mère (mais non pas du père) avant l'âge de dix-sept ans. » Voir Weiner, *Perturbing the Organism*, p. 75. Pour une étude éclairante de ce renoncement, voir Hope Edelman, *La Mort d'une mère*.

43. Dans sa réflexion sur les enfants inhibés et non inhibés, Jerome Kagan laisse entendre que des facteurs prédisposants contribuent au développement d'une anxiété persistante en réponse à des événements stressants. Voir Kagan, *La Part de l'inné*.

44. William McKinney souligne que la séparation peut présenter les mêmes symptômes que la dépression « endogène » et réagir aux mêmes médicaments. Les médicaments qui ont un effet sur certains systèmes de neurotransmetteurs exercent une action spé-

cifique sur l'anxiété de séparation. Voir McKinney, « Separation and Depression », p. 213. On trouvera une étude comparative de l'efficacité des antidépresseurs et des psychothérapies dans David Healy, *Le Temps des antidépresseurs*.

45. Lors d'un échange privé, Zachary Studenroth m'a vanté les mérites d'une forme naturelle de contrôle de la douleur et de revitalisation – habiter le moment. On trouvera plus de détails concernant cette méthode dans de nombreux ouvrages, notamment celui de Jon Kabat-Zinn, *Full Catastrophe Living*.

46. Voir aussi Diane Ackerman, *Le Livre des sens*. Pour développer une conscience plus grande du monde qui vous entoure, voir Michael Pollan, « Second Nature ». Consulter également *Le Livre tibétain de la vie et de la mort* (1994) de Sogyal Rinpoché.

47. Tiré d'une conversation avec Peter Yelton.

Chapitre trois : le sevrage

1. Jack Panksepp affirme que « les principales caractéristiques de la narcomanie, soit le développement de la dépendance, la tolérance et le sevrage », sont étonnamment similaires aux particularités des liens sociaux, « plus précisément le sentiment d'attachement, la désaffection et le sevrage, ainsi que l'anxiété de séparation issue d'un désengagement social ». Voir Panksepp, Nelson, Bekkedel, « Brain Systems for the Mediation of Separation Distress and Social Reward », *Annals NY Academy of Sciences*, 807, 1997, p. 82. En ce qui a trait à l'anxiété de séparation, il affirme qu'« aucun autre comportement n'est modifié avec autant d'efficacité et de stabilité par de faibles doses d'un inhibiteur des récepteurs d'opiacés » ; voir Panksepp, Sibyi et Normansell, « Brain Opioids », p. 6. Dans ses recherches, Myron Hofer s'intéresse à l'effet du deuil sur les récepteurs d'opiacés du cerveau-esprit. Les rats lancent un cri de détresse quand on les isole complètement. Lorsque la mère entend le cri, elle vient retrouver son bébé, elle le lèche, et celui-ci cesse de crier. Mais si on injecte au raton un antiopiacé (la noxalone), le lèchement de la mère n'arrête pas les cris du raton. C'est la libération d'opiacés provoquée par le lèchement de la mère qui apaise l'état de détresse du raton et non pas le lèchement lui-même. Voir Hofer, « Hidden Regulators », p. 23. Voir aussi Benton et Brain, « Opioid Mechanisms ».

2. Baumeister nous dit que le deuil prend souvent la forme d'une dépression particulièrement sévère «[...] non seulement en réaction à la perte de l'être cher, mais en réaction à la perte d'un *lien* avec une autre personne»; voir Baumeister et Leary, «Need to Belong».

3. Julia K. Vormbrock en fait la démonstration dans «Attachment Theory as Applied to Wartime and Job-Related Marital Separation», *Psychological Bulletin*, 114, 1993, p. 122-144.

4. Ces réflexions se fondent pour la plupart sur les enseignements de Richard Robertiello, psychanalyste et auteur. Voir Robertiello, *Hold Them Very Close, Then Let Them Go.*

5. Myron Hofer fait valoir qu'une relation fondamentale intervient dans la régulation de nombreux facteurs psychologiques et physiologiques latents. Ces «régulateurs latents» sont stockés dans la mémoire en tant que «représentations mentales initialement construites dans l'enfance lors d'interactions qui contribuaient à l'équilibre fonctionnel du système tout entier». Dans «Hidden Regulators», p. 222.

6. Pour une réflexion fascinante sur l'énigme qui veut que le stress augmente ou diminue l'appétit, voir Sapolsky, *Why Zebras*. Voir aussi dans le présent ouvrage la section «La perte de poids» au chapitre trois.

7. Pour une explication claire des volets complémentaires du système nerveux autonome qui comprennent le système nerveux sympathique et le système nerveux parasympathique, voir Robert Ornstein et Richard F. Thompson, *L'Incroyable Aventure du cerveau*, et Richard M. Restak, *Brainscapes: An Introduction to What Neuroscience Has Learned About the Structure, Function and Abilities of the Brain.*

8. Voir Donald W. Winnecott, «The Capacity to be Alone», dans *The Maturational Processes and the Facilitating Environment.*

9. Cette expression est utilisée par Colin, dans *Human Attachment*, p. 294.

10. L'expérience de l'abandon ressemble parfois à l'état d'«impuissance acquise» qui a été étudié de façon exhaustive en laboratoire. Les animaux qu'on expose à des facteurs stressants qu'ils ne peuvent contrôler éprouvent ensuite de la difficulté avec toutes sortes de tâches, notamment lorsqu'ils doivent disputer leur nourriture à d'autres animaux. Ils ressemblent en cela beaucoup aux êtres humains que bouleverse le sentiment d'avoir «perdu

le contrôle» de leur vie. Sapolsky, *Why Zebras*, p. 252-255. Voir aussi Martin Seligman, *Helplessness: On Depression, Development and Death*.

11. Jaak Panksepp hasarde quelques conjectures sur la façon dont les médicaments utilisés en psychiatrie apaiseront un jour les manifestations de l'isolement – «de la dépression consécutive à une perte au désespoir de la solitude quotidienne». Il fait valoir que «la mise au point d'un ligand (agent neurochimique capable de s'attacher aux récepteurs neuronaux) des récepteurs d'oxytocine (associés à la formation des liens sociaux) qu'on administrerait par voie buccale pourrait grandement apaiser la solitude et les autres formes de détresse de la séparation, tout autant que les opiacés, dont l'efficacité est reconnue. Mais contrairement à ces narcotiques qui posent des problèmes cliniques, il n'aurait aucun potentiel toxicomanogène.» Panksepp, Nelson et Bekkedal, «Brain Systems», p. 85.

Deux ouvrages inspirants pourraient aider les lecteurs à gérer leur solitude. Voir Andre Rae, *Positive Solitude*, et Anthony Storr, *Solitude : les vertus du retour à soi-même*.

12. Voir Sapolsky, chap. 7 de *Why Zebras*.

13. On a constaté que l'ACTH (hormone adénocorticotrope) sécrétée lors de la réaction de stress agit comme un antagoniste opiacé endogène (*antagoniste* signifie qu'elle *bloque* l'effet de l'opiacé). Cette découverte est intéressante compte tenu du fait que l'héroïne, la morphine et la méthadone sont des opiacés qui affaiblissent les pulsions libidinales, retardent l'éjaculation et sont un facteur d'impuissance sexuelle chez les hommes. Cela pourrait sans doute expliquer pourquoi le stress subi lors d'une crise émotive consécutive à un abandon (quand le niveau d'ACTH est plus élevé) pourrait diminuer l'effet anesthésique endogène et induire une extériorisation sexuelle plus marquée. Voir G. Serra, M. Collu et G. L. Gessa, «Endorphins and Sexual Behavior», dans *Endorphins, Opiates and Behavioral Processes*.

14. En plus du manque sexuel général, de nombreux réchappés de l'abandon affirment ressentir le désir d'avoir avec l'être aimé perdu des relations sexuelles orales. La désunion de la rupture provoque une crise émotive extrêmement intense et apte à réactiver des souvenirs affectifs reliés à l'amygdale, ce qui amène à revivre certains besoins primaires instinctifs, dont,

sans doute, le réflexe de succion. La langue, les lèvres et le rebord interne de la bouche – zones hautement tactiles – interviennent dans le réflexe de succion du nourrisson. Ce réflexe est inné et universel; il permet au nourrisson de se nourrir et contribue à la formation de la dyade mère-enfant. Le bébé suce le sein de sa mère qui, en retour, éprouve non seulement du soulagement lorsque son sein engorgé se vide, mais aussi le plaisir physique de la tétée. C'est cette fusion sublime que nous recherchons tout au long de notre vie et qui constitue notre plus grand deuil quand, abandonnés, nous franchissons l'étape du sevrage. Le fantasme des relations sexuelles buccales ne représente qu'un des aspects du sevrage physique. Le réflexe de succion s'installe avant la naissance, ainsi que le font valoir Smotherman et Robinson dans «Development of Behavior», p. 425-434. Consulter également P. H. Wolff, « The Serial Organization of Sucking in the Young Infant», *Pediatrics*, 42, 1968, p. 943-956.

15. Sapolsky rend compte des effets des hormones du stress sur l'appétence et la perte de poids dans *Why Zebras*. Herbert Weiner décrit la « sécrétion rythmique des corticostéroïdes chez les humains [...], soit de cinq à sept poussées de cortisol (une hormone de stress) par période de 24 heures ». Il dit que « la libération des corticostéroïdes a lieu lors d'événements particuliers, souvent menaçants pour la vie (ou perçus comme tels – comme c'est le cas de l'expérience de l'abandon), ainsi que dans un contexte expérimental quand le sujet ne peut éviter de recevoir des chocs électriques inattendus (dont la douleur est similaire à celle que provoque l'abandon) sur lesquels il n'a aucun contrôle». Voir Weiner, *Perturbing the Organism*, p. 207. À noter que les réchappés de l'abandon disent souvent éprouver la sensation «d'avoir perdu le contrôle» et un sentiment «de dévastation inéluctable».

16. D'excellentes réflexions autour de cet état anxieux se trouvent chez Sapolsky, *Why Zebras*, et Goleman, *L'Intelligence émotionnelle*.

17. Voir Elisabeth Kübler-Ross, *Accueillir la mort*; John Bowlby, *La Perte: tristesse et dépression*; *Attachment and Loss, III*, Londres, 1980; M. D. S. Ainsworth, «Attachments and Other Affectional Bonds Across the Life Cycle», dans *Attachments Across the Life Cycle*; Virginia A. Colin, *Human Attachment*.

18. John Bowlby, *op. cit.*
19. Selon Jerome Kagan, l'hypervigilance est provoquée par un neurotransmetteur, la noradrénaline (norépinéphrine), dont le rôle consiste à inhiber l'activité neuronale de fond dans les zones de sensation du cortex, si bien que, en présence d'un stimulus menaçant, le rapport signal-bruit est accru et les neurones sensoriels sont plus susceptibles de réagir au danger. Voir Kagan, *La Part de l'inné*, p. 52.
20. Pert, *Molecules*, p. 143.
21. Selon Myron Hofer, le deuil est dû à la perte et au retrait d'un certain nombre d'«interactions physiques et temporelles» avec l'être aimé perdu, y compris la perte de l'«image mentale de la personne». Hofer soulève un point qui fait ressortir l'intensité du processus du deuil, à savoir que celui-ci provoque «plusieurs changements cognitifs et physiques remarquablement similaires à ceux que l'on associe à la privation sensorielle aiguë». Voir Hofer, *Hidden Regulators*, p. 222.
22. Les personnes abandonnées disent faire des rêves où prédominent l'idée chimérique du retour de l'être aimé ainsi qu'une variété d'émotions intenses (peur, perte, tristesse, excitation sexuelle, nostalgie, sentiment de catastrophe imminente, panique) reliées à l'expérience de l'abandon, et qui trouvent à s'exprimer par la curieuse intrigue du scénario onirique. Des recherches étendues sur le fonctionnement du cerveau pendant le sommeil paradoxal apportent certains éclaircissements neurobiologiques sur la question. Allan Hobson parle d'un tracé électroencéphalographique appelé «ondes PGO» (ponto-géniculo-occipitales) dont les pointes, en se propageant vers différentes zones du cerveau, excitent les aires visuelles et motrices responsables des hallucinations caractéristiques de l'état de rêve. En se propageant aussi à travers la région de l'amygdale du système limbique, les ondes PGO déclenchent les émotions extrêmes (y compris la peur) qui accompagnent les images du rêve. Les recherches semblent appuyer la notion de «transparence onirique» et prouver le bien-fondé des théories de Carl Jung, selon lesquelles les rêves reflèteraient des souvenirs, des pensées et des émotions stockés dans la mémoire à long terme, puis organisés et récupérés pour être jumelés aux circonstances présentes (par exemple à l'abandon). Voir Allan J. Hobson, *Le Cerveau rêvant*.
23. Cette question a été mise en évidence par Robert Gosset, qui m'a orientée vers de nombreuses et importantes sources de ren-

seignements sur le système parasympathique et les autres systèmes psychobiologiques dont il est question dans cet ouvrage. On consultera avec profit Robert L. Gossette et Richard M. O'Brien, « The Efficacy of Rational Emotive Therapy in Adults: Clinical Fact or Psychometric Artifact ? », *Journal of Behavior Therapy and Experimental Psychiatry*, 23, nº 1, 1992, p. 9-24.

24. Cela signifie que le sevrage se produit *après* le traumatisme initial. Van der Kolk, McFarlane et Weisaeth en étudient les séquelles dans *Traumatic Stress*. Pour une réflexion additionnelle, voir Goleman, *L'Intelligence émotionnelle*. Dans son excellente synthèse du stress post-traumatique, il associe l'agitation prolongée du système nerveux sympathique (telle celle qui se manifeste à la phase du sevrage de l'expérience de l'abandon) au dérèglement du système limbique.

25. Pour une étude exhaustive des répercussions du stress prolongé, consulter Sapolsky, *Why Zebras*, et Goleman, *L'Intelligence émotionnelle*.

26. Hofer décrit les « interactions régulatrices secrètes » qui, pour les nourrissons, prennent la forme de synchronie, de réciprocité et de chaleur humaine (ou, au contraire, de dissonance et de frustration). Ces processus régulateurs persistants constituent la « maquette fonctionnelle interne » de nos liens d'attachement aux autres et justifient notre propension à réagir au deuil par « le refus et le désespoir ». Voir Hofer, « Hidden Regulators ». Nathan Fox a constaté que la synchronie entre bébés et parents s'opère par le biais du sourire et du rythme cardiaque. Voir Nathan A. Fox, « Behavioral Antecedents of Attachment in High-Risk Infants », dans *The Psychobiology of Attachment and Separation*, p. 401. Tiffany Field a démontré qu'une synchronie similaire se produit chez les enfants à la suite de leur intégration à un groupe d'enfants du même âge (en garderie). Quand ils jouent ensemble, leurs rythmes circadiens commencent à s'harmoniser. Pendant les fins de semaine, ces cycles se rapprochent davantage de ceux des parents. De même, des concordances se manifestent chez les amants lors de leurs rapports intimes – dilatation des pupilles (réflexe d'excitation) et appariement des formes d'expression. Avec les années, les membres du couple deviennent synchrones. Ces harmonisations comportementales et physiologiques entretiennent le désir et modulent les pulsions, assurant par là l'équilibre intime du couple. Voir Tiffany Field, « Attachment as Psychobiological

Attunement: Being on the Same Wavelength », dans *The Psychobiology of Attachment and Separation*, p. 445-448.

27. Voir Michele Kodis, David T. Moran et David Berliner, *Love Scents: How Your Pheromones Influence Your Relationships, Your Moods, and Who You Love*; de même que L. Monti-Bloch et B. I. Gosser, « Effect of putative pheromones on the electrical activity of the human vomeronasal organ and olfactory epithelium », *Journal of Steroid Biochemistry and Molecular Biology 1001*, 39, n° 48, 1991, p. 537-582.

28. À ce sujet, les opinions de nombreux chercheurs convergent. Selon Hofer, des expériences avec les animaux montrent que chaque réaction à une séparation entraîne la perte d'une composante affective spécifique dans la relation entre le raton et sa mère. En d'autres termes, l'interaction mère-bébé est régulatrice d'un certain nombre de systèmes. Voir Hofer, « Hidden Regulators », p. 209. Jaak Panksepp affirme que « des systèmes neuraux distincts semblent arbitrer l'anxiété de séparation ». Voir Panksepp, *Biological Psychiatry*, p. 269. Herbert Weiner signale que des mécanismes physiologiques locaux contrôlent chaque zone cible – muscles, poumons, cœur, épiderme, intestins. Voir Weiner, *Perturbing the Organism*. Paul McLean laisse entendre que le mécanisme d'affiliation et d'attachement est situé dans le système limbique, plus spécifiquement dans la circonvolution du corps calleux. Voir McLean, *Les Trois Cerveaux de l'homme*, p. 8.

29. Les neurotransmetteurs – des substances chimiques qui assurent la transmission des informations entre les cellules du système nerveux – interviennent également dans la dépression. Trois neurotransmetteurs sont plus généralement associés à la dépression. La noradrénaline (norépinéphrine) contribue au déclenchement du système d'alarme de l'organisme et au maintien d'un état de vigilance accrue. Subjectivement, vous êtes anxieux et agité. Les circonstances stressantes diminuent la production de noradrénaline, ce qui entraîne un état dépressif anxieux. La dopamine est un neurotransmetteur reconnu comme médiateur des mécanismes de récompense et de plaisir du cerveau. Quant à l'influence de la sérotonine sur l'estime de soi et l'humeur, elle est connue de tous depuis que la prise d'antidépresseurs de type Prozac s'est multipliée. Un faible taux de sérotonine est directement relié à une détresse psychologique.

Pour en apprendre davantage sur la dépression, voir Frederic Flack, M.D., *The Secret Strength of Depression*; Candace B. Pert, *Molecules of Emotion*; Peter D. Kramer, *Prozac: le bonheur sur ordonnance*?; Sapolsky, *Why Zebras*; Aaron Beck, *Anxiety Disorders and Phobias*; David Healy, *Le Temps des antidépresseurs*. Voir aussi Hara Estroff Marano, «Depression: Beyond Serotonin», *Psychology Today*, avril 1999, p. 30-76.

Sur la dépression et la noradrénaline (norépinéphrine), consulter Jay M. Weiss, «Stress-Induced Depression: Critical Neurochemical and Electrophysiological Changes», dans *Neurobiology of Learning, Emotion and Affect*. En outre, les effets de la noradrénaline (et de l'adrénaline – aussi appelée épinéphrine) libérée sous l'influence du stress sont régulés à leur tour par le système opiacé (qui comprend les enképhalines et les endorphines). Voir Weiner, *Perturbing the Organism*.

30. Susan Anderson, *Black Swan: The Twelve Lessons of Abandonment Recovery. The Little Girl on the Rock*, New York, Rock Foundations Press, 1999.

31. On trouve une autre allégorie fort utile pour comprendre les émotions, en particulier la peur et la tristesse, dans l'ouvrage d'Hannah Hurnard, *Hind's Feet in High Places*. Antonio Damasio fait valoir que les sentiments primaires tels que la peur, le sentiment de perte, et ainsi de suite, ont leur source dans l'amygdale, tandis que les cortex préfrontaux et somatosensitifs interviennent dans les sentiments secondaires comme le remords, la jalousie, etc. Voir Damasio, *L'Erreur de Descartes*, p. 134. Pour une étude approfondie de l'origine des émotions, consulter LeDoux, *Le Cerveau des émotions*, p. 50-57.

32. Virginia Colin se penche sur les liens d'attachement de la première enfance marqués par l'insécurité. Elle fait ressortir qu'une perte dans l'enfance aggrave le chagrin du deuil de l'adulte. Dans une étude, on a comparé un groupe témoin d'adultes qui vivaient une séparation à des sujets qui, dans leur enfance, avaient eu une relation parents-enfant marquée par l'anxiété. On a constaté que la détresse du deuil était moins prononcée chez le groupe témoin. Selon Colin, une séparation, un deuil ou des menaces d'abandon dans l'enfance sont liés à des anxiétés et à des dépressions plus intenses de nombreuses années plus tard, quand décède le conjoint ou la conjointe du sujet. On a constaté qu'un rat que l'on caresse pendant les premières semaines de sa vie va sécréter

moins de glucocorticoïdes (liés à l'anxiété et aux états dépressifs) une fois devenu adulte. (Incidemment, la libération des glucocorticoïdes en période de stress est moindre chez les personnes optimistes.) Voir les notes précédentes concernant Myron Hofer et Robert Sapolsky. Selon les chercheurs, il faut se garder d'une approche exagérément déterministe eu égard aux précurseurs dans l'enfance. Colin signale que la relation parents-enfant (une configuration importante de la théorie de l'attachement) n'est pas considérée comme le seul facteur qui puisse contribuer à l'émergence de l'idée que l'enfant se fait de lui-même et des autres. Voir Colin, *Human Attachment*, p. 302, 338. Michael Lewis affirme que ce n'est pas en soi la perte de la mère qui induit plus tard des perturbations psychologiques, mais bien le fait que ce malheur entraîne aussi la destruction d'un lien social important: «Les enfants n'inclinent pas pour une structure sociale donnée [...]. Quand on élève ensemble des singes orphelins [...], ils ne s'en portent pas plus mal.» Voir Lewis, *Altering Fate: Why the Past Does Not Predict the Future*, p. 144-149. Pour d'autres réflexions sur la théorie de l'attachement, voir Renee A. Spitz, «Hospitalism: An Inquiry into the Genesis of Psychiatric Conditions in Early Childhood», *Psychoanalytic Studies of the Child*, 1, 1945. Mary D. S. Ainsworth, «Infant-Mother Attachment», *American Psychologist*, 43, 1979, Vormbrock, «Attachment Theory», p. 122-144; C. M. Parkes et J. Stevenson-Hinde, *The Place of Attachment in Human Behavior*. Pour un survol de cette question, voir Margaret Talbot, «Attachment Theory: The Ultimate Experiment», *New York Times Magazine*, 24 mai 1998, p. 24-54. Pour un point de vue différent sur le même sujet, consulter Judith Harris, *Pourquoi nos enfants deviennent ce qu'ils sont*; on trouve enfin une réflexion sur le pour et le contre de la théorie de l'attachement dans Malcolm Gladwell, «Do Parents Matter?», *New Yorker*, 17 août 1998, p. 54-64.

33. Kagan se penche sur les facteurs prédisposants chez les enfants inhibés et les enfants dépourvus d'inhibitions dans *La Part de l'inné*. Allan Schore propose un contexte théorique intéressant: le développement [des circuits cortico-limbiques] du cerveau humain découle de la relation enfant-parent/gardien. Voir Schore, *Affect Regulation*.

34. Voir Hofer, «An Evolutionary Perspective», p. 32.

35. McKinney aborde la question des animaux nouveau-nés qu'on a séparés de leur mère dans «Separation and Depression».

36. Pour un excellent survol des recherches sur la mémoire, voir Stephen S. Hall, « Our Memories, Our Selves », *New York Times Magazine*, 15 février 1998. Voir aussi LeDoux, « Emotions, Memory ». Richard Restak aide à clarifier le rôle central de l'hippocampe dans la mémoire quand il affirme que des filaments neuronaux des quatre lobes du cerveau convergent vers la zone hippocampique (la « station de relais de la mémoire »). Voir Restak, *Brainscapes*, p. 14.

37. Pour des recherches approfondies sur le sujet, voir Eric Kandel, *Essentials of Neural Science and Behavior*. Voir aussi Sapolsky, *Why Zebras*; LeDoux, *Emotional Brain*; LeDoux, « Emotion, Memory ».

38. Des études portant sur les répercussions de « séparations répétées » imposées à des animaux nouveau-nés ont permis aux chercheurs de constater que « l'ACTH peut retarder l'extinction d'un comportement soumis à un renforcement préalable, tandis que le cortisol facilite l'extinction et le réapprentissage ». Voir Christopher Cow et autres, « Endocrine and Immune Response to Separation and Maternal Loss in Nonhuman Primates », dans *The Psychobiology of Attachment and Separation*, p. 187.

39. Voir Aleta Koman, *How to Mend a Broken Heart*, p. 93-125.

40. Susan Vaughan affirme ceci : « Lorsque nous apprenons quelque chose [ ], le cerveau enrichit ses réseaux existants par l'arborisation de sa forêt neuronale, c'est-à-dire par la naissance de nouvelles branches (les dendrites) qui établissent de nouveaux contacts avec les neurones voisins. [...] L'entraînement du cerveau (le recâblage des structures cérébrales défectueuses) exige du temps et la répétition des exercices bénéfiques. » À l'appui de son hypothèse, elle fait état de recherches démontrant l'aptitude d'un événement externe à modifier le fonctionnement interne du cerveau. Lors d'une étude, les chercheurs ont, par la chirurgie, fusionné en un seul deux des doigts d'un singe. « Quand les doigts étaient séparés, chacun correspondait à une région différente du cortex. Après leur fusion, les zones de représentation corticale des troisième et quatrième doigts ne se démarquaient plus l'une de l'autre : elles avaient fusionné en une seule [...] » Voir Vaughan, *The Talking Cure*, p. 69-71. Cela étaye l'hypothèse selon laquelle la pratique quotidienne d'un régime d'exercices transformerait les structures et les fonctions cérébrales, sans doute en favorisant le bourgeonnement de nouvelles connexions neuronales.

Chapitre quatre : l'intériorisation

1. Darwin disait que le deuil humain et le deuil d'autres espèces
   animales présentent de nombreuses similitudes, assertion que
   corroborent les recherches exhaustives sur le monde animal. Les
   symptômes du deuil chez l'adulte ressemblent à ceux que l'on
   peut observer chez un nouveau-né animal (ou humain) après
   qu'on l'a séparé d'une figure d'attachement. Ces symptômes incluent le retrait social, la tristesse, la tendance à moins se nourrir et des troubles du sommeil. Les chercheurs David Benton et
   Paul Brain tracent un parallèle entre l'anxiété de séparation et la
   séparation d'un objet d'attachement, et les pleurs, l'irritabilité,
   la dépression, l'insomnie et l'anorexie. Compte tenu de leurs
   similitudes, on peut penser que ces manifestations sont le reflet
   de mécanismes neuraux communs (y compris l'effet régulateur
   des opioïdes endogènes). Voir Benton et Brain, « Opioid Mechanisms ».
2. Pour une réflexion en profondeur, voir H. Kohut, *The Restoration of the Self*; et O. Kernberg, *Les Troubles limites de la personnalité*. Voir aussi Helen Block Lewis, *Shame and Guilt*.
3. William McKinney décrit deux réactions courantes du deuil :
   le refus et le désespoir. Le refus est une réaction active qui
   s'exprime notamment par des larmes et des manifestations
   motrices de chagrin; le désespoir (qui fait suite au refus) est
   plutôt une réaction discrète et silencieuse qui s'exprime par
   l'inactivité et le retrait social. Voir McKinney, « Separation and
   Depression ».
4. Voir Kübler-Ross, *Accueillir la mort*; Bowlby, *La Perte : tristesse
   et dépression*; voir aussi Ainsworth, *Attachments*; et Colin,
   Human Attachment.
5. Pour de plus amples informations, consulter Hofer, « Hidden
   regulators »; Colin, *Human Attachment*; Vormbrock, « Attachment Theory, » p. 122-144; R. S. Weiss, *Loneliness: The Experience of Emotional and Social Isolation* et *Marital Separation :
   Managing after a Marriage Ends*.
6. Pauline Boss, *Ambiguous Loss: Learning to Live with Unresolved Grief*.
7. Pour une étude exhaustive du travail du deuil, consulter Bowlby,
   La Perte : tristesse et dépression; et Kübler-Ross, *Accueillir la
   mort*.

8. Lire Judith Viorst, *Les Renoncements nécessaires*.

9. En plus de Rinpoche, *Le Livre tibétain*, lire aussi Pema Chödrön, *Conseils d'une amie pour des temps difficiles*.

10. Voir Kramer, *Prozac: le bonheur sur ordonnance?*, et Richard M. Restak, *Receptors*. Il est intéressant de noter que l'effet placebo semble alléger un pourcentage important des symptômes cliniques de la dépression. Des études comparatives ont montré que les améliorations notées chez les patients ayant subi un traitement aux antidépresseurs se sont retrouvées dans une proportion de 73 pour 100 chez les patients ayant reçu un placebo. Voir Irving Kirsch et Guy Sapirstein, «Listening to Prozac but Hearing Placebo: A Meta-Analysis of Antidepressant Medication», *Prevention & Treatment*, 1, 1998, et Irving Kirsch, «Reducing Noise and Hearing Placebo More Clearly», *Prevention and Treatment*, 1, 1998. Voir aussi la réfutation de cela chez D. F. Klein, «Listening to Meta-analysis but Hearing Bias», *Prevention & Treatment*, 1998. On trouve d'autres réflexions sur les placebos dans Blakeslee, «Placebo Prove».

11. Robert Sapolsky, «Social Subordinance as a Market of Hypercorticolism», *Social Subordinance*, p. 634-635.

12. *Ibid.*, p. 632.

13. Peter Yelton, le gourou de l'expérience de l'abandon, fait valoir combien il peut être difficile d'atténuer la honte du rejet. Selon Jerome Kagan, la honte a une double origine: elle se manifeste, d'une part, quand un individu «croit qu'il a été forcé de tromper les attentes d'autrui» (par exemple en étant rejeté par sa moitié) et, d'autre part, quand cet écart est «perçu par l'entourage» (par exemple quand ses amis remarquent l'absence de son conjoint et sont témoin de son isolement). Selon Kagan, le sentiment de culpabilité se situe à un échelon plus élevé de l'évolution que la honte parce qu'il est fondé sur la cognition. Lorsque la culpabilité et la honte s'entremêlent, il s'ensuit une autopunition douloureuse (telle celle qui s'exerce à l'étape de l'intériorisation de l'abandon). Voir Kagan, *Nature of a Child*, p. 145-147. Voir aussi Michael Lewis, *Shame*; et Helen Block-Lewis, *Shame and Guilt*. Pour une approche autothérapeutique, voir Bradshaw, *S'affranchir de la honte*.

14. Voir Kübler-Ross, *Accueillir la mort*.

15. Voir Michael Balint, *Le Défaut fondamental: aspects thérapeutiques de la régression*. Balint décrit ce «défaut fondamental»

d'un point de vue essentiellement intrapsychique, mais il signale qu'il peut aussi être justifié par un conditionnement primaire amygdalien et à la lumière des réflexions d'Alan Schore sur le développement du cortex orbito-frontal.

16. Voir Maier, Watkins et Fleshner, «Psychoneuroimmunology», vol. 49, p. 1008. Voir aussi S. J. Shleifer et autres, «Suppression of Lymphocyte Stimulation Following Bereavement», *Journal of the American Medical Association*, vol. 250, n° 3, 1983, p. 374-377.

17. Voir J. J. Eysenck, «Anxiety, Learned Helplessness and Cancer», *Journal of Anxiety Disorders*, 1, 1987, p. 87-104.

18. Ici aussi il faut tenir compte des facteurs psychologiques qui peuvent prédisposer au développement d'une estime de soi déficiente ou d'une sensibilité au rejet. Donald Klein postule l'existence de facteurs psychobiologiques aptes à accentuer la souffrance du deuil chez un individu. Voir Donald Klein, «Anxiety Reconceptualized», dans *Anxiety: New Research and Changing Concepts*, p. 159-260. Robert Cloninger fait valoir que les personnes chez qui le niveau de noradrénaline (norépinéphrine) est excessivement élevé présentent le plus souvent une forte dépendance aux soutiens psychologiques et à l'intimité ainsi qu'une très grande sensibilité aux codes et aux attentes de la société. Voir Robert Cloninger, «A Unified Biosocial Theory of Personality and its Role in Personality States», *Psychiatric Development*, 4, n° 3, 1986, p. 220-226.

19. Quelques ouvrages traitent de l'estime de soi, entre autres Linda Tschirhardt Sanford et Mary Ellen Donovan, *Women and Self-Esteem*; Nathaniel Branden, *Honoring the Self*; et Stanley Coopersmith, *The Antecedents of Self-Esteem*.

20. Dans une de ses conférences sur l'estime de soi, Sol Gordon a fait valoir que «le besoin de gratification immédiate» est caractéristique d'une faible estime de soi. Voir Sol Gordon, *When Living Hurts*.

21. Ce problème est clairement décrit et examiné en détail dans Melody Beattie, *Vaincre la codépendance*; et dans Charles Whitfield, *Co-Dependence: Healing the Human Condition*.

22. Un livre qui fait autorité dans les études sur le changement est celui de Paul Watzlawick, John Weakland et Richard Risch, *Changements: paradoxes et psychothérapie*.

23. Il existe de nombreux ouvrages pouvant aider à la visualisation, mais un excellent guide de base sur la visualisation comme

instrument de la réussite est l'ouvrage de Wallace B. Wattles, *Ta fortune est dans tes mains [The Science of Getting Rich]*. Selon Candace Pert, la visualisation augmente l'irrigation sanguine des différentes parties du corps et améliore la disponibilité de l'oxygène et des nutriments qui contribuent à éliminer les toxines et à nourrir les cellules. Voir Pert, *Molecules*, p. 146.

24. *How To Be An Adult*, de David Richo, procure aux lecteurs un excellent soutien dans le développement de leur acceptation de soi et de leur autonomie affective.

Chapitre cinq : la rage

1. Cette notion d'agressivité constructive provient des travaux de Heinz Hartmann, auteur d'«In Search of Self».
2. Edward Wilson propose une synthèse éclairante pour nous aider à mieux saisir la différence entre les fonctions de l'«esprit» et celles du «cerveau». Il fait référence au «traitement parallèle d'immenses quantités de réseaux d'encodage» et au «mappage interne simultané d'innombrables empreintes sensorielles», et il affirme : «Qui ou quoi, dans le cerveau, suit les progrès de toute cette activité? Rien ni personne. Ces scénarios ne sont pas vus par d'autres zones cérébrales. Ils *existent*. Un point, c'est tout.» Wilson, *Consilience*, p. 108-115.
3. Cette réflexion se fonde sur l'excellente étude de la psychobiologie de la colère dans Daniel Goleman, *L'Intelligence émotionnelle*, p. 59-65.
4. Voir Dolf Zillman, «Mental Control of Angry Aggression», dans *Handbook of Mental Control*, p. 373. Voir aussi Diane Tice et Roy Baumeister, «Self Induced Emotion Change», *Handbook of Mental Control*, p. 393-401. Dans ses commentaires, Goleman renvoie souvent à Zillman.
5. Voir Goleman, *L'Intelligence émotionnelle*, p. 24. Dans ce jeu-questionnaire télévisé, deux concurrents devaient deviner le titre d'une pièce musicale. Cette émission, lancée aux États-Unis en 1953, a connu un grand succès et a été reprise dans plusieurs pays du monde. N.D.T.
6. Voir LeDoux, «Emotion, Memory».
7. Inspiré de Goleman, *L'Intelligence émotionnelle*, p. 25. Selon Antonio Damasio, l'émotion et la raison sont interdépendantes :

les émotions résultent de la perception immédiate des états corporels et relient les régulations vitales de l'organisme à la conscience. Voir Damasio, *L'Erreur de Descartes*. Sur le néocortex et les lobes frontaux, voir aussi Kagan, *La Part de l'inné*.

8. La métaphore me vient de Goleman, *L'Intelligence émotionnelle*.

9. On retrouve ce concept chez Irvin Yalom, *When Nietzsche Wept*. Le protagoniste de ce roman apporte un changement ultime à sa vie en apprenant à «aimer son destin» (*amor fati*).

10. Daniel Goleman, *L'Intelligence émotionnelle*, p. 59.

11. Les bienfaits du pardon sont examinés dans John Amodeo et Charles Whitfield, *Love and Betrayal*.

12. Voici un renseignement intéressant mais guère bienvenu: au dire de Sapolsky, quand les babouins ont la possibilité de transférer leur colère sur des membres inférieurs du groupe, ils emmagasinent moins de glucocorticoïdes naturels. Autrement dit, quand ils sont furieux, «taper dessus» est bon pour leur santé. Voir Sapolsky, *Why Zebras*.

13. Ce concept a été mis en valeur lors de conversations personnelles avec le psychanalyste et auteur Richard Robertiello. Voir «Sado-masochism as a Defense Against Merging», Robertiello et Terril Gagnier. Margaret Mahler a beaucoup écrit sur ce sujet. Voir M. Mahler et R. Pine, *La Naissance psychologique de l'être humain*, et M. Mahler, *Psychose infantile: symbiose humaine et individuation*.

14. À ce sujet, les ouvrages suivants sont excellents: Beattie, *Vaincre la codépendance*; et Charles Whitfield, *Co-Dependence: Healing the Human Condition*.

15. Cette réflexion est tirée de Sapolsky, *Why Zebras*.

16. Voir van der Kolk, McFarlane et Weisaeth, *Traumatic Stress*, p. 217. Voir aussi l'étude de Colin sur des personnes en instance de divorce qui, de façon non caractéristique, ont commis l'une envers l'autre d'abominables actes de vengeance. Ou voir Colin, *Human Attachment*, p. 340.

17. Si la dépression est en effet une colère retournée contre soi, Sapolsky aurait raison de dire que la personne déprimée «livre un formidable combat mental – semblable à l'effort que fournit un animal sauvage qui fuit à travers la savane». Cette description correspond à un état de grande activité où interviennent un ralentissement psychomoteur, une impulsion à l'automeurtre, une élévation des hormones de stress, une accélération du

rythme métabolique; «l'accablant conflit émotif interne qui se déroule en lui épuise l'individu». Les citations sont tirées de Sapolsky, *Why Zebras*, p. 201, 217.

18. Dans ses travaux, Seligman examine le rapport entre le sentiment d'impuissance (perte de contrôle) et la dépression. Voir Seligman, *Helplessness*. Pour d'autres réflexions sur les rapports entre la dépression, l'anxiété et les glucocorticoïdes, consulter Flack, *The Secret Strength*, p. 222; Kramer, *Prozac: le bonheur sur ordonnance?*, p. 378; Sapolsky, *Why Zebras*, p. 252; et Pert, *Molecules*, p. 271-292. Pour une étude plus générale de la dépression, consulter Beck, *Anxiety Disorders*. Voir aussi Healy, *Le Temps des antidépresseurs*.

19. La séparation peut présenter les mêmes symptômes que la dépression endogène et réagir aux mêmes médicaments. Les médicaments qui ont un effet sur certains systèmes de neurotransmetteurs exercent une action spécifique sur l'anxiété de séparation. McKinney, «Separation and Depression».

20. Pert, *Molecules*, p. 271.

21. Sapolsky a mentionné beaucoup de ces changements dans *Why Zebras*, p. 33, 39, 110, 168. Pour une étude du rôle des glucocorticoïdes en relation avec le système immunitaire, voir Maier, Watkins, Fleshner, «Psychoneuroimmunology».

22. L'effet des lésions du lobe frontal sur la personnalité a été abondamment étudié. Pour Goleman, ces lésions sont les «gérantes émotionnelles» du cerveau. La région des lobes frontaux, située juste derrière le front, est celle qui coordonne et réagit à une vaste quantité d'information. Cette zone reçoit les impressions que lui envoient l'amygdale, la mémoire et le milieu environnant. C'est là qu'on décode une situation, qu'on en extrait le sens, qu'on gère nos réactions émotives et qu'on organise nos actions pour atteindre un objectif.

   Les lobes frontaux travaillent de concert avec l'amygdale et d'autres structures du système émotionnel: des circuits neuronaux les relient à l'amygdale. Nous avons tous entendu parler de la lobotomie, une intervention chirurgicale qui n'est plus pratiquée aujourd'hui. La lobotomie consiste en la section d'un lobe frontal ou des faisceaux nerveux qui l'unissent au reste du cerveau, dans le but bien intentionné d'apaiser une détresse psychologique sévère. Malheureusement, le patient perd par le fait même toute réactivité.

Le lobe frontal droit est le domaine des émotions négatives – colère, peur, tristesse – tandis que le lobe frontal gauche atténue les conséquences de ces émotions. Les deux lobes travaillent de concert avec le cerveau émotionnel pour réguler la vie émotive. Lorsqu'une personne subit une thrombose qui affecte le lobe frontal *gauche*, il lui est impossible de contrôler sa colère et sa peur, et elle est souvent en proie à d'épouvantables inquiétudes. Si le lobe *droit* est atteint, la personne manifeste une *absence d'émotions négatives* et, selon Goleman, elle est indûment gaie, portée à la plaisanterie durant ses examens neurologiques et apparemment indifférente aux résultats. (D'après Goleman, *L'Intelligence émotionnelle*, p. 26.)
Voir aussi Damasio, *L'Erreur de Descartes*, p. 54-61, 71. Les preuves qu'il a rassemblées démontrent l'existence d'un lien entre les émotions et la mémoire de travail. Voir aussi Oliver Sacks, *L'Homme qui prenait sa femme pour un chapeau* et *Un anthropologue sur Mars*. On trouve également une éclairante synthèse de cette question dans Goleman, *L'Intelligence émotionnelle*, p. 25.

23. G. Kirsten et R. Robertiello ont écrit l'ouvrage précurseur sur ce sujet, *Big You, Little You*. Pour d'autres réflexions, voir John Bradshaw, *Retrouver l'enfant en soi*.

24. Peter Yelton, travailleur social agréé et gourou de l'abandon, a développé ce concept.

Chapitre six : le relèvement

1. Le témoignage personnel de Viktor Frankl montre bien que les êtres humains sont aptes à se délester de leurs souffrances passées et à en sortir plus forts et plus sages. Voir Viktor Frankl, *Man's Search for Meaning*. Voir également Morrie Schwartz, *Letting Go*.

2. Pour une explication du fonctionnement de cet élément du système nerveux autonome, consulter Restak, *Receptors*. Voir également Damasio, *L'Erreur de Descartes*. Pour une explication sur le rôle du système nerveux parasympathique et de l'effet de l'acétylcholine sur le sommeil et le rêve, voir Hobson, *Le Cerveau rêvant*.

3. Frederic Flach, M. D., *The Secret Strength of Depression*, p. 218.

4. Voir Panksepp, Siviy et Normansell, « Brain Opioids ».

5. Paul Ekman a mené des expériences qui, selon moi, laissent entendre qu'il est futile de feindre des émotions. Il a demandé aux sujets de cette expérience de reproduire une expression du visage, par exemple la joie, qui fait naître un sentiment de bonheur. Mais une de ses découvertes les plus importantes est que les sourires feints produisaient des tracés d'ondes cérébrales *différents* des tracés dus à des sourires sincères, ce qui permet de croire que l'expérience interne diffère dans les deux cas. J'en ai déduit que, s'il est possible à une personne d'améliorer son humeur par la feinte, il lui est impossible, en revanche, de mettre fin à sa réaction émotionnelle profonde. Paul Ekman, « Facial Expressions of Emotion: New Findings, New Questions », *Psychological Science*, 3, n° 1, 1992, p. 34-38.

6. Voir Ken Magid et Carole A. McKelvey, *High Risk Children Without a Conscience*.

7. Voir Alice Miller, *Le Drame de l'enfant doué*. La dynamique transgénérationnelle est au cœur du travail du thérapeute familial Murray Bowen. Voir son ouvrage intitulé *Family Therapy*.

8. Quelques suggestions de lecture : Louise Hart, *The Winning Family*; Haim G. Ginott, *Les Relations entre parents et enfants*; H. C. Clemes et Reynold Bean, *How to Raise Children's Self-Esteem*; Richard Robertiello, *Hold Them Very Close, Then Let Them Go*. Pour un point de vue légèrement différent du parentage, voir Michael Lewis, *Altering Fate*, où l'auteur suggère que la vie des enfants n'est pas prédestinée par la biologie ou les parents. La controverse autour de l'influence des parents sur le développement des enfants perdure. Voir Harris, *Pourquoi nos enfants deviennent ce qu'ils sont*; on trouve des renseignements sur les origines de ce point de vue dans Gladwell, « Do Parents Matter ? ».

9. Le processus de la découverte de soi est expliqué dans Robert Moore et Douglas Gillette, *The Lover Within*. Ce livre a été écrit dans l'optique du mouvement masculin, mais les principes qui y sont énoncés s'adressent à toute personne qui veut recouvrer sa capacité de vivre des émotions et des sentiments humains profonds.

10. Cette expression est tirée de Weiner, *Perturbing the Organism*, p. 76.

11. Dans *The Nature of a Child*, Kagan aborde la honte associée à une souffrance prolongée.

12. Roy Baumeister fait valoir une «théorie de substitution». Il affirme que le remariage tend à effacer de nombreuses conséquences négatives du divorce. Ses recherches permettent de supposer que le conjoint substitut contribue à l'atténuation des effets traumatisants de l'expérience de la séparation. «Quand une nouvelle relation est impossible, la détresse affective associée à l'ex-conjoint risque avec le temps d'augmenter au lieu de diminuer [...], ce qui suppose que la substitution aide à se remettre plus facilement de la dissolution du couple.» Baumeister et Leary, «Need to Belong», p. 516. John Bowlby entérine la notion de «remplacement» ou de «substitution», quand il constate une baisse importante de l'anxiété des enfants qu'on sépare de leur mère si une personne qu'ils connaissent est près d'eux au moment où cette séparation a lieu.

    Dans une optique différente, Vormbrock, dans sa description du cycle de refus, de désespoir et de détachement du «chagrin du deuil», renvoie à une étude où il est dit que, au moment de la perte d'un objet d'attachement premier (et non pas lors de la recherche d'un principal objet d'attachement substitut), la présence apaisante d'amis et de membres de la famille ne suffit pas à atténuer l'anxiété due à la séparation. Voir Vormbrock, «Attachment Theory», p. 123.

13. Voir John Bradshaw, *S'affranchir de la honte*.

14. On trouve d'intéressants points de vue dans Allan Fromme, *The Ability to Love*; et Michael Sky, *Sexual Peace: Beyond the Dominator Virus*.

15. Sur le plan biochimique, l'oxytocine, une substance neurochimique qui joue un rôle essentiel dans l'attachement entre la mère et son nouveau-né, intervient dans l'amour romantique en sus des opiacés endogènes. On l'a parfois appelée l'hormone *interpersonnelle*. Selon le chercheur John Capitanio, l'oxytocine stimule l'éjection du lait, les contractions utérines et l'acheminement du sperme. On sait qu'elle perturbe la période de consolidation mnésique (ainsi, la femme peut oublier la douleur intense de l'accouchement); on a constaté une libération de cette hormone chez les nouveau-nés pendant le travail de la mère. Voir John Capitanio, Michael Weissberg et Martin Reite, «Biology of Maternal Behavior», dans *Psychology of Attachment and Separation*, p. 68. Damasio ajoute que l'oxytocine est libérée lors de la stimulation des organes génitaux ou des ma-

melons, et aussi au moment de l'orgasme. Elle exercerait une influence sur tout un éventail de comportements : du toilettage aux capacités locomotrices, en passant par les comportements sexuels et maternels. Mais son rôle le plus important consiste à faciliter les interactions sociales ainsi que la formation des liens d'attachement entre partenaires sexuels. Voir Damasio, *L'Erreur de Descartes*, p. 122.

16. Selon Sapolsky, un organisme s'habituera à un facteur stressant si on le lui impose de façon répétée, parce que celui-ci devient alors prévisible et que la réaction qu'il suscite en est affaiblie. Voir Sapolsky, *Why Zebras*, p. 213-215.

17. Virginia Colin souligne l'existence de similitudes entre l'amour romantique de l'adolescence (qui imprègne notre société) et l'attachement entre le nourrisson et le parent-gardien. L'humeur de l'adolescent (ou de l'adulte) se fonde sur sa perception de la réaction de l'objet de son désir (accueil ou rejet), « de même que la joie ou la détresse du bébé dépend de sa perception de la disponibilité ou de la réceptivité de sa mère ». Voir Virginia Colin, *Human Attachment*, p. 297. Voir aussi Field, « Attachment ».

18. Pour une étude des relations fondées sur le sentiment de sécurité, voir Vormbrock. Elle donne à penser que deux systèmes psychobiologiques fondamentaux interviennent dans la formation des liens d'attachement humains – celui de la prise en charge et celui de l'attachement. Par exemple, il se peut qu'une personne ait de la difficulté à dépendre des autres (attachement évitant), mais qu'elle accepte très bien qu'on dépende d'elle (prise en charge protectrice). La combinaison de l'attachement et de la prise en charge caractériserait les adultes qui ne sont pas portés à faire les premiers pas sauf si le conjoint éprouve un sentiment d'impuissance et a besoin d'être rassuré. Voir Vormbrock, « Attachment Theory », p. 122-144.

19. Deux personnes consentantes peuvent, avec le temps, entrer en synchronie l'une avec l'autre grâce à leur proximité physique, à leurs objectifs communs et au partage d'une même raison de vivre. Les mariages arrangés sont très fréquents dans presque toutes les sociétés orientales, et de nombreuses personnes croient que ces arrangements sont plus heureux que les mariages d'amour. Pour une réflexion sur la formation des liens d'attachement par la proximité physique, les objectifs communs, etc., voir Colin, *Human Attachment*.

20. Entre autres excellentes lectures, voir Fromm, *The Art of Loving*; et Diane Ackerman, *Le Livre de l'amour*. D'autres points de vue sont offerts par Marianne Williamson, *Un retour à l'amour*; et Harville Hendrix, *Le Défi du couple*.

21. Lire Bob Greene et Oprah Winfrey, *Make the Connection: Ten Steps to a Better Body and Mind*.

Chapitre sept : une nouvelle relation de couple

1. Un ouvrage amusant et rempli de conseils pratiques est celui de Sharyn Wolf, *Guerilla Dating Tactics: Strategies, Tips and Secrets for Finding Romance*.

2. La notion d'alter ego (qui signifie littéralement «un autre moi-même») remonte à Cicéron et renvoie à l'«ami inséparable», le «bras droit» et, bien sûr, l'«autre moi-même». Voir *Le Petit Robert*, «alter ego».

Bibliographie

Les ouvrages énumérés ci-après s'adressent dans certains cas aux lecteurs profanes ; dans d'autres, il s'agit d'ouvrages universitaires destinés à des professionnels, et dans d'autres encore, ce sont des ouvrages de fiction dont je conseille la lecture à mes clients afin que ces œuvres les aident à identifier leurs émotions. J'ai parfois inclus deux ouvrages sur le même thème, mais qui présentent des points de vue différents dans le cadre d'un débat théorique qui n'est pas encore clos.

Ackerman, Diane. *Le Livre de l'amour*, traduit de l'américain par Alexandre Kalda, Paris, Grasset, 1995.

——. *Le Livre des sens*, traduit de l'américain par Alexandre Kalda, Paris, Grasset, 1991.

Ainsworth, Mary, D.S. «Infant-Mother Attachment», *American Psychologist*, 43, 1979.

——. «Attachments and Other Affectional Bonds Across the Life Cycle», dans *Attachments Across the Life Cycle*, New York, Routledge, 1991.

Amodeo, John, et Charles Whitfield. *Love and Betrayal*, New York, Ballantine Books, 1994.

Anderson, Susan. *Black Swan: The Twelve Lessons of Abandonment Recovery*, New York, Rock Foundations Press, 1999.

Andre, Rae. *Positive Solitude*, New York, HarperCollins, 1991.

Balint, Michael. *Le Défaut fondamental: aspects thérapeutiques de la régression*, traduit de l'anglais par Judith Dupont et Myriam Viliker, Paris, Payot & Rivages, 2003.

Baumeister, Roy F., et Mark R. Leary. « The Need to Belong: Desire for Interpersonal Attachments as a Fundamental Human Motivation », *Psychological Bulletin*, 1995.

Beattie, Melody. *Vaincre la codépendance*, traduit de l'américain par Hélène Collon, Paris, Pocket, 2004.

Beck, Aaron. *Anxiety Disorders and Phobias*, New York, Basic Books, 1990.

Benton, David, et Paul F. Brain. « The Role of Opioid Mechanisms in Social Interaction and Attachment », dans *Behavioral Processes*, sous la direction de R. J. Rodgers et S. J. Cooper, New York, John Wiley and Sons, Inc., 1988.

Blakeslee, Sandra. « Placebo Prove So Powerful Even Experts are Surprised », *New York Times, Science Time*, 13 octobre 1998.

Boss, Pauline. *Ambiguous Loss: Learning to Live with Unresolved Grief*, Cambridge, Harvard University Press, 1999.

Bowen, Murry. *Family Therapy*, New York, J. Aronson, 1978.

Bowlby, John. « The Nature of the Child's Tie to his Mother », *International Journal of Psycho-Analysis*, 39, 1958.

——. *La Perte: tristesse et dépression*, traduit de l'anglais par Didier E. Weil, Paris, Presses universitaires de France, 2002.

Bradshaw, John. *S'affranchir de la honte*, traduit de l'américain par Céline Sinclair, Montréal, Éditions de l'Homme, 1993, 2004.

——. *Retrouver l'enfant en soi : partez à la découverte de votre enfant intérieur*, traduit de l'américain par Céline Sinclair, Montréal, Les éditions de l'Homme, 1992, 2004.

Branden, Nathaniel. *Honoring the Self*, New York, Bantam Books, 1983.

Capitanio, John, Michael Weissberg et Martin Reite. « Biology of Maternal Behavior », dans *Psychology of Attachment and Separation*, sous la direction de Martin Reite et Tiffany Field, Sans Diego, Academic Press, 1986.

Chödrön, Pema. *Conseils d'une amie pour des temps difficiles : quand tout s'effondre*, traduit de l'américain par Claude Riso-Levi, Paris, Pocket, 1999.

Clemes, H. C., et Reynold Bean. *How to Raise Children's Self-Esteem*, New York, Price Stern Sloan, 1978.

Cloninger, Robert. « A Unified Biosocial Theory of Personality and its Role in Personality States », *Psychiatric Development*, 4, n° 3, 1986, p. 167-226.

Coe, Christopher, Sandra Wiener, Leon Rosenbert et Seymour Levine. « Endocrine and Immune Response to Separation and Maternal Loss in Nonhuman Primates », dans *The Psychobiology of Attachment and Separation*, sous la direction de Martin Reite et Tiffany Field, San Diego, Academic Press, 1985.

Colin, Virginia A. *Human Attachment*, Philadelphia, Temple University Press, 1996.

Coopersmith, Stanley. *The Antecedents of Self-Esteem*, San Francisco, W. H. Freeman and Company, 1967.

Damasio, Antonio. *L'Erreur de Descartes – la raison des émotions*, traduit de l'américain par Marcel Blanc, Paris, Odile Jacob, 2006.

Decasper, A. J., et W. P. Fif. « Of Human Bonding: Newborns Prefer Their Mother's Voices », *Science*, 208, n° 4448, 6 juin 1980.

Edelman, Hope. *La Mort d'une mère: le témoignage de celles qui ont perdu leur mère trop tôt*, traduit de l'américain par Hélène Collon, Paris, Laffont, 1996.

Ekman, Paul. « Facial Expressions of Emotion: New Findings, New Questions », *Psychological Science*, 3, n° 1, 1992, p. 34-38.

Eysenck, J. J. « Anxiety, Learned Helplessness and Cancer », *Journal of Anxiety Disorders*, 1, 1987, p. 87-104.

Field, Tiffany. « Attachment as Psychobiological Attunement: Being on the Same Wavelength », dans *The Psychobiology of Attachment and Separation*, San Diego, Academic Press, 1985.

Flack, Frederic, M.D. *The Secret Strength of Depression*, New York, Bantam, 1988.

Fox, Nathan A. « Behavioral Antecedents of Attachment in High-Risk Infants », dans *The Psychobiology of Attachment and Separation*, sous la direction de Martin Reite et Tiffany Field, San Diego, Academic Press, 1985.

Frankl, Victor. *Man's Search for Meaning*, New York, Pocket, s.d.

Freud, Sigmund. *Deuil et mélancolie*, 1917.

Friday, Nancy. *Ma mère, mon miroir*, traduit de l'américain par Théo Carlier, Paris, Laffont, 1979.

Fromm, Eric. *The Art of Loving*, New York, HarperCollins, 1989.

Fromme, Allan. *The Ability to Love*, New York, Pocket Books, 1965.

Gershon, Michael D. *The Second Brain*, New York, HarperCollins, 1998.

Ginott, Haim G. *Les Relations entre parents et enfants*, traduit de l'américain par Betty Delfosse, Verviers, Gérard & Cie; Paris, L'Inter, 1971.

Gladwell, Malcolm. « Do Parents Matter? », *New Yorker*, 17 août 1998, p. 54-64.

Goleman, Daniel. *L'Intelligence émotionnelle: comment transformer ses émotions en intelligence*, traduit de l'américain par Thierry Piélat, Paris, Laffont, 2006 (c1997).

Gordon, Sol. *When Living Hurts*, New York, Dell Publishing, 1983.

Gossette, Robert L., et Richard M. O'Brien. « The Efficacy of Rational Emotive Therapy in Adults: Clinical Fact or Psychometric

Artifact? », *Journal of Behavior Therapy and Experimental Psychiatry*, 23, n° 1, 1992, p. 9-24.

——. «Irrational Beliefs and Maladjustment: When are Psychometric Effects Clinically Meaningful? », communication présentée à la *1990 Convention of American Psychological Association*, Boston, Mass., 11 août 1990.

Greene, Bob, et Oprah Winfrey. *Make the Connection: Ten steps to a Better Body and Mind*, New York, Hyperion, 1999.

Hall, Stephen S. «Our Memories, Our Selves,» *New York Times Magazine*, 15 février 1998, p. 26-57.

Harris, Judith. *Pourquoi nos enfants deviennent ce qu'ils sont: de la véritable influence des parents sur leurs enfants*, traduit de l'américain par Odile Demange, Claude-Christine Farny et Bella Armand, Paris, Pocket, 2006.

Hart, Louise. *The Winning Family*, New York, Dodd, Mead & Company, 1987.

Hartmann, Heinz. *In the Service to Others: Reflections of a Retired Physician on Medicine, the Bible and the Jews*, Prometheus Books, 1988.

Healy, David. *Le Temps des antidépresseurs*, traduit de l'anglais par Françoise Bouillot, Paris, Les Empêcheurs de penser en rond/Le Seuil, 2002.

Hendrix, Harville. *Le Défi du couple: l'amour réapprivoisé*, traduit de l'américain par Jean-Robert Saucyer, Laval, Éditions Modus Vivendi, 1994.

Herman, Judith Lewis. *Trauma and Recovery*, New York, Basic Books, 1988.

Hobson, J. Allan. *Le Cerveau rêvant*, traduit de l'anglais par Rose Saint-James, Paris, Gallimard, 1992.

Hofer, Myron. «An Evolutionary Perspective on Anxiety», dans *Anxiety as Symptom and Signal*, sous la direction de S. Roose et R. Glick, Hillsdale, Analytic Press, 1995.

——. «Hidden Regulators, Implications for a New Understanding of Attachment, Separation, and Loss», dans *Attachment Theory: Social, Developmental and Clinical Perspectives*, sous la direction de S. Goldberg, R. Muir et J. Kerr, Hillsdale, Analytic Press, 1995.

Hurnard, Hannah. *Hind's Feet in High Places*, Illinois, Living Books, 1975.

Kabat-Zinn, Jon. *Full Catastrophe Living*, New York, Delta, 1990.

Kagan, Jerome. *La Part de l'inné: tempérament et nature humaine*, traduit de l'américain par Jean-Luc Fidel, Paris, Bayard, 1999.

——. *The Nature of a Child*, New York, Basic Books, 1984.

Kandel, Eric. *Essentials of Neural Science and Behavior*, Appleton, Appleton and Lange, 1995.

Kandel, Eric, James Schwartz et Thomas Jesse (dir.). *Principles of Neural Science*, Appleton and Lange, 1992.

Kelly, D. D. « Stress-induced Analgesia », *Annals of the New York Academy of Sciences*, 1986.

Kernberg, O. *Les Troubles limites de la personnalité*, traduit de l'américain par Daniel Marcelli, Paris, Dunod, 1997.

Kiecolt-Glaser, J. K., L. D. Fisher, P. Ogrocki, J. C. Stout, C. E. Speicher et R. Glaser. « Marital Quality, Marital Disruption and Immune Function », *Psychosomatic Medicine*, 49, n° 1, 1987.

Kirsch, Irving. « Reducing Noise and Hearing Placebo More Clearly », *Prevention and Treatment*, 1, 1998.

Kirsch, Irving, et Guy Sapirstein. « Listening to Prozac but Hearing Placebo: A Meta-Analysis of Antidepressant Medication », *Prevention & Treatment*, 1, 1998.

Kirsten, Grace Elish, et Richard C. Robertiello. *Big You Little You: Separation Therapy*, New York, Dial Press, 1977.

Klein, D. F. « Listening to Meta-analysis but Hearing Bias », *Prevention & Treatment*, 1998.

Klein, Donald. « Anxiety Reconceptualized », dans *Anxiety: New Research and Changing Concepts*, sous la direction de Donald Klein et Judith Rabkin, Philadelphie, Raven Press, 1981.

Klein, Melanie, et Joan Rivière. *L'Amour et la haine, le besoin de réparation: étude psychanalytique*, traduit par Annette Stronck, Paris Payot, 1968.

—, Klein, Melanie, et autres. « Sur la théorie de l'angoisse et de la culpabilité », dans *Développements de la psychanalyse*, Paris, Presses Universitaires de France, 1966, p. 274-300.

Kodis, Michele, David T. Moran et David Berliner. *Love Scents: How Your Pheromones Influence Your Relationships, Your Moods, and Who You Love*, New York, E. P. Dutton, 1998.

Kohut, H. *The Restoration of the Self*, Madison, International Universities Press, 1977.

Koman, Aleta. *How to Mend a Broken Heart*, Raleigh, Contemporary Publishing, 1997.

Kramer, Peter. *Prozac: le bonheur sur ordonnance? L'enquête d'un médecin sur les nouveaux traitements de la dépression*, traduction de Françoise Fauchet, Paris, First, 1994.

Kroll, Jerome. *PTSD – Borderlines in Therapy: Finding the Balance*, New York, W. W. Norton and Company, 1993.

Kübler-Ross, Elisabeth. *Accueillir la mort : questions et réponses sur la mort et les mourants*, traduit de l'américain par Philippe Beaudoin, Monaco, Éditions du Rocher, 1998.

LeDoux, Joseph. « Emotions, Memory and the Brain », *Scientific American*, juin 1994.

———. *Le Cerveau des émotions : les mystérieux fondements de notre vie émotionnelle*, traduit de l'américain par Pierre Kaldy, Paris, Odile Jacob, 2005.

Lewis, Helen Block. *Shame and Guilt in Neurosis*, Madison, International Universities Press, 1971.

Lewis, Michael. *Shame: The Exposed Self*, New York, The Free Press, 1992.

———. *Altering Fate: Why the Past Does Not Predict the Future*, New York, Guilford Press, 1998.

Madden, John (dir.). *Neurobiology of Learning, Emotions and Affect*, New York, Raven Press, 1991.

Magid, Ken, et Carole A. McKelvey. *High Risk Children Without a Conscience*, New York, Bantam Books, 1987.

Mahler, Margaret. *Psychose infantile : symbiose humaine et individuation*, traduit de l'américain par Pierre et Josette Léonard, Paris, Payot, 1990 (c1997).

Mahler, M. S., R. Pine et A. Bergman. *La Naissance psychologique de l'être humain*, traduit de l'anglais par Josette Garon-Léonard, Paris, Payot, 1980.

Maier, Steven F., Linda R. Watkins et Monika Fleshner. « Psychoneuroimmunology: The Interface Between Behavior, Brain and Immunity », *American Psychologist*, vol. 49, décembre 1994, p. 1004-1017.

Marano, Hara Estroff. « Depression: Beyond Serotonin », *Psychology Today*, avril 1999, p. 30-76.

McKinney, William T. « Separation and Depression: Biological Markers », dans *The Psychology of Attachment and Separation*, sous la direction de Martin Reite et Tiffany Field, San Diego, Academic Press, 1990.

McLean, Paul. *Les Trois Cerveaux de l'homme*, traduit de l'américain (s.n.t.), Paris, Laffont, 1990.

Merker, Hannah. *Silences*, New York, HarperCollins, 1994.

Miller, Alice. *Le Drame de l'enfant doué : à la recherche du vrai soi*, traduit de l'allemand par Bertrand Denzler et revu par Jeanne Étoré, Paris, Presses Universitaires de France, 1987 (c1983).

Monti-Bloch, L., et B. I. Grosser. « Effect of putative pheromones on the electrical activity of the human vomeronasal organ and olfactory epithelium », *Journal of Steroid Biochemistry and Molecular Biology 1001*, 39, n° 48, p. 537-582.

Moore, Robert, et Douglas Gillette. *The Lover Within*, New York, W. Morrow, 1993.

Ornstein, Robert, et Richard F. Thompson. *L'Incroyable Aventure du cerveau*, traduit de l'américain par le Dr François-Xavier Roux, Paris, Interéditions, 1987.

Panksepp, Jaak. *Advances in Biological Psychiatry*, vol. 1, Greenwich, J.A.I. Press, 1995.

——. «The Emotional Brain and Biological Psychiatry», dans *Advances in Biological Psychiatry*, 269-286, Greewich, J.A.I. Press, 1996.

Panksepp, Jaak, Stephen M. Siviy et Lawrence A. Normansell. «Brain Opioids and Social Emotions», dans *The Psychobiology of Attachment and Separation*, Martin Reite et Tiffany Field (dir.), San Diego, Academic Press, 1985.

Panksepp, Jaak, Eric Nelson et Marni Bekkedal. «Brain Systems for the Mediation of Separation Distress and Social Reward», *Annals NY Academy of Sciences*, 807, 1997, p. 78-100.

Parkes, C. M., et J. Stevenson-Hinde. *The Place of Attachment in Human Behavior*, New York, Basic Books, 1982.

Parkes, C. M., J. Stevenson-Hinde et P. Marris. *Attachments Across the Life Cycle*, New York, Routledge, 1991.

Pavlov, Ivan Petrovitch. *Conditioned Reflexes*, Mineola, Dover Publications, 1922.

Pert, Candace B. *Molecules of Emotion*, New York, Scribner, 1997.

Pollan, Michael. «Second Nature», *Atlantic Monthly Press*, 1991.

——. *A Place of My Own: The Education of an Amateur Builder*, New York, Dell, 1998.

Real, Terrance. *I Don't Want to Talk About It*, New York, Scribner, 1997.

Rensberger, Boyce. *Au cœur de la vie: au royaume de la cellule vivante*, traduction de la 1re édition anglaise par Chrystelle Sanlaville, Paris, Bruxelles, De Boeck université, 1999.

Restak, Richard M. *Receptors*, New York, Bantam Books, 1994.

——. *Brainscapes: An Introduction to What Neuroscience has Learned about the Structure, Function and Abilities of the Brain*, New York, Hyperion, 1996.

Richo, David. *How To Be An Adult*, New York, Paulist Press, 1991.

Rinpoche, Sogyal. *Le Livre tibétain de la vie et de la mort*, traduction de Gisèle Godebert et Marie-Claude Morel, Paris, Le Livre de Poche, 2003.

Robertiello, Richard. *Hold Them Very Close, Then Let Them Go*, New York, Dial, 1975.

Robertiello, Richard, et Terril T. Gagnier, Ph.D. «Sado-masochism as a Defense Against Merging: Six Case Studies», *Journal of Contemporary Psychotherapy*, 23, n° 3, 1993, p. 183-192.

Robertiello, Richard, et Hollace M. Beer, M.S.W. « Bulimia as a Failure in Separation », *Journal of Contemporary Psychotherapy*, 23, n° 1, 1993, p. 41-45.

Ruden, Ronald A., et Marcia Byalick. *The Craving Brain: The Biobalance Approach to Controlling Addiction*, New York, Harper-Collins, 1997.

Sacks, Oliver. *L'Homme qui prenait sa femme pour un chapeau et autres récits cliniques*, traduit de l'anglais par Édith de la Héronnière, Paris, Éditions du Seuil, 1988.

———. *Un anthropologue sur Mars. Sept histoires paradoxales*, traduit de l'anglais par Christian Cler, Paris, Éditions du Seuil, 1996.

Sanford, Linda Tschirhardt, et Mary Ellen Donovan. *Women and Self-Esteem*, Londres, Penguin Books, 1985.

Sapolsky, Robert M. *Why Zebras Don't Get Ulcers*, New York, W. H. Freeman and Company, 1994.

———. « Social Subordinance as a Market of Hypercorticolism », *Social Subordinance*, Annals New York Academy of Sciences, p. 626-638.

Schleifer, S. J., S. E. Keller, M. Camerino, J. C. Thornton et M. Stein. « Suppression of Lymphocyte Stimulation Following Bereavement », *Journal of the American Medical Association*, vol. 250, n° 3, 1983, p. 374-377.

Schore, Allan. *Affect Regulation and Origin of Self: The Neurobiology of Emotional Development*, Mahwah, Lawrence Erlbaum Associates, 1994.

Schwartz, Morrie. *Letting Go*, New York, Walker and Company, 1996.

Seiver, Larry J., et William Frucht. *The New View of Self: How Genes and Neurotransmitters Shape Your Mind, Your Personality and Your Mental Health*, New York, MacMillan, 1997.

Seligman, Martin. *Helplessness: On Depression, Development and Death*, San Francisco, W. H. Freeman, 1975.

Selye, Hans. *Advances in Psychoneuroimmunology*, Istvan Berczi et Judith Szelenyi,(dir.), New York, Plenum Press, 1994.

Serra, G., M. Collu et G. L. Gessa. « Endorphins and Sexual Behavior », dans *Endorphins, Opiates and Behavioral Processes*, New York, John Wiley & Sons, Inc., 1988, p. 237-247.

Sky, Michael. *Sexual Peace: Beyond the Dominator Virus*, Santa Fe, Bear and Company, 1993.

Smotherman, William P., et Scott R. Robinson. « The Development of Behavior Before Birth », *Developmental Psychology*, 32, mai 1996, p. 425-234.

Spitz, Renee A. « Hospitalism: An Inquiry into the Genesis of Psychiatric Conditions in Early Childhood », *Psychoanalytic Studies of the Child*, 1, 1945.

Stanford, S. C., et P. Salmon. *Stress: From Synapse to Syndrome*, San Diego, Academic Press, 1993.

Storr, Anthony. *Solitude: les vertus du retour à soi-même*, traduit de l'anglais par Béatrice Vierne, Paris, Robert Laffont, 2005 (c1991).

Suomi, Stephen. «Early Stress and Adult Emotional Reactivity in Rhesus Monkeys», dans *The Childhood Environment and Adult Disease*, John Wiley and Sons, Inc., 1991.

Talbot, Margaret. «Attachment Theory: The Ultimate Experiment», *New York Times Magazine*, 24 mai 1998, p. 24-54.

Tavris, Carol. *La Colère: apprivoisez la colère; faites-en bon usage*, traduit de l'américain par Gérard Piloquet, Montréal, Éditions de l'Homme, 1984.

Tice, Diane, et Roy Baumeister. «Self Induced Emotion Change», *Handbook of Mental Control*, C. M. Wegner et J. W. Pennebaker (dir.), Prentice Hall, 1992.

Van der Kolk, Bessel A., Alexander C. McFarlane et Lars Weisaeth. *Traumatic Stress: The Effects of Overwhelming Experience on Mind, Body, and Society*, New York, Guilford Press, 1996.

Vaughan, Susan. *The Talking Cure: The Science Behind Psychotherapy*, New York, Grosset/Putnam, 1997.

Viorst, Judith. *Les Renoncements nécessaires*, traduit de l'américain par Hélène Collon, Paris, Pocket, 2003 (c1988).

Vormbrock, Julia K. «Attachment Theory as Applied to Wartime and Job-Related Marital Separation», *Psychological Bulletin*, 114, 1993, p. 122-144.

Wapner, S., R. Ciottone, G. Hornstein, O. McNeil, et A. M. Pacheco. «An examination of Studies of critical transitions through the Life Cycle», dans S. Wapner et B. Kaplan (dir.), *Toward a Holistic Developmental Psychology*, New Jersey, Erlbaum, 1983, p. 111-132.

Wattles, Wallace D. *Ta fortune est dans tes mains [The Science of Getting Rich]*, version française adaptée de l'anglais et présentée par Grace Gassette, Bazainville, Éditions du Prieuré, 1937.

Watzlawick, Paul, John Weakland et Richard Risch. *Changements: paradoxes et psychothérapie*, traduit de l'anglais par Pierre Furlan, Paris, Éditions du Seuil, 1975.

Weiner, H., M. A. Hofer et A. J. Stunkard. *Brain, Behavior and Bodily Disease*, New York, Raven Press, 1981.

Weiner, Herbert. *Perturbing the Organism: The Biology of Stressful Experience*, Chicago, University of Chicago Press, 1992.

Weiss, Jay M. «Stress-Induced Depression: Critical Neurochemical and Electrophysiological Changes», dans *Neurobiology of Learning, Emotion and Affect*, John Madden (dir.), New York, Raven Press, 1991.

Weiss, R. S. *Loneliness: The Experience of Emotional and Social Isolation*, Cambridge, MIT Press, 1973.

——. *Marital Separation: Managing after a Marriage Ends*, New York, Basic Books, 1975.

Whitfield, Charles. *Co-Dependence: Healing the Human Condition*, Deerfield Beach, Health Communications, 1991.

Williamson, Marianne. *Un retour à l'amour : réflexions sur les principes énoncés dans Un cours sur les miracles*, traduit de l'anglais par Ivan Steenhout, Montréal, Éditions du Roseau, 1993.

Wilson, E. O. *Consilience: The Unity of Knowledge*, New York, Knopf, 1998.

Winnecott, Donald W. « The Capacity to be Alone », dans *The Maturational Processes and the Facilitating Environment: Studies in the Theory of Emotional Development*, Madison, International Universities Press, 1965.

Wise, Roy A. « The Neurobiology of Craving: Implications for the Understanding and Treatment of Addiction », *Journal of Abnormal Psychology*, 97, n° 2, 1988, p. 118-132.

Wolf, Sharyn. *Guerilla Dating Tactics: Strategies, Tips and Secrets for Finding Romance*, New York, Plume, 1994.

Wolff, P. H. « The Serial Organization of Sucking in the Young Infant », *Pediatrics*, 42, 1968, p. 943-956.

Yalom, Irvin. *When Nietzsche Wept*, New York, Basic Books, 1992.

Zilman, Dolf. « Mental Control of Angry Aggression », dans *Handbook of Mental Control*, C. M. Wegner et J. W. Pennebaker (dir.), New Jersey, Prentice Hall, 1992.

Remerciements

es personnes très spéciales m'ont transmis la substance et les
principes de base de cet ouvrage : mes clients. Ils m'ont appris que
par son courage l'être humain peut surmonter les deuils les plus
douloureux et le désespoir le plus profond. Ce sont leurs voix qui relatent
ici ces récits vrais d'abandon et de rétablissement.

J'exprime ma profonde reconnaissance à mon fils, Adam, à
ma fille, Erika, et à Paul pour leur amour et leur patience, et pour
avoir accepté que je les « abandonne » tout au long de la rédaction
de ce livre ; à mon père, Dexter Griffith, qui m'a inculqué une
grande détermination créatrice ; à ma mère, qui n'a jamais cessé
de m'appuyer ; à ma sœur, Marcia Gerardi, ainsi qu'à mes frères,
Dexter et Robert Griffith, pour leur amour et leur dévotion ; à
leurs conjoints, Mark Gerardi, Karen Griffith et Randy Davis ;
aux cousins Jessica Gerardi, Kristi Dylan et Bryan Griffith ; aux
enfants de Paul, Alex, Jesse Mark et Laura Cohen ; à Jill Mackcy,
Carole Ann Price et Patricia Malone pour leurs encouragements
indéfectibles ; et à Dilys et Keith Purdy, qui m'ont aidée à garder
mon troupeau pour que je puisse écrire.

J'adresse un merci chaleureux à Peter Yelton, mon gourou de
l'abandon. Cet homme profond et visionnaire est un réchappé de
l'abandon exemplaire. Il a partagé avec moi ses connaissances et
sa philosophie, sans rien demander en retour. J'ai souvent cité ses
paroles. La seule chose qui lui importe est la vie et les relations
humaines : voilà la priorité d'un sage.

Je suis endettée envers Robert Gosset de m'avoir aidée dans les
passages scientifiques du manuscrit. Il m'a orientée vers d'incon-
tournables ouvrages et il a éclairci de nombreux points obscurs.

J'ai ici une pensée toute spéciale pour Carrie, qui jouit de tout l'amour et de toute l'affection que puisse souhaiter recevoir une enfant. Elle m'a motivée à transgresser mon champ d'études habituel et à fouiller les arcanes des sciences neurologiques, de l'anthropologie et de la philosophie dans le but de comprendre pourquoi elle s'est abandonnée elle-même à son insu.

J'aimerais également souligner l'apport des personnes qui ont partagé avec nous les rejets qu'elles ont vécus dans leur enfance et les enseignements qu'elles en ont tirés. Elles témoignent de la sagesse que nous inculquent les grands bouleversements de la vie.

Ma gratitude va également à Teresa Kennedy, qui a participé au lancement de ce projet, à Susan Golomb, qui y a cru et qui a su diriger le manuscrit vers la bonne personne, et à Lisa Considine, qui a mené le texte à bonne fin grâce à sa perspicacité, à son ouverture d'esprit et à son travail d'édition remarquable. Je suis en outre reconnaissante à Richard Robertiello, M.D., pour ses conseils judicieux et son appui constant pendant les périodes difficiles; à Edward Kannel, qui m'a encouragée à écrire pendant mes études; à Hannah Merker, mon conseiller littéraire, grâce à qui ma confiance est intacte; et à IWWG, parce qu'il est là. J'aimerais enfin remercier les membres de mon groupe d'écriture pour leurs commentaires; Carolyn Hasler de la Huntington Public Library, qui m'a procuré des documents difficiles à trouver; Mayumi Hayashi, qui m'a aidée à comprendre le concept d'*akeru*; et T.K.'s Galley, un merveilleux petit café de Halesite, en bordure de l'eau, où j'ai trouvé une ambiance chaleureuse et propice à l'écriture.

Table des matières

Achevé d'imprimer au Canada
sur papier Quebecor Enviro 100% recyclé
sur les presses de Quebecor World Saint-Romuald